COLÈRE ARDENTE

Richard Castle

Traduit de l'anglais (États-Unis)
par Françoise Fauchet

City
Thrillers

Originally published in the United States and Canada as *Raging Heat*
by Richard Castle. This translated edition published by arrangement
with Kingswell, an imprint of Disney Book Group, LLC.
Publié aux Etats-Unis par Kingswell sous le titre *Raging Heat*.
Publié en France par City Editions.
Castle © ABC Studios. All rights reserved.
Couverture : © ABC
ISBN : 978-2-8246-0507-4
Code Hachette : 55 8895 5
Rayon : Thrillers
Collection dirigée par Christian English & Frédéric Thibaud
Catalogue et manuscrits : www.city-editions.com

Dépôt légal : octobre 2014
Imprimé en France par France Quercy, 46090 Mercuès - n° 41433/

À KB.
Les étoiles sur nos têtes,
le monde à nos pieds.

UN

Nikki Heat songeait à ce qu'aurait été sa vie si sa mère n'avait pas été assassinée. Se rendrait-elle ainsi à pied de son poste de police sur les lieux d'un crime, ou serait-elle plutôt en répétition à Broadway, pour une reprise de Tchekhov ou une pièce d'avant-garde, avec la perspective d'un prix à la clé ? Au carrefour de Columbus Avenue, elle s'arrêta pour attendre le feu vert. Les choses auraient pu aussi tourner autrement. Le destin aurait pu faire d'elle une mère gourmande comme celle assise chez Starbucks, à sa droite, qui aidait son enfant à boire un chocolat chaud. Ou pourquoi pas une sans-abri, comme ce clochard qui mendiait devant chez le caviste, de l'autre côté de la rue ? Bien qu'aucune choriste de Steely Dan ne fût en vue, elle aurait volontiers envisagé cette possibilité aussi.

Un courant d'air souleva des détritus dans le caniveau. Nikki suivit des yeux un sac en plastique, des papiers de bonbons et une page de journal qui s'envolaient en tourbillonnant dans la 82ᵉ Rue, jusqu'à ce que le spectacle perde son intérêt ; il ne s'agissait que de simples ordures, après tout. Il n'était que 10 h 30. Drôle d'idée de faire la manche devant la porte d'un marchand de vin fermé…

Son regard se porta de nouveau sur le mendiant, qui se détourna aussitôt pour s'éloigner en traînant les pieds. Au vert, l'inspecteur Heat traversa. Au carrefour suivant, un agent de circulation fendait l'air de ses mains gantées pour dévier les badauds devant la rue barrée. Elle, il la laisserait passer. Un nouveau corps attendait l'enquêtrice de la brigade criminelle de New York.

L'appel radio des premiers agents sur place avait vendu la mèche : « Évitez de manger ou de boire quoi que ce soit en route. C'est très sérieux. » Un peu par défi, mais aussi parce qu'elle était accro à la caféine, Heat n'était pas partie sans le reste de son grand crème aromatisé à la vanille qui refroidissait sur son bureau. Elle l'avala d'un trait avant de franchir le cordon de sécurité. Puis elle lança sa tasse vide dans une poubelle de la ville et présenta son insigne à l'agent en faction.

Une fois sur les lieux du crime, Nikki marqua une pause. Quiconque l'observait aurait pu penser qu'elle remettait simplement en place l'étui de son revolver, ce qu'elle fit. Néanmoins, ce geste n'était qu'une couverture. Ces instants étaient réservés à son rituel : d'une profonde inspiration, elle rendait un dernier hommage au défunt et repensait au drame qu'elle avait elle-même vécu. Bien que dix ans se fussent écoulés depuis, Nikki Heat ne pouvait s'empêcher de songer, à chaque nouveau meurtre, que la victime méritait justice et que ses proches méritaient de voir l'affaire confiée à des policiers capables. Une fois son devoir accompli, elle reprit sa route.

À l'écoute de ses premières impressions, elle balaya du regard la 81e Rue et engrangea le moindre détail. Comme les enquêteurs expérimentés avaient parfois tendance, gagnés par la routine, à passer à côté d'indices, Heat abordait tout avec les yeux d'un bleu et revenait toujours à ses méthodes des débuts, comme s'il s'agissait de sa toute première affaire.

Le premier déclic se produisit à moins d'une rue du planétarium. Des équipes de secours s'affairaient devant l'établissement. D'ordinaire, à son arrivée, les premiers intervenants étaient désœuvrés, car la victime était morte. De temps à autre, il fallait s'occuper de dommages collatéraux, dus à des échanges de coups de feu ou de coups de couteau. Mais, ce matin-là, le reflet des gyrophares sur la chaussée humide était interrompu par un groupe de collégiens en sortie scolaire blottis autour de trois ambulances. Malgré la distance, Nikki distinguait les signes de traumatisme : les sanglots, les pas chancelants, les regards perdus dans le vague. Assis sur un brancard à l'intérieur d'une ambulance, un garçon vomissait. À l'extérieur, deux adolescentes essuyaient leurs larmes dans les bras l'une de l'autre.

L'inspecteur Heat passa devant un car immatriculé à Edmonton qui attendait, moteur tournant, le long du trottoir. Massés près de la porte, une vingtaine de retraités canadiens marmonnaient, la mine grave, sous le crachin et tendaient le cou pour tenter de mieux voir ce qui se passait à travers les arbres du Theodore Roosevelt Park. D'instinct, Heat regarda dans la direction opposée. Derrière eux, elle inspecta vers l'est, du côté de l'hôtel Excelsior, le pâté de maisons de beaux immeubles comprenant le Beresford, dont les tours au toit plat disparaissaient étrangement dans le brouillard et donnaient des airs de château hanté à cette masse de vingt-trois étages. Derrière maintes fenêtres donnant sur la rue se massaient des curieux. Certains tweetaient en direct leurs commentaires sur le carnage depuis leur appartement à trois millions de dollars. L'enquêtrice sortit son propre smartphone pour prendre quelques photos afin de repérer où envoyer sa brigade plus tard interroger les témoins.

Bien au-dessus de la couverture nuageuse, le doux ronronnement d'un avion prêt à atterrir détourna son attention. Six jours encore et il serait de retour. Bon sang, que ces mois lui avaient semblé longs ! Nikki chassa cette idée de sa tête pour se concentrer de nouveau.

Lorsqu'elle se trouva sur les dalles menant à l'entrée principale du musée, ce qu'elle vit l'arrêta net. Clouée sur place parmi les personnes évacuées, Nikki resta bouche bée, comme tout le monde. Puis un juron lui échappa.

Le gigantesque cube en verre de six étages du Hayden Planetarium semblait avoir été victime d'une météorite. Mais ce qui avait transpercé son toit avait provoqué une explosion de sang en périphérie. Sur le mur à l'intérieur, de longs filets rouges s'étiraient vers le sol, formant des traînées translucides d'une dizaine de mètres le long des vitres. Plus besoin de jouer les débutants pour l'inspecteur Heat... Il s'agissait bel et bien d'une première.

— Gare où vous mettez les pieds, inspecteur, avertit la légiste.

Mais Heat avait déjà marqué une pause sur la dernière marche menant au niveau inférieur du vaste atrium. Agenouillée par terre dans sa combinaison, le Dr Lauren Parry marquait les indices sous Alpha du Centaure.

— Il y en a partout. Et tous les morceaux n'ont pas encore fini de tomber. Ou, plutôt, de couler.

Nikki pencha la tête en arrière. Trente mètres plus haut, la bruine et une lumière grise non filtrée perçaient à travers le trou fait par ce numéro d'homme-canon. L'ouverture formait le centre d'une cible aux bords irréguliers dans la bande vitrée qui encadrait les bords extérieurs du toit.

Sous la force de l'impact, du sang, mêlé à des fragments de chair, avait coulé non seulement le long de la vitre, mais aussi sur la moitié de l'énorme boule nichée à l'intérieur de la salle de l'Univers. Jupiter en avait pris un coup. Les longitudes de la planète la plus proche de l'installation, tendue par des câbles métalliques à travers le cube, étaient elles aussi soulignées de filets rouges.

Ailleurs, des lambeaux de vêtements pendaient sur les fils qui avaient arrêté leur chute. Alors que Nikki examinait la scène, une masse de viscères dégoulina de l'une des loques et atterrit trois étages plus bas, avec un claquement qui résonna comme un fouet sur le sol en marbre blanc.

— Ouooooah ! s'exclama l'inspecteur Feller, suivi par trois agents qui s'esclaffèrent en chœur à côté de lui, près de la boutique de souvenirs.

Cette fois, Heat ne le réprimanda pas pour son habituel manque de décence. S'il y avait une scène de crime sur laquelle on pouvait accepter l'humour noir pour faire oublier l'horreur, c'était bien celle-là. Et comme il n'y avait ni proches, ni médias, ni civils autour pour en prendre ombrage, elle laissa glisser.

Heat s'avança avec précaution dans la vaste salle, évitant les débris de verre grâce au chemin indiqué par les marques jaunes numérotées que la légiste avait placées sur le sol.

— Ça n'a pas l'air d'être un suicide, non ? commenta Nikki lorsqu'elle eut rejoint son amie.

— D'abord, tu sais très bien qu'il est beaucoup trop tôt pour poser la question. Ensuite, merci de ne pas contaminer ma scène de crime.

— Je sais quand même où poser les pieds, Lauren.

— Parce que je t'ai bien formée. Contrairement à ton inspecteur Ochoa, qui a réussi à glisser sur un bout de tendon à la minute où il est arrivé et s'est retrouvé sur les fesses. Tu pourras dire à Miguel, quand tu le verras, qu'il ne sera bientôt plus mon petit ami.

Nikki balaya du regard les immeubles voisins, tous visibles à travers la vitre.

— Je ne vois nulle part d'où sauter aux alentours.

— Tu comptes me mettre la pression jusqu'à ce que je cède, c'est ça ?

Le Dr Parry se redressa en s'étirant le dos.

— La semaine dernière, j'ai bossé sur un saut de l'ange dans le quartier de Castle Hill, dans le Bronx. Les toits y sont à peu près aussi hauts qu'ici, OK ? Ma victime s'était ouvert le cou et l'abdomen, et elle avait un peu les tripes à l'air, mais, sinon, son cadavre était intact. Alors, non seulement il n'y a pas d'immeuble assez proche pour atterrir ici, mais il n'y a aucune structure assez élevée non plus pour entraîner ce genre de dégâts. Là, on a plutôt le résultat d'une chute de plus de cent étages.

— Une identité ?

— C'est l'ADN qui nous le dira. Avec un peu de chance, on trouvera peut-être des extrémités ou des dents. D'autres questions avant que je me remette au travail ?

— Juste une. Tu comptes te calmer d'ici ce soir ? Parce que je n'ai aucune envie de supporter tes jérémiades pendant *Le Monde de Charlie*.

— *Le Monde de Charlie* ? Je voulais aller voir Jeremy Renner dans le dernier Bourne.

— Primo : il n'y a qu'un seul Jason Bourne. Secundo : comme c'est mon tour de choisir. Il va falloir faire avec, ma belle.

Nikki lui adressa un regard très sévère que ni l'une ni l'autre ne put prendre au sérieux. Depuis deux mois que Rook était parti en mission pour son magazine, Nikki et Lauren se rendaient au cinéma un soir par semaine, une agréable distraction, mais un faible palliatif pour Heat. En suggérant à son amie de sortir son calepin, le Dr Parry indiqua qu'elle jetait l'éponge.

— Pour l'instant, la victime n'est pas identifiable, par manque d'éléments de taille suffisante. On a repéré une chaussure, une basket Balance neuve pour homme, qui a atterri sur le tapis roulant du premier étage, ce qui laisse penser que la victime pourrait être un homme, mais seule l'analyse ADN le confirmera.

— Mais c'est pratiquement sûr.

La légiste haussa les épaules.

— Sinon, libre à toi de te mette à quatre pattes ou de prendre la nacelle élévatrice. C'est tout ce que je peux dire.

— Alors, ceci pourrait vous intéresser, intervint l'inspecteur Ochoa, qui arrivait en suivant minutieusement le chemin emprunté par sa supérieure parmi les chairs éparpillées et les éclats de verre.

Derrière lui, son coéquipier marchait dans ses pas.

— On l'a trouvé près du guichet pour les groupes, déclara l'inspecteur Raley.

Le duo, affectueusement surnommé les « Gars », se tourna vers l'autre bout de la salle.

— C'est un morceau de doigt, annoncèrent-ils en chœur.

— Ou peut-être d'orteil, nuança Raley.

Les trois inspecteurs patientèrent derrière Lauren Parry, accroupie, le temps qu'elle examine le spécimen à la loupe.

— C'est l'extrémité d'un doigt. À la peau noire.

Heat s'agenouilla et posa une joue au sol pour mieux voir.

— Disons donc qu'il s'agit d'un homme, noir. Tu crois qu'on pourra obtenir une empreinte ?

Avec précaution, la légiste fit tourner le spécimen du bout de ses pincettes, comme si elle vérifiait la cuisson d'une crêpe, songea Nikki.

— En tout cas, on va essayer, promit le Dr Parry.

— Bravo, les Gars, commenta Heat en se relevant.

— Ça pourrait même compenser votre glissade sur les fesses, inspecteur Labavure, le taquina Lauren.

Tandis que son petit ami lui répondait par une grimace, son équipier poursuivit :

— C'est dingue qu'on en ait retrouvé tout un bout.

— Pas tant que ça.

Le Dr Parry marqua l'emplacement de l'indice, puis rangea le doigt dans un sachet.

— Sous un choc pareil, le corps humain explose et se sépare aux articulations.

— Offrant ainsi au planétarium de quoi présenter une toute nouvelle exposition sur le Big Bang, fit une voix familière derrière eux.

Par réflexe, Nikki Heat leva les yeux au ciel. Rook, songea-t-elle, toujours à faire le clown ! Aussitôt, elle fit volte-face et le vit là, à trois mètres, arborant son fameux sourire en coin. Elle eut bien du mal à reprendre ses esprits.

— Rook ? parvint-elle seulement à prononcer.

— Écoute, si je tombe mal…

D'un large geste, il indiqua le carnage.

— Tu n'as vraiment pas besoin qu'on te tombe dessus en ce moment.

Elle se précipita vers lui, regrettant très fort de ne pas pouvoir oublier qui elle était pour se jeter dans ses bras et l'embrasser. Cependant, la chef de la brigade criminelle garda son professionnalisme.

— Tu ne devais pas rentrer avant…

— … la semaine prochaine, je sais. Surprise ?

— Euh, c'est un euphémisme.

Elle saisit ses deux mains dans les siennes, puis, d'un geste de frustration, retira ses gants d'examen pour sentir le contact de sa peau. Très vite, une chaleur familière l'envahit : cette force de séduction qui l'attirait chez Rook depuis que le reporter était entré dans sa vie, trois ans plus tôt. Nikki repensait souvent à cette relation qui avait failli ne jamais voir le jour. On voulait lui coller un maudit journaliste dans les pattes ? Non, merci, avait-elle songé.

Pourtant, elle avait beau avoir tout fait pour qu'il soit muté ailleurs tellement ses mauvaises blagues l'agaçaient, elle n'avait pas tardé à ne plus pouvoir se passer de sa compagnie. Au fil du temps, non seulement ils passaient la nuit tantôt chez l'un, tantôt chez l'autre, mais Jameson Rook était devenu un précieux collaborateur dans les affaires qui lui donnaient du fil à retordre. Il l'avait notamment aidée à résoudre le meurtre d'une chroniqueuse mondaine, à débusquer un meurtrier dans les plus hautes sphères de la police de New York, à coincer les assassins de sa mère et même à sauver la ville d'une attaque bioterroriste. Oh ! bien sûr, leur couple avait connu des hauts et des bas, ils avaient même tenté de se séparer à plusieurs reprises, mais jamais cela n'avait duré. L'attirance, la sensation d'être faits l'un pour l'autre avait toujours prévalu. Sans oublier le sexe, évidemment. Ah ! le sexe.

Nikki l'examina. En deux mois, il avait perdu du poids et bronzé ; il paraissait en meilleure forme. Mais il avait aussi quelque chose de différent.

— Tiens. Tu t'es laissé pousser la barbe ?

— Ça te plaît ? demanda-t-il en prenant la pose.

Elle recula d'un pas.

— Non. Non, pas du tout, répondit-elle avec un large sourire.

— Tu t'y habitueras.

— Non, certainement pas. On dirait... une figurine articulée de Jameson Rook.

Il retira une main pour se caresser le menton.

— Qui t'a prévenu que j'étais ici ? s'enquit-elle.

— Désolé, en vertu du Premier Amendement, je ne divulguerai pas mes sources. Bon, d'accord, c'est Raley.

L'inspecteur esquissa un geste penaud. Lorsqu'elle se retourna vers lui, Rook se pencha si près qu'elle sentit son parfum.

— Je pensais t'enlever pour le déjeuner, chuchota-t-il. Quelque part où on pourrait faire appel au service de chambre ?

C'était exactement ce dont Nikki avait envie. Sauf qu'elle aurait volontiers oublié le service de chambre ; courir à l'Excelsior, de l'autre côté de la rue, et jeter ses vêtements par terre jusqu'au lit après avoir accroché le panneau NE PAS DÉRANGER lui aurait suffi.

— Voilà une idée alléchante... si je n'avais pas à enquêter sur une mort suspecte, répondit-elle néanmoins.

— Si ta priorité, c'est ton travail...

— ... dit celui qui vient de me laisser huit semaines toute seule pour écrire un article.

— Deux articles... ou plutôt « enquêtes approfondies », comme dirait mon rédacteur en chef. Et ce n'étaient que sept semaines. Je suis rentré plus tôt. Tu vois ?

Les bras tendus, il se mit à tournoyer sur lui-même, ce qui la fit rire. Sacré Rook, il finissait toujours par la faire rire. Il savait aussi que leurs retrouvailles n'étaient que partie remise et que la patience payait toujours. C'est pourquoi, sans se plaindre, il reprit son duffel-coat au comptoir du vestiaire, que personne ne tenait, mais où des tas de sacs à dos et d'imperméables avaient été abandonnés dans la hâte de l'évacuation.

Comme la pluie matinale s'était calmée, Heat décida de réunir son équipe à l'extérieur, afin de laisser travailler la légiste et la scientifique, que la présence de tout ce personnel contaminant les lieux rendait nerveux. Elle s'installa avec les inspecteurs Raley, Ochoa, Feller et Rhymer devant les portes à tambour, sur la petite place desservie par une contre-allée en arc de cercle. Rook s'assit sur un banc de pierre à l'écart, sans réprimer le moindre bâillement dû au décalage horaire. Au sommet de la pente herbeuse, les touristes évacués tournaient en rond sur le trottoir, derrière les grilles en fer forgé. Comme on pouvait s'y attendre, les camions des journaux télévisés étaient déjà là. Leurs antennes formaient une forêt à chaque extrémité de la 81e Rue.

— Je ne vois pas pourquoi on se retrouve à la porte comme ça, commenta Feller. C'est quand même nous qui leur avons trouvé ce doigt ?

— Nous ? reprirent les Gars, pratiquement en chœur.

— Tiens, vieux, j'en ai aussi un pour toi, ajouta Ochoa.

— Je suis touché de constater que tu te l'es même sorti du nez, Miguel, rétorqua Feller de plus belle, salué par une série de gloussements que Heat s'empressa d'interrompre.

— Messieurs, puis-je vous rappeler que nous nous trouvons sur les lieux d'un crime et que nous sommes en public ? Il ne serait pas très judicieux de nous voir rire en couverture de l'édition du soir du *Ledger*.

Elle balaya la rue du regard et, bien entendu, surprit un homme qui les prenait en photo au téléobjectif. Lorsqu'elle se retourna vers son groupe, il lui vint d'ailleurs à l'esprit que ce type lui disait quelque chose. Pourtant, il ne semblait pas porter de badge d'accréditation ni faire non plus partie des habituels photographes de presse. Où l'avait-elle donc déjà vu ? Après un nouveau coup d'œil, elle aperçut le dos de sa veste avalé par la foule et haussa les épaules. On était à New York. Les trottoirs étaient remplis de visages énigmatiques.

— Gardons l'esprit ouvert, commença-t-elle. Il s'agit peut-être d'un accident, pas d'un meurtre. Quoi qu'il en soit, nous allons aborder cette affaire un peu différemment.

— On ne va donc pas chercher d'observateur passif ni de

personnes suspectes en fuite, résuma l'inspecteur Feller qui, à l'instar de ses collègues, avait cessé de chahuter pour reprendre tout son sérieux.

— Exactement. Si on concentrait plutôt nos efforts sur ce qui s'est passé. À commencer par nos deux priorités : l'identité de la victime et les conditions de sa mort.

Rook leva la main.

— J'opte pour une partie de *kersplat*.

Bon sang, ce que Nikki était à la fois contente et agacée qu'il soit revenu. En voyant leurs réactions, au lieu de se retirer, il se joignit au cercle et en remit une couche.

— C'était peut-être indélicat, mais, bon, ce gars était de toute façon un moucheron sur un pare-brise. Sauf que, comme le moucheron en question est passé au travers du pare-brise, il devait aller à, quoi... 800 km/h ?

— Impossible, dit Ochoa.

— Pour un homme de loi, vous me semblez bien prompt à douter de la loi de l'attraction universelle, inspecteur.

Il en appela à Nikki.

— Quelle hauteur le Dr Parry disait-elle qu'il fallait pour entraîner pareils dégâts ?

— Plus de cent étages, répondit-elle, bien qu'elle se méfiât qu'il ne phagocyte son topo.

— On parle donc d'une altitude d'au moins trois cents mètres. Ça m'étonne qu'il n'ait pas franchi le mur du son.

— Peu probable, Rook. Un objet en chute libre tombe à $9,81 \ m/s^2$ jusqu'à ce qu'il atteigne sa vitesse finale.

Ochoa fit retourner les têtes avec cette remarque.

— Quoi ? Au service, j'étais dans les troupes aéroportées. Croyez-moi, avant de sauter de l'avion, on se rencarde un tantinet sur ce bon vieux Newton.

Rook ne voulut pas lâcher pour autant :

— Je ne doute pas de ton courage, mais ne serions-nous pas en train de couper les cheveux en quatre, là ?

L'inspecteur sourit.

— On franchit le mur du son à Mach 1, soit 1224 km/h,

récita-t-il. La vitesse finale d'un homme en chute libre s'élève en moyenne à 190 km/h et il lui faut environ douze secondes pour l'atteindre.

Rook marqua une pause.

— « Environ ». Je vois, constata-t-il, une fois digérée son écrasante défaite en calcul.

— La variable, c'est le coefficient de traînée. La traînée est générée par les vêtements, la position du corps...

— ... les poils, notamment la barbe à la GI Joe, enchaîna l'inspecteur Rhymer.

— Allez, intervint Heat. Je sais à quel point vous aimez tous vous mesurer, les garçons, mais pourrions-nous juste nous mettre d'accord sur le fait que notre victime est tombée d'une hauteur indiquant la présence d'un avion ?

Tous acquiescèrent de la tête. Puis, alors que Rook ouvrait la bouche, elle reprit :

— On avance.

Aussitôt, il se tut et lui adressa un salut militaire de l'index, accompagné d'un sourire. Nikki chargea alors Rhymer de consulter le fichier des personnes portées disparues afin, éventuellement, d'identifier l'inconnu.

— Commencez par New York et la région des trois États, bien sûr, dit-elle, mais, comme ce pauvre bougre est sans doute tombé d'avion, vérifiez aussi auprès du FBI et de la Sécurité intérieure. Sans oublier les évadés de prison ni les mandats de recherche émanant de chez nous, du comté, de l'État ou au niveau fédéral.

Elle confia le soin d'interroger le quartier à Randall Feller, qui devait commencer par les touristes retenus derrière les barrières, dans la 81e Rue.

— Mais je cherche quoi ? demanda-t-il. Puisqu'on n'a pas de suspect.

— Une fois de plus, on ne le saura que lorsqu'on aura trouvé, répondit-elle. C'est la loterie. Pour nous aider, il suffit d'une personne qui ait assisté à la chute.

— Ou entendu quelque chose, ajouta Raley.

Heat opina du chef.

— Sean a raison. Un avion en détresse, un cri, un coup de feu, n'importe quoi. Et prenez des agents avec vous pour frapper aux portes de ces appartements.

D'un geste, elle indiqua le pâté d'immeubles en pierre dans lequel logeait l'élite de l'Upper West Side, puis elle lui envoya par MMS les photos qu'elle avait prises avec son téléphone. Ensuite, elle se tourna vers l'inspecteur Raley.

— Devinez !

— Les caméras vidéo.

— Gagné !

Raley avait été intronisé roi de tous les médias de surveillance de la brigade. Au fil des années, il était passé maître dans l'art d'éplucher des heures d'enregistrements soporifiques tournés aussi bien par les caméras de surveillance routière que par celles des banques et des bijouteries ; il avait permis d'importantes avancées dans nombre de leurs affaires. Ce jour-là, Nikki le chargea de dénicher les vidéos du planétarium ainsi que celles des résidences et des commerces environnants.

— L'avantage, c'est que vous n'aurez à travailler que sur un laps de temps très court, fit-elle remarquer. Inspecteur Ochoa, je vous sépare de votre équipier pour vous confier les cieux.

D'une pichenette, il ouvrit son calepin et prit en note ses instructions tandis qu'elle lui indiquait de prendre contact avec la FAA[1] et le centre de contrôle aérien pour voir s'il y avait eu des appels au secours ou une activité inhabituelle dans l'espace aérien local.

— Demandez la liste de tous les avions, de ligne et autres, qui sont passés par ici vers 10 heures ce matin ; la moindre déviation de parcours, le moindre comportement fantasque ou n'importe quoi qui ait attiré l'attention d'autres pilotes.

— Compris : quoi qu'ils aient vu ou entendu à la radio de bizarre.

---

1. Federal Aviation Administration : autorité de l'aviation civile. (Toutes les notes sont de la traductrice.)

— N'oubliez pas les hélicoptères. Pas seulement ceux de la police, mais aussi ceux de la télévision et de la radio, ceux qui baladent les touristes et ceux qui transportent les banlieusards.

Heat leva les yeux en l'air. Le ciel se dégageait, mais il conservait une couleur d'huître.

— J'imagine que peu ont volé par ce temps, mais quelqu'un a pu repérer quelque chose.

Rook leva la main et se lança sans attendre.

— Des clandestins. On entend souvent parler de types cachés dans la roue d'un avion de ligne. Le pilote ouvre le train d'atterrissage et... Enfin, vous voyez ce que je veux dire.

— On peut toujours vérifier. Miguel.

— Oh ! et les parachutistes. Note.

Au grand agacement d'Ochoa, Rook tapota du doigt sur le calepin de l'inspecteur.

— On n'a retrouvé ni casque ni parachute, objecta Heat.

— Peut-être qu'il est tombé parce que l'avion a viré trop serré. Ou qu'il a sauté. Personne n'a donc vu *Point Break* parmi vous ? ajouta-t-il sous leurs regards appuyés. Keanu Reeves saute d'un avion à la poursuite de Patrick Swayze, qui a pris le dernier parachute ? Quelqu'un ?

Ochoa fit cliquer son stylo et adressa un clin d'œil à Raley.

— « Parachute », en un ou deux mots ?

Voyant qu'il ne répondait pas lorsqu'elle demanda à la ronde si quelqu'un avait d'autres thèses, Heat sut qu'il était temps de renvoyer Rook chez lui. Pas la moindre conjecture sur l'utilisation d'une catapulte à vaches, comme dans les Monty Python. Ni sur un casse-cou ivre qui serait tombé de l'aile d'un biplan. Rien. À vrai dire, il était discrètement retourné sur son banc de pierre et, assis dans son coin, il avait le regard perdu dans le vague.

— Tu devrais peut-être aller faire un somme, suggéra-t-elle une fois que les autres se furent dispersés.

Après trente-six heures de voyage pour rentrer de Centrafrique en passant par Paris, il ne tenait plus debout. Il opina du chef d'un air ahuri, et elle le regarda s'éloigner d'un pas lent, emmitouflé dans son duffel-coat, après une embrassade chancelante et la promesse de rattraper le temps perdu avec elle après un petit roupillon. Ce filou savait qu'elle le suivait des yeux, car, au bout de la contre-allée, il souleva un pan de son manteau et remua les fesses.

— Retour au bercail, laissa-t-elle échapper.

À l'intérieur, le Dr Parry, qui était penchée sur un triste conteneur rempli de restes humains, leva les yeux vers Heat et lui annonça qu'elle allait en avoir pour des heures. Leur soirée cinéma était par conséquent annulée.

— Mais je suppose que c'était déjà prévu comme ça puisque le beau ténébreux est de retour. Allez-y, les amoureux, amusez-vous bien.

— Compte sur moi. Je crois que je vais l'emmener voir le dernier Jason Bourne.

Nikki tourna les talons pour masquer son large sourire.

Tandis que les inspecteurs commençaient à arriver au compte-gouttes dans la salle de briefing pour présenter leur rapport avant la fin de leur service, Heat fut surprise de voir Rook parmi eux.

— Courte sieste, fit-elle remarquer lorsqu'il prit place sur son bureau.

— C'est très mauvais de dormir. Tu veux connaître le meilleur remède contre le décalage horaire ? Le tapis de course. Cinq kilomètres et une douche chaude. Il me manque encore, oh ! disons, vingt minutes.

Il balaya du regard la salle de la brigade.

— C'est quoi, ce bureau vide ?

— On a, euh, perdu un enquêteur cette semaine. Un peu de délicatesse, on est en public, là, d'accord ? coupa-t-elle avant qu'il n'enchaîne.

— OK, on n'en parle pas ici.

Il opina du chef, mais poursuivit :

— Laisse-moi deviner. Ce cher capitaine Wally Irons a encore frappé ?

Devant le regard noir qu'elle lui lança, il leva les deux paumes devant lui.

— Mieux vaut ne pas en parler ici, si tu veux bien.

L'inspecteur Ochoa vint les rejoindre en tournant les pages de son bloc-notes.

— Rien, ni à la FAA ni au contrôle aérien. Aucun vol commercial sur cette partie de Manhattan à cette heure. Un avion en partance de LaGuardia a survolé le Bronx dix minutes avant, et deux ont été signalés en approche de JFK : le premier, cinq minutes après…, au-dessus de l'Hudson…, le second a traversé le West Side vers 10 h 30.

Comme elle se rappelait avoir entendu un avion alors qu'elle se rendait sur les lieux du crime, Nikki s'enquit des petits appareils privés.

— Nada. Pareil pour les appels de détresse. Et oui, Rook, je me suis bien renseigné au sujet des clandestins. Aucun signalement. En plus, il paraît que ce serait contre la procédure de sortir le train d'atterrissage si tôt.

D'après Rhymer, le fichier des personnes portées disparues n'avait rien donné non plus.

— On attend divers rappels pour les fugitifs et les évadés.

Connaissant la politesse naturelle de son enquêteur originaire du Sud, qui lui avait valu le surnom d'« Opossum », Heat invita Rhymer à harceler les services concernés. Elle suggéra par ailleurs qu'il élargisse ses recherches aux personnes portées disparues la semaine précédente ; on ne savait jamais.

— Bien sûr. Et je vais surveiller les signalements de la soirée, au cas où quelqu'un aurait la surprise de trouver le nid vide en rentrant ce soir, annonça-t-il avec son accent traînant.

Rook bondit sur ses pieds.

— Un deltaplane.

Ochoa fit non de la tête.

— D'où, de l'Empire State Building ?

— Tu as raison, il aurait fallu qu'il monte là-haut sans qu'on le voie.

Rook ne s'en laissa pas conter pour autant.

— Et pourquoi pas cette tour en construction sur la 57ᵉ Ouest ?

— Et que serait-il arrivé au deltaplane lui-même ? demanda Heat. Rook, tu aurais mieux fait d'aller te reposer.

— En *wingsuit*, ça marcherait, proposa Rhymer avec un grand sourire.

— *Madre de dios*, c'est contagieux.

Ochoa leva les yeux au plafond en secouant la tête.

Rook saisit Opossum par l'épaule.

— Tu sais quoi ? Les couloirs de ce poste résonneront de rires jaunes quand l'une de nos idées géniales permettra de réaliser une percée dans cette affaire.

Les inspecteurs Feller et Raley arrivèrent d'un même pas, avec une expression d'urgence peinte sur le visage.

— Il faut que vous voyiez ça, annonça le roi de tous les médias de surveillance.

Ils tenaient à peine tous les six dans le placard où Raley avait établi son royaume, composé pour l'essentiel de deux tables posées sur des classeurs à tiroirs, de matériel informatique récupéré à droite et à gauche et d'une couronne en carton de chez Burger King, que lui avait offerte la chef de la brigade criminelle plusieurs années auparavant en remerciement de ses bons et loyaux services.

— Alors que j'interrogeais la foule à la recherche de témoins, j'ai repéré un vieux Canadien qui avait l'air en panique, près du bus de touristes, expliqua l'inspecteur Feller. Avec sa femme… Au passage, je parie qu'il vient de troquer l'ancienne contre une plus jeune… Ils se sont fait filmer par le chauffeur devant le planétarium.

— Ça paraît logique. Qui visiterait New York sans prendre une photo d'Uranus ? commenta Rook.

— Mince, Harry, tu as vu le diamètre d'Ur…anus, impressionnant ! ne put résister Feller en imitant la voix d'une touriste.

— Pluton, mais pas vraiment de quoi non plus poser ta Jupe par terre ! rétorqua Rook.

Heat se tourna vers eux.

— Ça suffit. Toi, la prochaine fois, tu files directement à la sieste, gronda-t-elle Rook.

Raley reprit :

— Le couple m'a remis la vidéo pour que j'en fasse une copie. Je vous passe le ralenti. Prêts ?

Sans attendre, Raley lança les images, et tout le monde se massa près du moniteur.

À l'écran, un retraité au torse puissant et aux cheveux blancs soigneusement coiffés en banane embrassait une plantureuse quinquagénaire arborant fièrement ses bijoux, la tête posée sur l'épaule de l'amour de sa vie.

Leurs deux sourires semblaient figés, et ils clignaient lentement des yeux.

— Attention, ça va être là, avertit Raley.

Quelques secondes plus tard, une forme sombre semblable à un boulet de canon tomba du ciel en piquet et s'écrasa sur le toit du cube. Les protagonistes ne réagirent pas, car ils n'avaient rien remarqué. En revanche, la salle résonna de cris étouffés.

— La vaaaaaaaaache ! s'exclama Ochoa.

— Vous pouvez zoomer ? demanda Heat.

— Je vais vous passer la version zoomée. On est au maximum. Après, ça pixélise, d'où le flou, mais c'est plutôt intéressant. Prêts ?

Cette fois, on ne voyait plus du couple que le sommet de la banane argentée. Raley avait aussi accru le ralenti, de sorte que, lorsque le corps surgit, ses mouvements apparurent quelque peu saccadés. Une seconde avant l'impact, l'enquêteur fit un arrêt sur image.

— Oh là là, la tête la première, commenta Rhymer.

— Et là, regardez.

De la pointe de son crayon, Raley indiqua les mains de la victime.

— Les mains dans le dos.

— Normalement, on les tend en avant, souligna Rook.

— Il est peut-être inconscient, suggéra l'inspecteur Feller. Ochoa fit non de la tête.

— Quand on est inconscient, on a les bras ballants.

Il en fit la démonstration.

Tous scrutèrent l'image. Après quelques instants, Raley remit la bande en marche jusqu'à l'impact.

— C'est ce qui s'appelle taper l'incruste, railla Rook en rompant le silence. Sacré *photobomb*.

Nikki Heat avait vu assez juste lorsqu'elle fantasmait sur ses vêtements jonchant le sol de la porte jusqu'au lit…, à la différence près qu'ils ne se trouvaient pas à l'hôtel, mais chez Rook et qu'ils n'arrivèrent pas jusqu'au lit. Du moins, pas la première fois, car la séparation les avait mis en appétit et ils s'étaient sautés dessus avec voracité. Ce temps passé loin l'un de l'autre avait en outre apporté un souffle de nouveauté à leurs retrouvailles. Même leurs bonnes vieilles habitudes semblaient en avoir été ravivées ; cette flamme les avait poussés à l'abandon. Un abandon total. Après, la tête nichée dans le creux de l'épaule de Rook, Nikki songeait qu'elle n'avait jamais connu d'homme capable de lui faire tout oublier au point de se laisser aller ainsi dans l'instant présent. Certes, il était assez doué aussi pour rompre le charme.

— Rien ne vaut les retrouvailles, déclara-t-il.

— Et les fois où on a fait l'amour à l'hôtel, alors ? Ou sur le toit ? Ou à l'arrière de la voiture de patrouille ?

— C'est vrai. Si tu savais la peine que me fait l'idée du prochain retrait de la noble Crown Victoria du parc automobile de la police de New York. Les économies d'énergie sont une chose, mais une banquette spacieuse et ferme, si je peux me permettre…

— À propos de fermeté, combien de kilos as-tu perdus ?

— Crapahuter dans la jungle, ça maintient en forme.

— Et ça, c'est quoi ?

Nikki passa le doigt sur la trace d'une ancienne blessure par balle, qu'il avait reçue en lui sauvant la vie. Elle se glissa jusqu'à sa poitrine pour en examiner la cicatrice. Malgré la pénombre, elle distinguait parfaitement le relief des sutures, récemment cicatrisées.

— Plus tard, dit-il en attirant son visage près du sien. Profitons plutôt de ça.

— Oh ! quel cachottier, celui-là !

— Ah oui ?

Heat grimpa à cheval sur lui.

— Oui, oui.

Leurs bouches se trouvèrent de nouveau. Mais, cette fois, avec tendresse. Sans le lâcher des yeux, elle le caressa et le guida en elle, puis, dans une parfaite harmonie, ils ne communiquèrent plus que du regard, sans complexe, chacun se mouvant lentement pour mieux explorer et éprouver les tréfonds de l'autre.

Puis Rook commanda à dîner chez Landmarc avant de la rejoindre sous la douche.

— Alors, à quel point te fais-je penser à cette figurine articulée de GI Joe ? demanda-t-il en lui savonnant le dos.

— C'était juste une blague, laisse tomber.

— Plutôt l'un des autres peut-être : Storm Shadow ? Snake-Eyes ?

— Rook, tu me fais peur. Tu les connais tous ?

— J'ai eu à écrire un texte commercial pour Hasbro une fois. On a tous des choses à se reprocher. Shipwreck ? reprit-il. Snow Job ? Je sais : Firefly. Tiens, c'est marrant, je me sens un lien avec lui.

Nikki se tourna et lui prit le visage entre ses mains en coupe.

— Ce n'est pas mon sport préféré, tu sais.

— Tu n'as vraiment pas de quoi avoir honte. Je t'ai trouvée très en forme.

Mais, voyant son sérieux, il se reprit.

— Je sais, ça craint, les séparations.

— Et sans vouloir me plaindre, Rook, deux mois...

Au départ, il ne devait faire qu'un saut de six jours en Suisse pour concocter un rapide article glamour sur le Festival international du film de Locarno.

Mais lorsque le rédacteur en chef du *First Press* lui avait fait miroiter un article de fond sur le financement du terrorisme international par le trafic des diamants au Rwanda, Rook avait flairé la possibilité d'un troisième Pulitzer.

Aussitôt, il avait donc filé par l'E35 jusqu'à Milan dans sa Peugeot de location pour se précipiter chez La Rinascente s'équiper pour les tropiques avant de sauter dans le prochain avion pour Kigali, via Entebbe.

— Voilà pourquoi j'ai refusé de me rendre au Myanmar, la semaine prochaine, pour y couvrir la situation des droits de l'homme.

— Pas à cause de moi, j'espère. Tu dois faire ce que tu as à faire. Tu sais bien à quel point je tiens à mon indépendance.

— Que trop bien.

— C'est pour ça que ça marche entre nous. Chacun tient à son indépendance, n'est-ce pas ?... Quoi ? demanda-t-elle en lisant une expression étrange sur son visage.

Mais Rook ne répondit pas. Il se contenta d'un sourire de connivence et l'attira contre lui.

— Oh ! Je crois qu'une nouvelle figurine vient de nous rejoindre, murmura Nikki après quelques instants passés nus l'un contre l'autre, à s'embrasser dans la vapeur.

— Tu ne vas quand même pas me rabaisser, feignit-il de s'indigner.

Le lendemain matin, Heat, qui se préparait une tasse de café éventé en regardant la météo à la télévision, découvrait que la dépression tropicale annoncée au large du Nicaragua venait de se transformer en tempête tropicale, lorsque son mobile sonna. Elle courut jusqu'à la chambre à l'autre bout du couloir par peur que Rook ne se réveille, mais il dormait toujours d'un sommeil de plomb lorsqu'elle décrocha.

— Salut, docteur, fit-elle à voix basse en refermant la porte derrière elle.

— Tu as l'air hors d'haleine, dit Lauren Parry. Ne me dis pas que j'interromps une séance coquine.

— Il m'a attachée aux montants du lit avec de vieux rubans de machine à écrire. Une chance que je peux encore attraper le téléphone. Tu es toujours au planétarium ?

— Oh non ! Dieu merci. Mais j'ai quand même passé toute la nuit ici avec ce qu'on y a récupéré.

Heat était toujours fascinée par la distance avec laquelle le personnel de l'institut médicolégal faisait face au macabre.

— J'ai envoyé de bons échantillons d'ADN au labo, mais ce n'est pas pour ça que j'appelle. Je suis aussi tombée sur une partie du corps... À mon avis, c'est le haut de l'avant-bras gauche... Il porte un tatouage. Ouvre tes e-mails, Nikki, je t'en ai envoyé une photo.

Nikki la remercia et raccrocha. Avec une grimace, elle but une gorgée de café en regardant le fichier JPEG s'afficher sur l'écran de son ordinateur portable. La photo prise par son amie reflétait l'expérience de la légiste et son souci du détail : on voyait parfaitement les pores de la peau, bien éclairés par une lumière diffuse. Sur la peau noire, déchirée sur les bords, était écrit en caractères ornementés : *L'UNION FAIT LA FORCE*.

— *L'union fait la force*, prononça Heat à voix haute pour le plaisir de s'entendre parler français.

— C'est la devise qui figure sur les armes de la République d'Haïti.

Surprise, elle découvrit Rook derrière elle en se retournant.

— Mon français est loin d'être aussi bon que le tien, mais j'ai passé pas mal de temps là-bas pour couvrir la mission d'aide de Sean Penn après le tremblement de terre.

— Mais il marche ! se moqua-t-elle en se levant pour l'embrasser.

La veille, dans les vapes à cause du décalage horaire, il avait vaillamment tenté de défaire ses bagages, mais s'était surtout rendu ridicule en errant comme un pauvre hère à travers l'appartement.

— Te souviens-tu seulement que je t'ai surpris à vouloir ranger tes sous-vêtements sales dans le tiroir du bureau au lieu du panier à linge ? Tu t'es débattu jusqu'au lit quand j'ai voulu t'aider à te coucher.

— Je devais vraiment être à côté de mes pompes.

Nikki lui tendit son café. À sa grande surprise, il but l'insipide boisson sans la moindre réaction pendant qu'elle lui exposait l'origine du tatouage.

— Tu sais ce que ça signifie, n'est-ce pas ? fit Rook lorsqu'elle eut terminé.

— Évidemment. Il est possible que je puisse l'identifier grâce aux tatouages fichés chez nous.

— Déjà. Mais aussi...

Il posa sa tasse et s'anima.

— Enfin, Nikki ! Ce type est peut-être un Martien. Sais-tu à quel point il me serait facile de vendre cette histoire à mon magazine ? Un extraterrestre tombé du ciel qui s'écrase sur le planétarium ? Le top du cadavre.

La base de données centrale de la police de New York répertoriait tout un catalogue de tatouages numérisés qui se révélait d'une formidable efficacité pour identifier à la fois suspects et victimes. À l'origine, on y trouvait surtout des tatouages de gangs et de prison, mais, au fur et à mesure que l'art corporel s'était répandu dans la société, la police avait pris en photo toutes sortes de modèles portés par les gens les plus divers pour les sauvegarder sur ses serveurs. Si cet inconnu tombé du ciel avait récemment fait l'objet d'une arrestation, pour un délit aussi mineur fût-il, il y avait de fortes chances pour que son tatouage fournisse un nom et une adresse. Aussi, pendant que Rook partait s'habiller, Heat envoya-t-elle par e-mail des copies du tatouage en question au central ainsi qu'à l'inspecteur Rhymer afin qu'il le soumette au FBI, à la Sécurité intérieure et aux Services de l'immigration et des douanes.

Lorsqu'elle voulut jeter son filtre Melitta, Nikki ne put s'empêcher de rire en constatant que la poubelle aussi avait été confondue avec la panière à linge sale. Posées sur les ordures ménagères trônaient une paire de chaussettes et la casquette souvenir du Comic-Con que Rook aimait tant. Alors qu'elle récupérait ces évidentes victimes des égarements de son compagnon, un emballage attira son attention. Il s'agissait d'un petit sac en papier épais, de belle facture, muni d'anses en cordelette tressée, et il provenait d'une bijouterie parisienne. Nikki hésita, puis, décidant que cela ne la regardait pas, retira son pied de la pédale. Le couvercle retomba, et elle repartit vers la chambre avec la casquette et les chaussettes.

Quelques secondes plus tard, son orteil était de nouveau sur la pédale. Et si, par inadvertance, il avait jeté quelque chose d'important ? Ses boutons de manchette, par exemple, songeait-elle, peut-être pour se justifier…, ou un stylo coûteux ? Elle se débarrassa les mains pour déplier le sac. La palpation ne lui révéla rien. Après une pointe d'hésitation, elle jeta un œil à l'intérieur et découvrit un reçu d'un montant de plusieurs milliers d'euros.

— Nikki, tu n'aurais pas vu ma casquette du Comic-Con, par hasard ? lança Rook qui arrivait de la chambre.

Elle fourra le reçu dans le sac et le remit à la poubelle. Mais pas sans avoir pris connaissance de la nature de l'achat : *Bague de fiançailles*, lut-elle en français. Cette fois, elle n'osa pas prononcer ces mots à voix haute. En revanche, elle ne put s'empêcher de rougir en les traduisant dans sa tête.

Dans l'ascenseur, Rook demanda à Nikki si elle se sentait bien. Elle acquiesça avec le plus impassible des sourires, dont il sembla se satisfaire. Oh ! elle savait bien pourquoi il avait posé la question. Durant les quelques minutes qu'il leur avait fallu pour sortir du loft, elle avait avancé telle une somnambule dans le labyrinthe de miroirs d'une fête foraine… sous-marine. En proie à un tourbillon d'émotions, elle se sentait à la fois coupable d'avoir fouiné, euphorique à l'idée de ce que signifiait le reçu, mais effrayée, aussi. Et elle se sentait encore plus coupable d'éprouver de la peur. Le souffle coupé, les genoux flageolants, elle n'arrivait pas à savoir ce qu'elle devrait ressentir. La lumière du jour l'éblouit lorsqu'ils mirent pied sur le trottoir de Tribeca.

— Dieu que cette ville m'a manqué, déclara-t-il en prenant une profonde inspiration à la sortie de l'immeuble.

— Le métro, pas le taxi, furent les seuls mots que Nikki parvint à prononcer.

Elle préférait la foule à l'intimité d'une banquette arrière présentant le risque d'une conversation dont elle redoutait la teneur.

À l'approche de Reade Street, ses émotions basculèrent sur un autre mode. Tout à coup, elle aperçut en effet le type qui prenait des photos au téléobjectif au planétarium. Voilà qu'il se tenait devant le square de Bogardus Plaza. Seulement, cette fois, il n'avait pas son appareil. De nouveau, il s'était transformé en mendiant.

— Continue sans moi, dit-elle à Rook.

Comme il fronçait les sourcils d'un air interrogateur, elle répéta les mêmes mots, d'un ton égal mais ferme.

Pour une fois, il fit ce qu'on lui demandait et, lorsqu'il se retourna à l'angle de la rue, Nikki avait disparu.

DEUX

Allongée sur le dos dans le caniveau, sous le comptoir du camion de tacos, Heat ne voyait de Reade Street que les grosses chaussures de l'homme qui se rapprochait pour voir où diable elle était passée. À son avis, ces Lugz paraissaient un peu neuves pour un clochard. Une main lui pressa l'épaule. En tournant la tête, Nikki découvrit un client coiffé d'une casquette des Rangers, dont les certificats d'authenticité figuraient encore sur le bord.

— Eh ! la petite dame, on est malade ? s'enquit-il entre deux bouchées de burrito.

Puis il lui arracha ses Ray-Ban et s'enfuit en courant. Et après on dira que les New-Yorkais ne s'inquiètent pas de leur prochain... Au lieu de lui donner la chasse, Heat roula sous le camion du côté de la chaussée.

Elle attendit de voir son poursuivant disparaître derrière le véhicule pour bondir sur ses pieds et, la main droite sur son étui de revolver, avança vivement. Le passage d'un bus scolaire noya le bruit de ses pas. Le type n'arrivait pas à comprendre comment il avait pu la semer (Nikki n'avait pas besoin de le voir pour le savoir). Tandis qu'elle se glissait furtivement derrière lui, il regarda derrière le camion, tourna la tête à droite pour balayer du regard l'autre bout du trottoir, puis tendit le cou vers la terrasse de café, de l'autre côté du square.

— Coucou, je suis juste là, dit-elle assez près pour qu'il sente son haleine sur son cou. Non, non, ajouta-t-elle plus abruptement, on ne se retourne pas. On lâche la soucoupe. Des pièces dansèrent sur le trottoir.

— Mains derrière la tête. Nikki lâcha la crosse de son Sig Sauer et lui appuya la poitrine contre la porte en inox du camion pour le menotter.

— Vous n'y allez pas de main morte sur le racolage, inspecteur ! fit Rook en arrivant.

Mais alors, il vit le Smith & Wesson .40 qu'elle tira de la ceinture du clochard.

— Hmm. À moins que ce joujou ne soit qu'un pistolet à eau, il va falloir vous expliquer, mon petit monsieur.

L'homme ne lui prêta aucune attention. Pas plus qu'à Heat, d'ailleurs. Il se contenta de regarder le ciel en secouant la tête comme s'il était furieux contre lui-même. Il s'irrita encore plus lorsqu'elle lui arracha son portefeuille et l'ouvrit. Cette fois, ce fut au tour de l'enquêtrice de hocher la tête.

— C'est pas vrai !

— Nikki Heat. Quelle agréable surprise !

La voix de Zach Hamner l'agaça encore plus, cette fois. Comme d'habitude, il s'en dégageait une jovialité désinvolte, typique de l'homme sans souci qu'il était, simplement occupé à faire travailler ses réseaux pour se tenir au-dessus de la mêlée et mieux savourer ses hautes fonctions au sein de la hiérarchie, au One Police Plaza. Mais, cette fois, il y suintait une duplicité redoublée, mâtinée de quelque chose de nouveau : une pointe d'appréhension.

— Inutile de se voiler la face, Zach. Ce n'est ni agréable ni une surprise.

À l'autre bout du fil, il se produisit des bruissements, puis Heat perçut le bruit d'une porte qu'on fermait. Tandis qu'elle patientait, elle balaya du regard la salle de la brigade, encore déserte, à l'exception de la présence de Rook, qui, à l'autre bout de la pièce, remplissait d'eau sa machine à expresso.

— Ce n'est pas très gentil comme « bonjour », inspecteur, reprit, après force raclements de gorge, le bras droit du commissaire adjoint aux Affaires juridiques de la police de New York.

— Vous voulez savoir quelle gentillesse m'attendait ce matin au réveil ? L'imbécile des Affaires internes que vous m'avez collé au train.

Comme il allait nier par réflexe, elle lui coupa l'herbe sous le pied :

— Et ne me faites pas l'injure de jouer les innocents. Dès que je l'ai menacé de traverser tout le poste sous les yeux de ma brigade avant de le boucler, il est devenu aussi bavard qu'une starlette à la télévision.

Même si elle traitait l'agent des Affaires internes d'imbécile, Heat s'en voulait de ne pas avoir agi la veille, lorsqu'il avait attiré son attention devant le planétarium.

Certes, il avait quitté son déguisement de clochard et enfilé une casquette pour se fondre parmi les chasseurs d'images, mais, lorsque ses antennes s'étaient dressées, Nikki avait contrevenu à l'une de ses règles fondamentales et n'en avait pas tenu compte, elle qui prônait à ses enquêteurs de toujours faire attention à ce qui retenait leur attention.

— Bien, dit Hamner avec un soupir de résignation. Disons que je faisais quelques recherches sur vous…

— Vous m'avez fait suivre.

— … pour une bonne raison.

Bien sûr, songea Nikki. Le Hamster avait toujours une bonne raison. Ou, plutôt, une idée derrière la tête.

— J'attends, dit-elle.

— Vous me prenez un peu de court. J'en suis encore à rassembler mes poussins, gloussa-t-il pour essayer de reprendre pied. On peut se voir chez notre traiteur habituel pour un petit-déjeuner, disons…, demain ou en début de semaine prochaine ?

Grâce à son expérience de l'interrogatoire, Heat savait mettre la pression.

— Des recherches sur moi pour quoi ? Si vous ne me le dites pas maintenant, je vais poser des questions un peu partout.

Un soupir nasal lui parvint par le combiné. Puis le cuir du fauteuil de direction de son interlocuteur craqua lorsqu'il y prit place.

— Un poste, puisque vous insistez : une promotion. Encore.

Son « encore » évoquait quelques mauvais souvenirs. Trois ans auparavant, Zach, qui avait repéré Heat comme l'étoile montante de la police, avait œuvré pour la faire nommer à la tête du poste à la mort du très apprécié capitaine Montrose. Les manigances liées à toute cette campagne avaient toutefois fait réfléchir Nikki, et elle l'avait abandonné devant l'autel, en déclinant sa promotion et le poste de capitaine pour rester simple inspecteur. D'ordinaire, un homme de jeux n'a pas la mémoire courte, songea-t-elle. Pourquoi revenir à la charge ?

C'était forcément à cause de Wally Irons. L'homme qui avait pris les fonctions déclinées par Heat s'était révélé un parfait incapable. Il se souciait uniquement de sa propre carrière, n'avait pas le moindre sens du métier ni la moindre idée de la façon de gérer ses hommes. Le seul talent du capitaine Irons résidait dans son étonnante capacité à survivre à ses gaffes, aussi grosses que lui pour la plupart. Toute la brigade de la criminelle pariait que la révélation de sa liaison secrète avec l'une de ses enquêtrices, l'inspecteur Sharon Hinesburg, signerait la fin de son règne. D'autant plus que sa maîtresse s'était révélée être la taupe d'une organisation terroriste. Pourtant, après deux semaines de réunionite aiguë au QG et un congé d'un mois, Iron Man avait réintégré son bureau sans le moindre sous-entendu à propos de son manquement… ni la moindre allusion à la manière dont il avait pu conserver son poste.

Selon certaines suppositions ironiques, il détenait des photos lui permettant de faire chanter le maire. Pareil au Gregor Samsa de Kafka, Wally était, d'après Rook, « un monstrueux insecte s'étant récemment métamorphosé, une espèce mutante capable de survivre aux pollutions chimiques, aux accidents nucléaires et aux *Desperate Housewives* ». Voilà ce à quoi Nikki pensait en promenant son regard sur le bureau vide dans la salle de briefing. Cette place avait été attribuée à la remplaçante de Sharon Hinesburg, une enquêtrice de grade 3, douée d'instinct, mutée du groupe spécialisé dans le crime organisé, dont le seul défaut s'était révélé être son tour de poitrine. Mais lorsqu'après des mois d'allusions grivoises, le capitaine Irons était passé au harcèlement en règle avant de finir, un jour de la semaine précédente, par en venir à un tripotage « accidentel », l'inspecteur Camille Washington n'était plus revenue. Maintenant, Irons devait dégager, supposait Nikki. Voilà pourquoi elle se trouvait de nouveau sur les rangs. Elle se trompait.

— On a demandé en haut lieu au chef du contre-terrorisme de créer une nouvelle unité opérationnelle, dont vous feriez partie. Vous n'avez pas oublié le commandant McMains ?

Bien sûr que non. Nikki se souvenait en particulier de la manière dont il était intervenu pour l'aider à arrêter l'attaque bioterroriste.

— C'est un bon flic. Quelqu'un de bien.

— Il pense la même chose de vous. Voilà pourquoi votre nom figure en tête de liste. Ce n'est pas rien, Heat. Ce poste dépasse largement les limites de New York. On a besoin de quelqu'un pour faire la liaison avec nos collègues étrangers afin de faire face aux problèmes que toutes les activités criminelles transfrontières posent dans cette ville.

Avait-il besoin de se référer à ses notes ? se demanda Nikki. Probablement pas. Sans doute citait-il ses arguments de mémoire.

— Sous les ordres de McMains, vous seriez l'interlocutrice de la police de New York auprès d'Interpol, de Scotland Yard, des renseignements britanniques et de tout un tas d'autres agences. Et j'espère que vous savez où est rangé votre passeport, parce qu'il faudra naviguer entre Londres, Hambourg, Tel-Aviv, Lyon, Mexico, Rio...

Aussitôt, les implications s'imposèrent dans son esprit, et les paroles de son interlocuteur se brouillèrent tandis qu'elle regardait Rook tripoter la machine à café de l'autre côté de la salle. Une pointe de mélancolie lui noua l'estomac.

— ... Allô ? Vous êtes là ?

— Euh, oui.

Elle se ressaisit.

— Écoutez, vous ne m'avez toujours pas expliqué pourquoi vous m'espionnez.

— Faire diligence n'est pas espionner, inspecteur Heat.

Le Hamster avait non seulement repris les rênes, mais il fanfaronnait.

— Un poste de cette nature requiert une enquête. Il nous fallait vérifier vos fréquentations afin d'éviter les mauvaises surprises. Du genre de ces Musclor qu'on retrouve morts chez vous dans le plus simple appareil.

Si elle l'avait eu en face d'elle, Heat ne se serait pas privée pour lui réduire le crâne en bouillie à coups de téléphone. Don, un ancien des forces spéciales de la marine avec lequel elle s'entraînait au combat, ne partageait plus son lit le soir où il était venu chez elle prendre une douche après une séance au gymnase.

— Ma vie privée ne regarde que moi, répondit-elle cependant sans se laisser décontenancer. Mais on sait tous les deux que ce quelqu'un a pris une balle à ma place et que je lui dois la vie.

— Imperturbable ! Vous voyez, c'est pour ça qu'on a besoin de vous, Heat.

Et pourquoi ne descendrait-elle pas directement au One Police Plaza pour lui cogner dessus ?

— Pour votre gouverne, sachez que j'ai d'ailleurs pris les devants pour organiser discrètement votre transfert avec votre supérieur.

— Quoi ? Irons est au courant ?

— « Transparence », c'est le mot d'ordre de la maison. Je sens une hésitation, ajouta Hamner, prouvant qu'il disposait d'antennes bien réglées. Vous êtes partante ou pas ?

Comme elle ne répondait pas, il poursuivit :

— Vous m'avez déjà fait ce coup-là. Vous savez qu'on ne

vous le proposera pas mille fois. C'est votre dernière chance, Heat.

Elle fit pivoter sa chaise pour tourner le dos à Rook.

— J'ai saisi. Dites-moi quand vous souhaitez me voir.

— Parfait.

À peine eut-elle raccroché que Rook la fit sursauter en se postant derrière elle.

— Qui a bien pu mélanger du décaféiné moulu là-dedans pendant mon absence ? Tiens, sens.

Il tendit vers elle le moulin à café.

— Qu'a dit le Hamster au sujet du gars des Affaires internes qui te suivait ?

Nikki retournait dans sa tête leur conversation de la veille au sujet des absences de Rook pour le travail, puis elle repensa au reçu de la bague… et botta en touche. Ce n'était pas le moment de faire des vagues.

— Tu le connais, c'est le spécialiste de la langue de bois. Il dit que c'est juste quelques gus du service qui ont voulu faire du zèle. Tu sais comment sont ces *men in black*.

Avant que Rook ne puisse la questionner davantage, elle s'empressa de renifler le moulin à café.

— Tu veux que je relève les empreintes ?

Lorsque Heat afficha sur le tableau blanc un tirage du JPEG envoyé par son amie légiste, Rook traduisit le tatouage pour la brigade. Du coup, elle eut du mal à croiser son regard lorsqu'elle se retourna. Avant de continuer son topo, elle lui jeta néanmoins un coup d'œil, et le sourire qu'il lui adressa fit plisser le coin de ses yeux. Comme toujours, le cœur de Nikki cessa de battre un instant. Aussitôt, elle repensa à ses secrets : l'offre de poste qui menaçait de l'obliger à courir le monde et la découverte du reçu pour la bague de fiançailles… Rien n'était simple. Juste avant la réunion, Rook l'avait coincée en salle de pause. Sous prétexte qu'ils auraient besoin de passer un peu de temps ensemble, il lui avait proposé un dîner en amoureux à leur table préférée, chez Bouley, le soir même à

21 heures. Comme elle s'était sentie bête de lui répondre par un simple hochement de tête, tel un petit chien qui dodeline de la tête à l'arrière des voitures, elle avait ajouté un « Oui » si sonore que toutes les têtes s'étaient retournées dans le couloir.

— Invitation acceptée ! avait-il beuglé à son tour avant de prendre une profonde inspiration. Hum, Bouley. Je sens déjà l'odeur de ton mur de pommes dans l'entrée.

À la réception d'un texto, Randall Feller quitta la réunion au petit trot et revint moins d'une minute plus tard avec un sachet en cellophane à la main.

— Regardez ce qu'a trouvé la scientifique.

Brandissant l'indice comme un objet mis aux enchères, il alla le remettre à sa supérieure.

— Un collier de serrage en plastique. Ceux d'entre nous qui ont servi dans les unités antiémeute et la gestion des foules ne manqueront pas de reconnaître une paire de menottes je-tables. Et il y a du sang dessus.

— Où l'ont-ils trouvée ? demanda Nikki.

— Elle a été signalée par le petit vendeur de rue installé au carrefour de la 81e Rue et de Central Park West. Apparemment, le serre-câbles avait atterri dans ses marrons grillés.

— Schboing ! fit Ochoa en déclenchant d'inévitables éclats de rire autour de lui.

— Je veux bien manger le plastique, mais le sang est-il sans gluten ? renchérit Rook.

Heat n'eut pas besoin de leur demander de se calmer. L'inspecteur Raley s'en chargea en faisant observer que la présence des menottes pouvait expliquer pourquoi la victime avait les mains dans le dos lorsqu'elle s'était écrasée sur le planétarium. Le silence revint aussitôt dans la pièce.

— Messieurs, je crois que nous pouvons rayer la possibilité d'une mort accidentelle, dit Heat en inscrivant MENOTTES en lettres majuscules sur le tableau blanc.

Tandis que Feller sortait s'occuper de transmettre l'indice au labo, Rhymer fit son rapport. Il n'avait rien trouvé parmi les personnes portées disparues, malgré ses vérifications toutes les heures auprès de toutes les instances. L'inspecteur Ochoa avait également fait chou blanc sur le front aérien. Il indiqua avoir contacté tous les aérodromes locaux afin d'obtenir la liste des décollages et des atterrissages, puis avoir interrogé les pilotes et les tours de contrôle, mais personne n'avait remarqué la moindre activité inhabituelle, de visu ou par radio. Les seuls appareils à avoir survolé la zone à l'heure dite étaient les hélicoptères de surveillance routière des stations de radio, du gouvernement et de la police.

— Et les hélicos pour les touristes ? demanda Rhymer.

— Tous cloués au sol. Trop de nuages, pas de clients.

Tous les esprits se calmèrent.

— Allez, Rook, on t'écoute, finit par dire Ochoa. Un naufragé de *Rencontres du troisième type* ? Une défaillance de réacteur dorsal ? Vas-y.

Mais Rook demeura pensif.

— Désolé de te décevoir, mais je sais comme toi qu'il va être difficile de spéculer sur le moyen, sans parler du mobile, si on ignore qui est notre victime.

— Oh ! c'est pas drôle, fit Raley, déçu. J'en espérais davantage… Tu sais, une de ces théories loufoques à la Rook.

— Oh ! ça viendra, prédit Nikki en dispersant la brigade. En attendant, vous connaissez tous la chanson. « Réfléchissez, creusez, vérifiez », à répéter autant de fois qu'il le faudra.

Suivant ses propres conseils, Heat prit elle aussi son téléphone. Elle décrocha le gros lot avec le fichier central.

— Écoutez, tout le monde ! lança-t-elle en s'avançant au centre de la salle de briefing. Il s'avère que le tatouage de notre inconnu figure dans la base de données. Ça a pris un peu de temps parce que c'est loin d'être un modèle unique, mais, grâce à une petite cicatrice repérée par nos gars du central, on a trouvé à qui il appartient. Notre extraterrestre a désormais un nom.

Nikki déboucha son marqueur et annonça :

— Fabian Beauvais.

Elle inscrivit le nom sur le tableau blanc.

— Ce nom correspond à l'empreinte digitale que le labo vient d'identifier, déclara de son bureau l'inspecteur Rhymer, le téléphone coincé entre l'oreille et l'épaule. Eh ! les deux en même temps. Ne devrait-on pas faire un vœu ?

Sentant tous les regards sur lui, Opossum rougit.

— On oublie.

— Voyez si ça se recoupe avec vos infos, dit-elle en faisant référence à son nouveau carnet à spirales, un bloc Pupitre rouge Clairefontaine que Rook lui avait rapporté de France en guise de souvenir. Beauvais était bien haïtien : un clandestin qui s'était déjà fait prendre pour s'être introduit sans autorisation dans une propriété privée.

Rhymer opina du chef.

— Il a été arrêté avec quelques-uns de ses potes parce qu'ils farfouillaient dans les poubelles sur une propriété privée. Ensuite, il a été transféré du poste de Midtown North à l'Immigration qui l'a placé en détention en attendant une date de comparution. Ensuite, Beauvais a été libéré sous caution et..., surprise, surprise..., ne s'est pas présenté au tribunal.

Alors que les Gars s'attaquaient à vérifier la dernière adresse connue de l'Haïtien à Flatbush, le capitaine Irons sortit de son bureau en se dandinant.

— Une patrouille vient de répondre à un appel pour effraction, dans West End Avenue, et a trouvé un mort.

Il tourna les talons.

— C'est un quartier huppé, ajouta-t-il. Faites-moi savoir s'il s'agit d'un VIP que je puisse faire le nécessaire.

Tout le monde savait que le « nécessaire », en l'occurrence, était un communiqué de presse. Pour Iron Man, passer à la télévision était, plus qu'un devoir, une passion.

Consciente des répercussions, Heat savait comment cela allait se terminer : il lui faudrait gérer les deux affaires en même temps, avec un personnel réduit d'autant. C'était une chose que de se lamenter sur le bureau vide de l'inspecteur Washington, c'en était une autre que de se préparer à diviser pour mieux régner. D'un signe de tête, Nikki invita les inspecteurs Raley et Ochoa à la rejoindre.

— Changement de dernière minute. Prêts à prendre en charge cette effraction ?

Elle connaissait déjà la réponse. Le duo, qui avait récemment réclamé davantage de responsabilités, n'eut pas besoin d'en débattre.

— Plus que prêts, assura Raley.

— Les Gars toujours… prêts ! renchérit Ochoa.

— Bien, prenez l'inspecteur Rhymer avec vous, mais je vous confie les rênes.

Heat ne put s'empêcher de remarquer que ses deux enquêteurs semblaient un peu plus grands lorsqu'ils se mirent en route.

— Inspecteur Feller, vous m'accompagnez à Flatbush ?

Mais ce fut Rook qui répondit.

— Un peu, oui. Je monte devant, preums ! ajouta-t-il en voyant Feller arriver.

Compte tenu de la circulation à leur sortie du tunnel, dans Brooklyn, il fallut une demi-heure porte à porte à la Taurus banalisée pour traverser les quartiers de Red Hook et de Gowanus, bifurquer dans Flatbush Avenue et rejoindre l'avenue D.

— Peu vous importe que j'aie tendance à être malade en voiture, fit Rook de la banquette arrière.

— Sauf si vous me vomissez dans le cou, rétorqua l'inspecteur Feller sans se retourner.

Nikki nota l'appel au secours que lui lançait Rook dans le rétroviseur, mais, comme elle n'y prêta pas attention, il se remit à chercher l'immeuble correspondant à l'adresse.

— Je ne sais pas si je pourrais vivre dans un monde où « preums » ne veut plus dire « preums ».

La première fois, ils passèrent devant sans s'en apercevoir, parce que le numéro de rue avait été arraché et que seul pendait la moitié d'un « 4 » en laiton à un clou du chambranle de la porte. Heat coupa le moteur et examina le motel miteux, un immeuble en briques de six étages sans ascenseur, couvert de graffitis, qu'on avait vainement tenté de masquer par endroits avec de la peinture marronnasse. Le clan d'adolescentes blotties sur le perron se dispersa à la vue de la voiture de police et disparut dans l'épicerie voisine. Un sac en plastique rempli de détritus s'envola d'une fenêtre à l'étage. Il éclata à l'atterrissage sur la pelouse toute pelée.

— Un endroit douillet, commenta Feller.

— Tu ferais peut-être mieux d'attendre ici.

— Quoi, encore ? Tu n'es pas sérieuse ? protesta Rook.

Lorsqu'il avait commencé à l'accompagner en patrouille, avant qu'ils ne se fréquentent, Heat le faisait toujours attendre dans la voiture par peur qu'il ne lui arrive quoi que ce soit. Plus tard, parce qu'il se mêlait de tout.

Ensuite, elle avait fini par céder parce qu'il avait plus ou moins prouvé qu'il savait se tenir. Parfois. Pourquoi faisait-elle machine arrière maintenant ? Un coup d'œil dans le rétroviseur suffit à Nikki pour avoir la réponse. Le fameux reçu du bijoutier. Il avait eu plus d'impact qu'elle ne le pensait. Elle s'inquiétait qu'il n'arrive quelque chose à son compagnon.

— Je ferais peut-être mieux de retourner au Congo : j'y étais beaucoup plus en sécurité sur un pont suspendu… cassé.

— Reste près de moi, le scribouillard, se contenta-t-elle de répondre.

Sur le palier du troisième étage, ils passèrent devant des crottes de chien desséchées et gravirent encore un étage pour rejoindre la chambre de Fabian Beauvais. Rook leur demanda à combien s'élevait, à leur avis, le loyer mensuel dans un établissement pareil.

— On ne loue pas au mois ici, mon vieux, expliqua Feller. À la semaine, au mieux. On ne vous propose pas de bail, on ne vous demande ni pièce d'identité ni boulot, et on ne vous pose pas de questions.

— C'est un motel miteux, enchaîna Heat.

— Une solution de logement temporaire, quoi.

— Plutôt un trou à rats, s'esclaffa l'inspecteur Feller.

— Il ne va tout de même pas pinailler sur les mots avec moi ?

Feller s'arrêta sur la dernière marche du quatrième étage et se retourna vers Rook avec dédain :

— Vous m'en voulez toujours d'être monté devant, hein ?

— Eh ! s'exclama Heat alors que deux sbires à la carrure de footballeurs qui avaient déboulé du couloir bousculaient Feller en dévalant l'escalier.

L'enquêteur entraîna ses compagnons dans sa chute en avant, tandis que les deux compères continuaient de descendre les marches quatre à quatre. Feller attrapa la rampe et se hissa sur ses pieds tandis que Heat, libérée, bondissait à leur poursuite. Au moment où elle franchissait le palier du deuxième étage, Nikki entendit la porte d'entrée claquer en bas, et ce fut sans surprise qu'elle découvrit en arrivant dans le hall que les deux hommes avaient déjà cinquante mètres d'avance. Elle s'identifia et leur cria de ne plus bouger, sans cesser de courir, Feller et Rook sur ses talons.

Au niveau de Kings Highway, les hommes se séparèrent et, juste au moment où Heat faisait signe à Feller de suivre celui de gauche, il se produisit quelque chose de curieux. Chacun grimpa à bord d'une voiture qui attendait et démarra en trombe. Ces deux berlines quelconques, sans plaque d'immatriculation, en avaient manifestement beaucoup plus sous le capot que ne le laissait supposer ce genre de modèle.

L'une d'elles, une japonaise d'importation, coupa sauvagement le terre-plein central, puis les deux véhicules s'éloignèrent en se faisant des queues de poisson jusqu'à ce que le vrombissement de leurs moteurs gonflés s'estompe, tel celui de grosses mouches agonisantes.

Ils remontèrent au quatrième étage en silence. Et avec vigilance. Heat et Feller, la main sur leur étui de revolver. Rook resta en retrait sur le palier lorsque les policiers se postèrent de part et d'autre de la porte pour écouter. Ils échangèrent un non de la tête. Nikki examina la serrure pour voir si elle avait été forcée, mais la relique avait subi les assauts d'un pied-de-biche plus souvent qu'à son tour. D'un signe de tête, les deux inspecteurs se dirent prêts. Heat tourna la clé que lui avait remise le gérant, et ils pénétrèrent à l'intérieur en s'annonçant :

— Police de New York !

Déployés selon la procédure, ils vérifièrent l'unique pièce dotée d'un placard et de toilettes. Contrairement au reste de l'immeuble, une fois que Feller eut retiré la pellicule d'aluminium qui couvrait l'une des fenêtres afin de laisser pénétrer le soleil, la chambre de l'Haïtien se révéla parfaitement rangée et propre. Le lit par terre était fait, et une pile de tee-shirts, de sous-vêtements, de chaussettes et de jeans était pliée dans la panière en plastique bleu à côté. L'évier en métal de la « cuisine », un simple plateau branlant de moins d'un mètre en formica, étincelait. Il n'y avait ni cuisinière ni même une plaque chauffante, mais le vieux four à micro-ondes, qui s'ouvrit avec un bruit sec, était vide et sentait le M. Propre. Une bouteille de Febreze trônait d'ailleurs sur l'étagère au-dessus.

— Cette chambre se louerait cinq mille par mois à Manhattan, commenta Rook, qui appuya sur PLAY sur le lecteur de CD portable, posé sur l'étagère de la bibliothèque vide. Le rap créole de Barikad Crew qui en sortit à pleins tubes le fit sursauter. Il éteignit en s'excusant.

— Vous en pensez quoi ? demanda Feller après un rapide coup d'œil circulaire.

— À part le fait que Fabian Beauvais aimait l'ordre et le hip-hop haïtien ?

Heat pivota sur elle-même au milieu de la pièce.

— Pas d'effets personnels, ni photos, ni livres, ni magazines, et que des emballages de plats à emporter dans la poubelle ? À mon avis, il ne devait guère vivre ici.

— Comment un clandestin qui fait les poubelles peut-il s'offrir un logement pareil ? Ça ne colle pas.

Ils entreprirent de fouiller la chambre, ce qui ne leur prit guère de temps, à trois, compte tenu des dimensions de la pièce. Heat se chargea de la kitchenette, Feller, des étagères et des cartons, Rook, du minuscule placard, dont il manquait même la porte. Comme dans le reste de l'immeuble, tout était réparé à l'aide de ruban adhésif.

Il y en avait autour du robinet de la cuisine, sur la tringle à rideau vide au-dessus du lit et, dans le placard, de vieux morceaux sales et collants maintenaient le lino qui rebiquait par terre. Toutefois, une bande d'une trentaine de centimètres toute neuve était collée dans un coin.

— Venez voir ! fit Rook. L'un de ces bouts de scotch n'est pas pareil, dit-il lorsqu'ils l'eurent rejoint.

Les deux inspecteurs s'agenouillèrent. Heat prit une photo avec son iPhone, puis Feller sortit son couteau et coupa l'adhésif dans la longueur, permettant aux deux bords de se redresser de chaque côté. En écartant le lino, il révéla une ouverture rectangulaire dans le plancher dessous et une enveloppe nichée dans le trou. Bien que munie de gants, Heat saisit l'enveloppe par les bords. Elle était épaisse et non fermée. Dessus, plusieurs empreintes digitales s'étaient imprimées dans du sang séché. Heat savait ce qu'elle allait trouver à l'intérieur, même si elle en ignorait le montant.

— Que des billets de cent ? siffla l'inspecteur Feller par-dessus son épaule.

— On dirait bien, confirma-t-elle sans sortir l'argent. Si c'est le cas, il y en a pour des milliers là-dedans.

En feuilletant le paquet, Nikki tomba sur une sorte de marque-page au milieu. Feller déplia la pince à épiler de son couteau suisse pour lui permettre d'extraire un morceau de papier portant une adresse et un numéro de téléphone écrits au stylo. Dessous figurait un mot griffonné au crayon.

— Vous arrivez à lire ?

Elle le tendit à son collègue qui bascula la tête et plissa les yeux.

— *Conscience*, lui murmura Rook à l'oreille.

Surprise et rougissante, Nikki se retourna vers lui. Mais il ne faisait que déchiffrer le gribouillis.

— C'est écrit *Conscience*.

La police scientifique arriva pour procéder aux relevés, et l'inspecteur Heat céda la place aux experts. Comme elle n'avait pas trouvé le téléphone de Fabian Beauvais, elle leur demanda d'être prévenue s'ils mettaient la main sur le moindre indice. Pendant ce temps, avec Rook et Feller, elle allait se pencher sur cette nouvelle piste. Une fois de plus, le manque de personnel se faisait cruellement sentir. Bien que Nikki eût préféré laisser un inspecteur interroger les habitants de l'immeuble et du quartier, comme les Gars et Rhymer étaient occupés par l'effraction, elle ramena Randall Feller au poste.

Dans la voiture, il fut chargé d'envoyer l'enveloppe au labo pour voir si les empreintes et le sang correspondaient à ceux de l'Haïtien, puis de vérifier les numéros de série des dix mille dollars se trouvant à l'intérieur. Elle s'occuperait elle-même de l'adresse et du numéro de téléphone. Évidemment, les deux gorilles qui les avaient renversés dans l'escalier méritaient aussi quelques recherches. Heat appela donc le poste. Elle souhaitait qu'on fasse venir quelqu'un afin d'établir leurs portraits-robots et de pouvoir diffuser ensuite un avis de recherche. Lorsqu'elle raccrocha, Rook leur demanda ce qui, à leur avis, avait motivé la présence des deux sbires.

— Peut-être l'argent, dit Feller. Quoi qu'ils aient eu en tête, on les a surpris.

— À vrai dire, je crois que c'est nous qu'ils ont surpris, rectifia Heat.

Elle prit note de demander à son roi de tous les médias de surveillance, lorsqu'il serait disponible, de passer au crible les caméras de surveillance de Flatbush pour retrouver les deux voitures en fuite, même si elle n'en avait guère l'espoir. Leur façon de faire sentait l'organisation professionnelle.

Cela, ajouté aux dix mille dollars et à la mystérieuse note cachée sous le parquet d'un placard, laissait penser qu'il y avait plus en jeu qu'une simple chute d'avion. Elle accéléra, comme si cela pouvait l'aider à trouver plus vite.

De retour dans la salle de briefing, Nikki se dirigea vers le tableau blanc juste après avoir raccroché son téléphone.

— Bingo !

À Rook et Feller qui la rejoignirent, elle indiqua l'enveloppe demi-format tachée de sang et la note qu'elle venait d'afficher.

— Comme vous le savez, il n'y avait pas d'indicatif pour ce numéro de téléphone, mais, grâce aux relevés téléphoniques, on a trouvé une correspondance pour l'adresse marquée là, qui s'avère se trouver dans les Hamptons. J'ai fait vérifier deux fois, et ça correspond bien à ce domicile.

— Frimeuse, commenta Rook.

Feller tenta de jeter un œil sur son carnet à spirales.

— Vous avez un nom ?

Sans répondre, elle déboucha un marqueur rouge avec ses dents et écrivit en majuscules.

— Ouah..., fit Randall lorsqu'elle eut terminé.

Rook haussa simplement les sourcils avec surprise.

— Que lui voulez-vous, à Keith Gilbert ? demanda Wally Irons du seuil de son bureau.

Comme son aquarium donnait directement sur la salle de briefing malgré la vitre, le nom du VIP avait immédiatement attiré l'œil du commandant de brigade.

En règle générale, et pour sa santé mentale, l'inspecteur Heat évitait de mettre le capitaine au courant de la plupart des enquêtes avant qu'elles ne soient closes, car Iron Man avait la manie de semer la pagaille... au mieux. Au pire, il nuisait à l'affaire. Coincée, cette fois, elle esquissa les grandes lignes de son enquête sur une mort suspecte et expliqua qu'elle avait fini par identifier un riche et puissant directeur de l'Autorité portuaire qu'elle souhaitait interroger.

— Vous êtes sûre que c'est une bonne manœuvre ?

— J'en conclus que vous, non, monsieur.

Irons examinait le cirage de ses chaussures par-dessus son gros ventre.

— Je ne vais pas vous dire officiellement de ne pas suivre une piste, inspecteur, mais...

Il leva les yeux vers elle...

— Keith Gilbert joue au golf avec le maire, tout de même. Ça vous arrive de regarder les infos, de lire les journaux ? Tous les soirs, il se rend en smoking dans les cocktails en compagnie des plus gros donateurs politiques de cette ville, en vue de sa candidature aux élections sénatoriales. Bien qu'il n'ait guère besoin de leur argent.

Son visage s'assombrit et il se tourna vers Rook, comme s'il venait de prendre conscience de sa présence.

— Tout cela reste entre nous, on est bien d'accord ?

Le journaliste lui adressa un clin d'œil en faisant mine, d'un geste, de sceller ses lèvres.

Heat devait admettre que, pour une fois, si son supérieur souhaitait éviter de causer des problèmes, ce n'était pas uniquement à cause de son habituel instinct de conservation et de sa tendance naturelle à la flagornerie. Keith Gilbert était une force de la nature à ne pas prendre à la légère. Rejeton d'un riche magnat du transport maritime qui avait délaissé son affaire sur ses vieux jours, le jeune Keith avait abandonné ses études à Harvard pour reprendre les rênes de l'entreprise. Contre toute attente, et malgré les conseils et le bon sens, il avait non seulement conservé la société, mais parié dessus et consacré une fortune à son expansion. Gilbert avait d'abord rénové sa flotte totalement dépassée, puis racheté les navires de croisière de concurrents affaiblis afin de se créer une nouvelle source de revenus dans le tourisme, une stratégie qui s'était révélée payante. Grâce à une série de manœuvres intelligentes, à la chance et à sa légendaire inflexibilité, il avait largement sauvé et fait prospérer l'entreprise en péril.

Avec style, qui plus est. Au cours des dix ans écoulés, le visage souriant de Gilbert avait fait la une de nombreux journaux : en adepte du parapente dans les montagnes de l'ouest de la Norvège, en skipper pour la Coupe de l'America, main dans la main avec sa fiancée lors de son mariage de conte de fées sur la côte amalfitaine, ou, plus récemment, riant aux éclats en compagnie d'hôtes charismatiques lors de dîners organisés par l'élite de Washington. Comme si la résurrection d'une entreprise moribonde ne lui suffisait pas, le million-naire avait décidé de se lancer à l'assaut de la sphère politique.

Mais aussi charmant le preux chevalier se montrait-il en public, il avait aussi la réputation d'être une brute. Dans son dos, mais toujours après un coup d'œil par-dessus l'épaule, il se disait qu'il n'était pas du genre à faire des prisonniers. Selon une blague qui circulait, le continent de déchets qui se formait au milieu du Pacifique, véritable menace pour l'envi-ronnement, se composait en réalité pour l'essentiel des restes de ses opposants les plus téméraires. Heat savait tout cela. Mais elle savait aussi que, pour faire son travail, il ne fallait pas avoir peur de nager avec les requins.

— Monsieur, je comprends bien votre prudence. Et j'es-père que vous avez conscience que jamais je ne manquerai de respect à qui que ce soit, pas plus à un riche avec des relations comme Keith Gilbert, qu'à un pauvre marginal comme Fa-bian Beauvais.

— Qui ça ?

Rook montra du doigt le nom de l'Haïtien sur le tableau.

— La victime, articula-t-il en silence.

— Vous allez quand même le faire, c'est ça, Heat ?

— L'adresse et le numéro de téléphone de sa résidence se-condaire figuraient sur une enveloppe de dix mille dollars ca-chés sous le parquet chez un mort. Je crois que c'est le devoir de la police de poser au moins quelques questions à monsieur Gilbert.

— Tenez-moi au courant, insista Irons, dérouté, avant de se retirer dans son aquarium.

— Comme toujours, capitaine, répondit Heat.

L'inspecteur Feller retourna à son bureau avec un petit sourire en coin. Rook semblait perdu dans la stratosphère.

— Le plus étrange, dit-il, c'est que toute cette discussion me rappelle ce rêve incroyable que je n'arrête pas de faire. Tu es sénatrice.

Il chassa l'idée d'un geste.

— Sénateur Heat. D'où je peux bien sortir ça ?

En fin de matinée, le portrait-robot des deux hommes qui s'étaient enfuis du motel miteux de Flatbush était terminé, et Heat, Rook et Feller convinrent à l'unanimité qu'il était très ressemblant. Heat chargea Randall de le diffuser avant de retourner avenue D, à Brooklyn, interroger les voisins de Fabian Beauvais pour voir si quelqu'un le connaissait.

— Montrez-leur aussi les portraits-robots, ajouta Heat alors que Feller se mettait en route.

Mais il s'était déjà muni de copies qu'il brandit au-dessus de sa tête en disparaissant par la porte.

— Tu comptes aller déjeuner ? demanda Rook.

— Je compte rester assise ici jusqu'à ce que le bureau de Keith Gilbert me rappelle.

Elle consulta sa montre.

— Ils me mènent en bateau. J'obtiens son numéro dans les Hamptons en moins de dix minutes, mais je n'arrive pas à le joindre à son bureau dans Park Avenue South. Ça fait deux heures que la réception me balance sur sa messagerie vocale. Quand je rappelle, on me bascule vers les relations publiques.

Elle décrocha de nouveau le téléphone. Il posa la main sur la sienne pour la faire raccrocher.

— Je crois que tu devrais arrêter d'appeler.

— Tu veux rire ? Toi, le grand reporter d'investigation qui ne lâche jamais l'affaire ?

Puis Nikki remarqua que Rook regardait derrière elle. Elle se retourna et en resta bouche bée.

Une assistante lui faisait signe tout en escortant un homme de haute taille, vêtu d'un complet à rayures fines, dans la salle.

— Inspecteur Heat ?

Le directeur de l'Autorité portuaire lui tendit la main en souriant.

— Keith Gilbert. Vous vouliez me voir ?

TROIS

Keith Gilbert lui serra la main en la regardant droit dans les yeux, chose à laquelle Heat prêtait toujours grande attention. Dans son métier plus qu'ailleurs, les yeux étaient les miroirs de l'âme ; ils en offraient une vue panoramique sur les recoins les plus sombres. Or, chez lui, elle ne décela pas la moindre tentative pour éviter de croiser son regard. Le visage tanné par le soleil, souligné par de profondes rides, Gilbert lui adressa un sourire franc et la jaugea à son tour. À tel point que Nikki se demanda si la franchise qu'il arborait était aussi soigneusement dissimulée que la sienne.

— Je vous présente Jameson Rook.

Nikki s'écarta, et les deux hommes échangèrent une poignée de main.

— Monsieur le directeur, fit Rook. Ça fait déjà quelques années, mais nous nous sommes brièvement rencontrés au…

— … gala de la fondation Robin des bois, c'est cela ?

Tandis que Rook adressait à Heat un regard rayonnant, Gilbert se caressa le bouc en essayant de se rappeler l'année.

— En tout cas, je me souviens que je vous avais interrompu en plein débat avec Tom Brokaw et Brian Williams.

— 2009. Et vous avez essayé de nous soutirer vingt mille dollars chacun pour financer votre voilier dans une course contre sir Richard Branson jusqu'à Halifax.

— Un trimaran de vingt-sept mètres, au bénéfice d'une œuvre caritative.

50

Puis il adressa un clin d'œil à Nikki.

— Ne demandez jamais d'argent à un journaliste pour quoi que ce soit.

Tandis que Rook et Gilbert s'enthousiasmaient au sujet de l'interprétation de *Bridge over Troubled Water* par Aretha Franklin au Javitz Convention Center, Heat eut le temps de se remettre de la visite inattendue du directeur.

Bien qu'elle n'eût pas encore réfléchi aux questions qu'elle souhaitait lui poser, elle n'avait aucune envie de laisser passer cette opportunité, compte tenu de son emploi du temps chargé. Puis, derrière lui, elle aperçut le tableau blanc sur lequel l'encre de son nom en majuscules était à peine sèche.

— Vous savez quoi ? fit-elle en le guidant aussitôt vers la porte. Nous devrions nous installer dans un endroit plus privé.

Elle le fit entrer dans la salle de conférences, un lieu beaucoup moins déplaisant que l'une des minuscules salles d'interrogatoire au miroir sans tain. Rook leur emboîta le pas. Par déférence, Nikki invita chacun à prendre place dans le coin salon pour une conversation informelle, au lieu de s'installer à la longue table.

— Je vous proposerais bien un café, monsieur Gilbert, déclara Heat tandis que le directeur posait sa fine mallette par terre, mais il est un peu éventé, et vous m'avez prise de court.

— Mon assistante m'a dit que vous aviez appelé trois fois. Je voulais savoir ce qu'il y avait de si urgent.

— C'est plutôt héroïque de votre part de vous déplacer en personne.

— J'étais de toute façon sur le *Henry Hudson*… Littéralement dans le quartier…, car je revenais d'une enquête de sinistre sur le pont George Washington.

— Un problème avec ce pont ? s'enquit aussitôt Rook.

— Une vérification de son état, plutôt. Ah ! les reporters... Écoutez, je sais par les articles que vous avez écrits sur elle dans *First Press* que vous collaborez avec l'inspecteur Heat. Impressionnant.

— Merci.

— Je parlais de l'inspecteur Heat, le taquina-t-il dans un nouvel aparté adressé à Nikki.

Puis il reprit :

— Mais puisque vous posez la question, en tant que président du Comité sécurité et opérations, je suis chargé de veiller à ce que tous les ponts, tunnels, aéroports, ports, gares et autres biens gérés par l'Autorité portuaire soient en état de faire face à Sandy.

Aussitôt, Nikki revit l'annonce du cyclone au journal télévisé le matin même.

— Cette tempête ne se trouve-t-elle pas au large du Nicaragua ?

— Le suivi informatique nous a placés en alerte pour un ouragan de catégorie 1 ou 2 qui risque de toucher le Nord-Est d'ici une semaine. D'après les modèles européens, il pourrait frapper la région des trois États.

Rook fit mine d'agiter un cigare à la Groucho Marx.

— J'ai suivi un modèle européen une fois. Jusqu'à ce qu'elle m'envoie un coup de Taser.

Refroidi par le regard de Keith Gilbert, il laissa tomber son barreau de chaise.

— Inspecteur, cet après-midi, j'ai une téléconférence avec la FEMA[1], le Bureau de gestion d'urgence et deux gouverneurs très nerveux. Alors, peut-être pourriez-vous simplement me dire de quoi il retourne ?

— Absolument. Venons-en au fait.

D'un regard, elle avertit Rook qu'il était temps pour lui de se tenir.

— Vous possédez bien une propriété dans les Hamptons ?

— Oui... Enfin, une résidence secondaire. Je n'appellerais pas cela une propriété.

Il plissa les yeux.

— Il est arrivé quelque chose ?

— Non, pas à notre connaissance.

---

1. Federal Emergency Management Agency : l'Agence fédérale des situations d'urgence.

— Dans ce cas, vous voudrez bien me pardonner, mais ce n'est pas ce qui s'appelle aller droit au but.

Sans se départir de sa gentillesse, il consulta assez ostensiblement sa montre, un gros modèle de sport coûteux, doté de plus de cadrans que la capsule Mercury.

Le respect n'empêcha pas Heat de reprendre les rênes. Certes, elle voulait savoir comment l'adresse et le numéro de téléphone privé d'un homme de sa stature avaient atterri dans une liasse de billets cachée sous le parquet d'un pauvre immigrant hébergé dans un motel miteux, mais elle savait qu'il n'était pas possible d'y venir directement.

Profitant du temps qu'il lui accordait et de sa volonté de coopérer, Nikki entreprit de tourner encore autour du pot, ce qui lui en apprendrait peut-être davantage que si elle satisfaisait l'impatience de son interlocuteur. Ou sa stature.

— Vous vous y rendez souvent ?

— Autant que possible, répondit-il, résigné face à la détermination de son interlocutrice. Pourquoi un tel intérêt pour *Cosmo* ?

Par réflexe, elle sortit son calepin et son stylo.

— Qui est *Cosmo*, s'il vous plaît ?

— C'est le nom de ma maison, s'esclaffa-t-il.

Rook ne put se retenir.

— Ce n'est pas une propriété, mais elle a un nom ?

— Toutes les résidences ont un nom, là-bas.

— *Cosmo*... C'est particulier, fit remarquer Nikki.

— C'est le nom du premier bateau que j'ai acquis quand j'ai repris l'entreprise de mon père et que j'ai voulu m'agrandir en me lançant dans les croisières. Malheureusement, comme le vieux bâtiment auquel elle doit son nom, cette maison est un gouffre. Rien que cette année, elle m'a coûté plus cher en rénovation et en entretien que le prix que je l'ai payée. J'ai perdu un toit à cause de l'ouragan Hanna en 2008 et un autre l'année dernière à cause d'Irene. La prochaine fois, cela me reviendra sans doute moins cher de tout faire couvrir en billets de mille dollars.

— Je suppose que vous en avez les moyens, dit-elle.

— Mon patrimoine est de notoriété publique ou le sera bientôt, maintenant que je me présente aux élections, répondit-il avec froideur. On continue ?

— La maison est-elle occupée en votre absence ?

— Non, sauf éventuellement par mon épouse, mais elle n'y va jamais. Sinon, j'ai une femme de ménage qui vient une fois par semaine, un jardinier et un gardien.

— Tous sont sur place ? s'enquit-elle.

— Non, mon chauffeur les y conduit depuis Park Avenue.

Il rosit, sans doute parce qu'il se rendait compte que ce genre de propos faisait très « un pour cent ». Laissant tomber les sarcasmes, il répondit que, oui, tous étaient des gens de là-bas qui travaillaient pour lui depuis des années. Si c'était vrai, cela éliminait un éventuel rapport de domestique à employeur entre lui et Fabian Beauvais. Mais la mention de sa compagnie maritime lui ouvrit de nouveaux horizons.

— Où se rendent vos paquebots, si je peux me permettre ?

— Dans les Caraïbes, pour l'essentiel. Nous avons expérimenté les fleuves d'Europe et les petits ports de luxe en Méditerranée à bord de navires haut de gamme, mais le vrai business se situe dans le Golfe et aux Caraïbes.

— En Jamaïque ?

— Absolument.

— À Puerto Rico ? À Aruba ? Aux Turques-et-Caïques ?

— Oui, oui et oui. Et à Saint-Christophe-et-Niévès, aussi.

— Haïti ?

— Ce n'est pas une destination très prisée, railla-t-il. Pourquoi ?

Nikki changea d'angle d'attaque.

— Avez-vous été victime d'un cambriolage, d'une effraction ou autre, à *Cosmo* ?

— Non. Des étudiants ont organisé une fête zombie sur la plage. Ils ont dansé sur *Thriller* lors d'une sorte de *flashmob*, comme ils disent. Quelques clôtures ont été renversées dans les dunes, et la pelouse a été piétinée, mais c'est tout.

— Des problèmes de harceleurs ?

Il fit non de la tête.

— Des appels téléphoniques bizarres ?

Toujours non.

— Prenez votre temps, monsieur le directeur. Personne au bout du fil… Des messages vocaux étranges ? Réfléchissez bien.

Il s'exécuta et secoua la tête.

— Aucune voiture ou personne inconnue traînant dans les parages ?

— Je suis protégé contre ce genre de choses.

— Vous êtes armé ?

— Oui, bien sûr, je possède une arme… dûment déclarée. Mais ce n'est pas ce que je voulais dire. Ma protection, c'est Topper. Mon berger allemand.

Heat décida qu'il était temps de lui soumettre le nom.

— Connaissez-vous un certain Fabian Beauvais ?

— Je suppose qu'il s'agit d'une personne et non d'un vin ou d'un parfum, s'esclaffa-t-il en adressant un signe de tête à Rook.

— Fabian Beauvais, répéta-t-elle sans plaisanter.

Il soupira et ferma les yeux.

— Non, déclara-t-il sans les rouvrir. Inspecteur, je suis venu ici pour vous aider ; alors, il ne me semble pas tout à fait déraisonnable de vous demander pourquoi. S'il vous plaît.

Sa demande n'avait aucunement l'air d'une question. Elle aurait préféré ne rien dire le temps d'obtenir encore quelques réponses, mais, plutôt que de le perdre, elle lui exposa la situation dans les grandes lignes.

— Nous enquêtons sur la mort, que nous jugeons suspecte, d'un clandestin haïtien, un certain Fabian Beauvais.

Elle étudia sa réaction, mais il lui adressa le même regard naturel qu'à son arrivée.

— Dans ses effets personnels, nous avons trouvé l'adresse et le numéro de téléphone de votre résidence dans les Hamptons.

— C'est curieux. Je n'ai jamais entendu parler de ce type.

Heat prit note de la répétition. C'était peut-être un signe. Peut-être pas.

— Comment est-il mort ?

— L'institut médicolégal n'a pas encore statué.

Dans son champ de vision, elle sentit Rook tourner la tête vers elle suite à cette rétention d'information.

— En attendant, nous faisons notre travail, nous envisageons toutes les possibilités. Une dernière chose.

Elle déplia les portraits des deux gorilles de l'escalier.

— Vous reconnaissez ces hommes ? Vous pouvez les avoir croisés n'importe où, ajouta-t-elle tandis qu'il les considérait. À New York, dans les Hamptons, près de votre compagnie, peut-être parmi des passagers ou des ouvriers.

Comme il répondait par la négative, elle lui tendit une photo d'identité.

— Voici Fabian Beauvais.

Il la reposa sur les portraits-robots avec un haussement d'épaules.

— Je ne vous suis pas d'une très grande aide, n'est-ce pas ? fit-il en lui rendant le tout.

— C'est parfait, protesta-t-elle en se levant. Nous permettez-vous de joindre le service du personnel de votre compagnie pour voir si quelqu'un connaît l'une de ces trois personnes ?

Après un regard aux photos, il répondit qu'il n'y voyait aucun inconvénient.

— Encore une question avant que vous ne partiez. Possédez-vous un avion ou un hélicoptère ?

— Curieuse question.

— Ça fait partie du métier, j'en ai peur, dit-elle pour se débarrasser. Alors ?

— Je possède un hydravion, chez moi, à Vancouver.

— Et un hélicoptère ?

— Un Bell JetRanger. Ça peut paraître élitiste, je sais, mais je ne pourrais pas remplir mes fonctions à l'Autorité portuaire sans cela, fonction que, pour votre gouverne, j'exerce bénévolement.

— Mais vous touchez des revenus de votre entreprise maritime.

— Je tire mes revenus d'autres sources en ce moment, car j'ai dû placer Gilbert Maritime entre les mains d'une société fiduciaire cet été, après ma nomination à l'Autorité portuaire. Pour éviter tout conflit d'intérêts. L'Autorité portuaire bénéficie de mes décennies d'expérience ; moi, je ne reçois rien en échange.

— Quand même, un JetRanger qui fait les allers et retours dans les Hamptons en un clin d'œil…, fit remarquer Rook en relançant le sujet pour Heat.

— Vous l'avez pris hier matin ? s'enquit-elle.

— Oui, en effet. Il m'a conduit de Southampton à Fort Lee, où je devais faire un discours lors d'un séminaire concernant le pont George Washington. Comme je vous en parlais à l'instant. Pourquoi ?

— À quelle heure ?

— Voyons... Tôt. Le pilote m'y a déposé à 7 h 30 pour la réunion de 7 h 45.

— Et combien de temps y êtes-vous resté ?

— Jusqu'à 16 heures.

Gilbert ne pouvait donc se trouver nulle part près de l'Upper West Side au moment de la mort de Beauvais.

— Pourquoi tant d'intérêt pour mes allées et venues à Fort Lee ?

— Comme je disais, ça fait partie du métier. Merci de votre coopération, monsieur Gilbert. J'apprécie beaucoup.

— Ravi d'avoir fait la connaissance de la célèbre Nikki Heat.

Il lui serra la main en l'enveloppant chaleureusement dans les siennes.

Elle le raccompagna jusque dans le hall, puis le rattrapa juste avant qu'il ne sorte rejoindre le 4 x 4 Chevrolet noir qui l'attendait dehors.

— Oh ! encore une question : le mot « conscience » vous dit-il quelque chose ?

— Vous n'êtes pas sérieuse ? Je suis un homme politique, jeune dame, se moqua-t-il.

Alors qu'elle revenait vers la salle de briefing, Rook arriva à sa rencontre, une mallette à la main.

— Le dirlo a oublié ça dans la salle de conférences.

Heat retraversa le hall à la hâte. Keith Gilbert, de dos, était au téléphone sur le trottoir. Lorsqu'elle franchit la porte, il parlait âprement.

— Je me fiche de savoir qu'ils sont en réunion, bon sang ! Passez-moi Fred Lohman… fissa, exigea-t-il sans plus rien du charmeur affable que Nikki venait d'interroger.

Puis, l'apercevant, il arbora un large sourire et leva les yeux au ciel.

— Quel imbécile ! fit-il en prenant la serviette, puis il marmonna quelque chose à propos de sa distraction.

Alors qu'elle s'apprêtait à rentrer à l'intérieur, Heat se demanda pourquoi Keith Gilbert avait un besoin si urgent de parler à l'un des plus grands avocats de Manhattan. Au moment où il se glissa sur la banquette arrière de son rutilant Suburban, le directeur de l'Autorité portuaire croisa son regard et le soutint un instant. Comme il n'était plus sur ses gardes, elle décela quelque chose d'incongru.

Une tension.

Puis il referma la portière et s'éloigna.

— Tu as les Gars en ligne sur ton bureau, l'avertit Rook à son retour dans la salle de briefing.

Elle écarta son courrier et décrocha.

— Vous n'avez pas intérêt à avoir fait des bêtises, vous deux.

À l'autre bout du fil, elle entendit ses enquêteurs glousser.

— Oh ! parce qu'on avait une mission, peut-être ? fit Ochoa.

— Voici le topo en trente secondes chrono, ajouta son

équipier. Le portier s'est fait maîtriser et enfermer dans la salle du courrier par plusieurs assaillants, en pleine nuit.

— Il va bien, indiqua Ochoa dans le haut-parleur. C'est lui qui a signalé les faits. La porte de l'appartement, au dixième étage, a été forcée au pied-de-biche. L'outil a également servi à matraquer la victime, Shelton David, quatre-vingt-six ans, mort sur place. D'après le rapport préliminaire de la légiste, il s'est vidé de son sang. On l'a retrouvé en pyjama, avec une batte de baseball par terre à côté de lui. Il a dû vouloir se défendre après avoir entendu du bruit.

Heat chassa de son esprit l'image de sa mère baignant dans son sang sur le sol de sa cuisine.

— Des témoins ? s'enquit-elle.

— Pas encore. On a envoyé des agents interroger les voisins dans l'immeuble et, évidemment, on cherche déjà les caméras qui pourraient avoir enregistré quelque chose.

Le preste résumé d'Ochoa la rendit fière de ses subordonnés qui avaient su saisir l'opportunité.

— La scientifique est arrivée. Ils relèvent les empreintes et passent tout au peigne fin.

— Ce vieux monsieur faisait une cible idéale : un courtier en retraite à la Gordon Gekko qui s'en était mis plein les poches à Wall Street.

L'inspecteur Ochoa s'écarta du micro. Heat le visualisa en train de parcourir l'appartement tout en parlant.

— Tout a été retourné, mais on a pris contact avec son assureur pour obtenir un inventaire, au cas où quelqu'un tenterait de fourguer quoi que ce soit.

— Bonne initiative, dit-elle. Puisqu'il était courtier, vous devriez aussi voir ses anciens clients ou partenaires. L'époque des Gekko est révolue, on est à l'ère Madoff maintenant ; alors, peut-être quelqu'un a-t-il voulu se venger.

— On vous a devancée, indiqua Raley, qu'elle entendit quasiment sourire. Opossum connaît quelqu'un au poste de la première circonscription qui est spécialisé dans la finance. Son pote nous prépare déjà le terrain.

— Eh ! les Gars. Je vais finir par me sentir inutile !

— On fait juste notre travail, madame, répondit Ochoa avant de raccrocher. Juste notre travail.

À la seconde où elle reposait le combiné de son téléphone, Rook vint s'asseoir sur sa pile de courrier.

— Tu penses quoi du directeur Gilbert ?

— Tu veux que je te dise ?

Heat réfléchit aux diverses possibilités qu'elle avait envisagées.

— C'est encore trop tôt.

Il sourit de toutes ses dents et se leva. Puis, d'un geste théâtral, il sortit un billet de cinq dollars de sa poche de pantalon pour le ranger dans l'autre.

— Je l'aurais parié.

— Monsieur Je-sais-tout, va !

— Je sais, j'ai un charme irrésistible et, en plus, je suis intelligent... Mais surtout, je suis tout à vous, inspecteur Heat.

Bien qu'il fît le clown, à cette déclaration, Nikki sentit son cœur de nouveau bondir dans sa poitrine, en écho à la sensation qu'elle avait déjà éprouvée le matin à la vue du reçu. Pour se distraire l'esprit, elle entreprit de lire ses e-mails.

— Regarde ce que je reçois du labo.

Comme il se penchait pour regarder l'écran, son épaule frôla la sienne. Nikki ne chercha pas à éviter le contact.

— Ils ont relevé des résidus de sang de poulet et des plumes sur la basket New Balance trouvée au planétarium.

— Tu sais ce que ça signifie, n'est-ce pas ?

— Rook, je te jure que si tu essaies de me dire qu'il se prenait pour un oiseau...

— Un oiseau ? fit-il avec une grimace. Où diable vas-tu chercher une idée pareille ? J'allais te parler de sacrifice vaudou.

Elle secoua la tête.

— Comment ? Tu en doutes ? Ouvre ton moteur de recherche et tape « Haïti » et « sang de poulet », tu verras si monsieur Google ne te balance pas une pleine page de liens vaudou.

— Inutile, Rook, je suis sûre que c'est le cas. Mais j'ai une autre idée, plus pragmatique. Un immigrant clandestin a besoin d'un emploi, non ?

Elle saisit une recherche sur les abattoirs de poulet et en trouva trois dans les environs.

— Je me souviens d'être passée devant l'un d'eux, une fois, dans le Queens ; il y avait plein de journaliers étrangers qui traînaient sur le trottoir dans l'espoir d'obtenir du travail. Maintenant, je n'exclus pas qu'il puisse y avoir un lien avec le vaudou, mais, comme deux de ces endroits se trouvent si près de Flatbush, tu ne crois pas qu'on devrait d'abord aller voir là-bas, compte tenu de nos moyens limités en hommes ?

— Dans ce cas, je veux bien me prêter au jeu, répondit-il.

— Vous êtes de l'hygiène ? brailla la femme qui sortit de l'épicerie de quartier.

La porte battante délabrée claqua derrière elle, et elle faillit se faire écraser par un camion de livraison de bois en traversant la rue pour venir rejoindre la voiture banalisée.

— Qu'est-ce qui vous a pris si longtemps ? Ça fait des heures que j'ai appelé.

C'était le second abattoir qu'ils visitaient et la seconde personne de l'après-midi à se plaindre dès leur arrivée. Amusé, Rook vint rejoindre Nikki sur le trottoir, rose de sang lavé au tuyau d'arrosage.

— Non, je suis de la police, madame, disait-elle.

— Encore mieux. Bouclez-moi ces sales crétins.

De sa cigarette, elle indiqua l'abattoir derrière eux, un bâtiment industriel de plain-pied carré orange qui avait sans doute abrité une carrosserie autrefois. Il n'avait pas de fenêtres, et son rideau métallique de garage, amplement tagué, était fermé.

— Je paye une fortune pour un joli petit appartement et je

me tape les cris de ces volailles toute la sainte journée. Sans compter les odeurs. Je veux qu'ils dégagent.

Nikki évalua la situation.

— Je vais voir ce que je peux faire, dit-elle, compatissante, mais sans vouloir non plus se charger du problème.

On les fit entrer par une porte en aluminium découpée dans le rideau métallique.

Lorsque Heat présenta son insigne, une demi-douzaine d'ouvriers, qui les observaient attentivement par la cloison en verre toute rayée, reculèrent dans l'entrepôt pour, le plus vraisemblablement, prendre la fuite par-derrière.

Tandis qu'ils attendaient le gérant, elle donna à Rook le conseil que Lauren Parry lui avait prodigué à sa première venue en salle d'autopsie.

— Respire par la bouche pour tromper le cerveau.

Cela fonctionnait, plus ou moins.

Debout derrière la vitre, Rook parcourut des yeux une ligne de poulets suspendus par les pattes à des crochets, la tête coupée et se vidant de leur sang en attendant d'être plumés.

— Quand je pense à Emily Dickinson qui disait que l'espoir...

— ... porte un costume de plumes, compléta Heat. Oui, je sais.

— Je ne peux pas vous laisser marcher là, indiqua le gérant, un type grassouillet en blouse blanche marquée JERRY sur la poitrine, à gauche, au-dessus de sa poche remplie de stylos et d'un thermomètre à lecture rapide. J'ai des calottes de protection pour vous deux, mais lui, il lui faudra un filet à barbe en plus.

Sur ce, Nikki pencha la tête et regarda Rook avec un large sourire satisfait.

— Ravissant, dit-elle.

— On est très bien là, assura la figurine articulée à l'effigie de Jameson Rook.

— On ne vous retiendra pas longtemps. Je me demandais

si vous reconnaîtriez cet homme ? demanda Heat en montrant la photo de Beauvais.

— Bien sûr, c'est Fabian.

Il prononça ce nom comme s'il s'agissait du chanteur de rockabilly, star des années 1950, mais tout ce qui importait à Nikki était qu'il avait identifié sa victime. Dans l'excitation de l'instant, elle inspira par le nez et renifla l'odeur de la mort.

D'après Jerry, Fabian Beauvais était un journalier, comme la plupart du reste du personnel. Les immigrants aimaient ce travail parce qu'il payait correctement et que l'employeur ne posait pas trop de questions. Beauvais, l'un de ses meilleurs ouvriers, était arrivé neuf mois plus tôt, sur les recommandations de ses copains haïtiens.

— Un jour, il ne s'est pas présenté. Vers la fin août, je crois. Et puis il est revenu, il y a environ cinq jours, je dirais, tout nerveux et plié en deux par la douleur.

— A-t-il dit ce qui lui était arrivé ?

— On ne pose pas trop de questions ici. Mais il était blessé, c'est sûr. Et nerveux. Fabian était toujours du genre cool et rigolard, mais il est revenu totalement parano. Il a des ennuis ? C'est pour ça qu'il a encore disparu ?

— Quand a-t-il disparu ?

— Hier. De nouveau, il ne s'est pas présenté.

— Vous a-t-il dit où il était ou ce qu'il avait fait durant ses deux mois d'absence ? demanda Rook.

— Tout ce que je sais, c'est qu'il avait trouvé un boulot de manœuvre régulier. Dans le bâtiment, il me semble. J'ai juste pensé qu'il était tombé d'une échelle ou un truc du genre.

Nikki posa son stylo sur son calepin.

— C'était où, ce travail ?

— Je ne sais pas exactement. Il a juste mentionné les Hamptons.

QUATRE

— Allô, le restaurant Bouley ? Jameson Rook, à l'appareil. J'aimerais annuler ma réservation pour deux de ce soir.

Il opina du chef en écoutant son interlocuteur.

— Merci. Oui, je regrette aussi. Ma compagne a décidé de faire passer sa carrière avant nous.

— Rook.

— Relaxe, il avait déjà raccroché. Ça t'était exclusivement réservé. Tu en veux ?

Il lui tendait son sandwich italien, mais, même si son estomac grognait de faim parce que l'heure du déjeuner était passée, Nikki n'aimait pas manger au volant.

La décision de se rendre dans les Hamptons n'avait pas été facile. En vérité, il n'était jamais bon de quitter New York au beau milieu d'une affaire. Or Heat en avait deux sur le feu. Avec un inspecteur en moins. Mais Raley et Ochoa s'étaient montrés parfaitement à la hauteur sur l'effraction, ce qui la soulageait d'un lourd fardeau. Et Randall Feller, le meilleur patrouilleur qu'elle connaissait, avait couvert le quartier de Beauvais à Brooklyn. Il lui avait même envoyé un SMS pour la prévenir qu'il allait passer l'après-midi à faire circuler sa photo dans les cafés et les petits restaurants haïtiens concentrés autour de Flatbush Avenue. Sa décision lui avait été inspirée par la maxime que martelait feu son mentor, le capitaine Montrose : « Dans le doute, il faut toujours suivre la meilleure piste. »

Pour l'instant, elle les conduisait vers l'est de Long Island, même si l'alibi de Keith Gilbert tenait la route. Son hélicoptère l'avait bien déposé la veille à Fort Lee, dans le New Jersey, à 7 h 30, où il avait tenu conférence pour l'Autorité portuaire jusqu'à 16 h 15.

— On a bien roulé, commenta Rook tandis qu'ils franchissaient le canal de Hampton Bays pour rejoindre Shinnecock Hills. Une heure et quart, sans même mettre la sirène..., ce qui aurait quand même été cool, je dois dire.

Rook froissa l'emballage de son sandwich et fourra la boule de papier dans le sachet avec celui à la dinde et au provolone qu'elle n'avait pas touché. La saison était terminée, et seuls les feux tricolores les attendaient. L'automne commençait à pointer dans les arbres de part et d'autre de l'autoroute, et les panneaux des cueillettes de pommes fleurissant alentour leur rappelaient l'odorante entrée du restaurant Bouley et le dîner qu'ils allaient manquer. Contrairement à ce qu'avait dit Rook, elle n'avait pas vraiment choisi de travailler plutôt que de passer du temps avec lui ; à vrai dire, elle avait voulu retarder le tournant majeur que risquait de prendre leur relation. Tout en songeant qu'elle allait devoir encore attendre pour satisfaire sa curiosité, Nikki posa la main sur celle de son compagnon.

Dans le hall du poste de police du village de Southampton, l'enquêtrice fut accueillie avec enthousiasme par le sergent Inez Aguinaldo.

— Merci de cette visite de courtoisie. C'est rare de voir des collègues venir par ici.

— Avec plaisir. Mais c'est plus qu'une visite de courtoisie. Vous pourriez m'aider sur l'affaire qui m'occupe actuellement.

Le visage d'Aguinaldo s'éclaira. Même si elle dirigeait la police d'une petite ville et arborait une tenue civile, il émanait d'elle un sang-froid et une aisance de militaire. Elle acquiesça d'un air entendu, puis lui tint la porte ouverte.

— Votre équipier n'entre pas ?

— Non, il est... Il est très bien là.

Rook avait de lui-même proposé d'attendre dans la voiture. Curieux, certes. Puis, l'apercevant sauter sur son mobile tandis qu'elle rejoignait le poste, Nikki s'était demandé ce qu'il fabriquait.

L'inspecteur Aguinaldo disposa la photo de Fabian Beauvais et les portraits-robots des deux gorilles de Flatbush en éventail sur son bureau.

— Je ne reconnais aucun de ces hommes. Si vous m'envoyez leurs empreintes, je les ferai circuler, suggéra-t-elle après un nouvel examen. Avec votre permission, bien entendu.

Cette femme plaisait à Nikki. Rares étaient les flics capables d'une telle maîtrise professionnelle tout en restant humains. Heat, qui respectait ce trait de caractère, eut aussitôt envie de faire confiance à sa collègue. Ce qu'elle s'empressa de démontrer en lui transmettant aussitôt les fichiers JPEG.

Confirmant l'instinct de Nikki à son égard, Inez Aguinaldo garda le silence malgré sa curiosité manifeste. Elle accusa réception des photos, reposa son iPhone et marqua une pause, laissant le choix à Nikki de lui en dire plus ou pas sur les raisons de sa venue à Southampton.

Heat lui résuma la situation en gros. De l'horrible chute du ciel à la découverte de l'argent sous le parquet du motel miteux. Puis elle s'arrêta pour étudier attentivement les réactions de la policière lorsqu'elle mentionna le nom de l'un des plus riches et influents résidents locaux : Keith Gilbert.

— Que les choses soient bien claires, poursuivit Nikki. Je ne dis pas que monsieur Gilbert est impliqué. Ni, s'il l'est, qu'il a été lui-même victime d'un crime ou...

Elle n'acheva pas sa phrase.

— D'abord, je vous remercie de votre franchise. Keith Gilbert est certes un gros poisson, mais sachez une chose : je m'en contrefiche.

Pour souligner son propos, elle tourna les paumes vers le ciel.

— Quand on travaille dans une ville de riches comme ici, on apprend vite deux choses. La première, on fait son travail.

La seconde, on fait son travail. La loi ne fonctionne pas à deux vitesses ; elle s'applique à tous, quel que soit l'argent qu'on possède ou qui l'on croit être.

— Ou qui que l'on soit, fit observer Nikki.

— Peu importe, inspecteur. On ne cherche pas les ennuis, mais on ne cherche pas non plus à les éviter. Alors, comment puis-je vous aider ?

Dix minutes plus tard, Heat redémarrait, armée des instructions nécessaires pour rejoindre la propriété de Keith Gilbert et d'une alliée lui ayant assuré qu'elle s'occuperait personnellement de revoir toute plainte officielle déposée par le directeur, ainsi que tout contrôle routier ou altercation, sans oublier le moindre signalement de bruits ou de présence d'inconnus dans son quartier au cours des six derniers mois.

En outre, l'inspecteur Aguinaldo avait fait remarquer que, si Fabian Beauvais était venu au village pour un travail temporaire, il était possible que personne ne s'en soit jamais aperçu officiellement. Il arrivait souvent que les policiers, lorsqu'ils tombaient sur l'auteur d'un délit mineur, tel un ivrogne tapageur ou pacifique, n'arrêtaient pas le contrevenant s'il n'était pas au volant. Le sergent proposa donc de parler discrètement à ses agents pour voir si le nom de Beauvais avait laissé un quelconque souvenir. Ce n'était certes pas tout à fait la base de données centrale, mais ils feraient avec.

Heat mit Rook au courant tout en traversant le village et ses jolies petites rues pittoresques, où chacun semblait déambuler sans problème sur les trottoirs en savourant les vitrines des boutiques de créateurs, des galeries et des salons de thé nichés dans d'anciennes bâtisses en pierres et briques.

— Tu veux savoir ce que j'ai fait ? demanda-t-il lorsqu'elle eut terminé. Pas la peine de demander : j'ai appelé pour nous réserver une table ce soir ; on va dîner… et loger… à la célèbre auberge 1770 House, à East Hampton.

— Voilà ce que tu manigançais, petit filou ! Ça m'ira très bien.

— La cuisine est approuvée par l'émission de télé *Barefoot*

Contessa. Et, si tu trouves le restaurant romantique, attends un peu de voir la chambre.

Elle le regarda.

— Comment sais-tu que les chambres sont romantiques ?

— Je crois qu'on devrait se concentrer sur ma mission de sauvetage.

— Rook, je ne suis pas sûre d'apprécier l'idée de revivre avec toi une de tes anciennes virées en amoureux dans les Hamptons.

— Eh ! « Gin Lane », c'est là qu'il faut tourner.

Il agita la carte dans l'espoir de changer de conversation.

— On ferait mieux de se concentrer.

Ils suivirent la rue tranquille pendant quelques instants et passèrent devant des lotissements semblant chacun plus luxueux que le précédent.

— Je ne sais plus, mais je crois que je suis venu par ici, une fois, pour un article sur Madonna... Ça ne t'ennuie pas si je suis déjà venu ici avant toi pour le boulot, j'espère.

— Pas tant que je ne suis pas obligée de dormir sur la même route.

— Beckett's Neck, annonça-t-il.

— Ça a l'air d'être ça.

Elle arrêta la voiture sur le bas-côté, et ils descendirent. Un vaste bassin s'étendait de l'autre côté de la chaussée derrière eux. Cinq ou six petites propriétés en bordaient la rive. Elles étaient relativement importantes, en réalité, mais elles paraissaient naines à côté de la belle résidence dressée devant eux, dont les trois cheminées gothiques pointaient derrière une haie haute de trois mètres, si soigneusement taillée que son sommet paraissait tranchant.

— Allons-y.

Nikki se mit en marche le long de la barrière de verdure, et il lui emboîta le pas. Dans les Hamptons, ces haies très entretenues étaient plus fréquentes que les murs clos. Quant à la sécurité, elle était assurée par un grillage peint de couleur foncée afin qu'il se fonde parmi les branches. Ils parcoururent environ deux cents mètres avant d'arriver au coin, où la haie tournait à angle droit et continuait le long d'une servitude sur l'étroit affleurement de sable, de rochers et d'herbes marines qui surplombait l'Atlantique.

— Ce doit être Beckett's Neck, annonça Rook.

— Époustouflant.

Ils revinrent sur leurs pas et contournèrent la Taurus banalisée pour longer les limites de la propriété sur une centaine de mètres dans la direction opposée. Jamais Rook ne demandait à Heat ce qu'elle faisait parce qu'il était au courant pour son besoin de laisser parler ses premières impressions. Ils entendirent une voiture approcher, la première qu'ils rencontraient sur cet accès réservé, et une BMW 760 sortit du virage. En les voyant, le conducteur dévisagea ces inconnus de la tête aux pieds sans même s'en cacher. Nikki se demanda s'ils n'allaient pas voir surgir une voiture de police ou si l'homme au volant n'allait pas s'empresser d'appeler Keith Gilbert. Ils arrivèrent au portail d'entrée, flanqué de piliers en granit artisanaux garnis de briques. Une épaisse traverse en bois soutenait un auvent au-dessus. En son centre était encastrée une plaque rectangulaire en acier, dont la peinture blanche montrait des traces d'usure et de rouille. L'écriteau, taillé dans une ancienne coque de bateau, indiquait Cosmo en lettres noires. Rook jaugea le portail, en bois massif, assorti à l'entretoise.

— On n'a qu'à passer par-dessus.

— Pour se faire arrêter ?

— Dans ce cas, c'est une bonne chose que tu te sois fait une amie dans la police. Allez, Nikki, on n'est pas venus jusqu'ici pour rien, insista-t-il comme elle protestait de nouveau. Tu crois peut-être que c'est en attendant dans un Humvee à cause d'un panneau d'interdiction que j'ai obtenu deux Pulitzer ? En même temps, je ne sais pas lire le russe ; alors, je pouvais nier en toute bonne foi.

Sans lui prêter attention, Heat appuya sur le bouton d'appel du boîtier à code. Il consulta sa montre.

— Parfait, mais, dans une minute exactement, tu me feras la courte échelle.

Après un déclic, le portail s'ouvrit par le milieu pour laisser sortir un homme. Des mèches de cheveux grisonnants s'échappaient de sa casquette, et il portait une chemise beige à manches longues sur un pantalon assorti. Nul doute qu'il s'agissait là du gardien.

— Je peux vous aider ?

Heat déclina son identité et, sans mentionner Keith Gilbert ni les circonstances, expliqua qu'elle cherchait des renseignements sur quelqu'un.

— Je ne suis que le gardien, se rembrunit-il.

Elle avait déjà rencontré des hommes comme lui. Des nettoyeurs de piscine et des peintres en bâtiment vieillissants, pour la plupart.

Des types fragiles sur le plan émotionnel, pas du tout faits pour la vie sociale. Beaucoup avaient passé leur vie derrière un bureau, et le travail solitaire en plein air leur permettait de vivre en marge sans se cacher.

— J'aimerais juste vous montrer une photo, dit-elle simplement, par respect pour son embarras.

Lorsqu'elle lui tendit le cliché, il le balaya à peine des yeux.

— Je ne suis là que pour tout barricader, aujourd'hui, au cas où l'ouragan viendrait sur nous, déclara-t-il dans une sorte de supplique.

Heat tenta de déceler une réaction. Ce regard fuyant était-il dû au stress ou fallait-il y voir autre chose ?

— L'avez-vous déjà vu ?

— Je n'aime pas fourrer mon nez dans les affaires des autres. Je suis juste le gardien, répéta-t-il.

— Avez-vous déjà entendu le nom de Fabian Beauvais ?

Il ferma les paupières.

— Vous devriez parler à mon employeur.

Nikki se laissa alors distraire. Derrière le gardien, Rook lui adressait un large sourire. Il se faufila discrètement entre les deux vantaux du portail. Après tout… Comme son interlocuteur allait jeter un œil par-dessus son épaule, elle retint son attention.

— Et votre employeur ? Monsieur Gilbert a-t-il déjà évoqué ce nom ?

Il ne put répondre, car, derrière le portail, ils entendirent un aboiement pressant, suivi d'un cri encore plus pressant.

— Non ! s'exclama Rook.

Lorsqu'ils entrèrent à leur tour, le berger allemand tenait sa jambe droite dans sa gueule. Ses crocs acérés s'étaient refermés sur son mollet au-dessus du talon d'Achille, mais sans le mordre. Le but était atteint : le chien de garde immobilisait l'intrus en attendant de plus amples instructions.

— Vous pouvez le rappeler ? fit Rook en essayant de rester calme.

Le gardien se passa l'index en travers de la gorge, à l'instar d'un réalisateur de cinéma pour signifier « couper », et le chien de garde lâcha prise. Puis l'homme se tapa deux fois la cuisse, et le berger délaissa Rook pour venir s'asseoir au pied de son maître.

— Vous avez de la chance. Topper est justement là pour chasser les inconnus.

À son nom, le chien dressa les oreilles sans toutefois lâcher des yeux Rook, qui se glissa près de Heat.

— Désolé. Sincèrement. Comme le portail était ouvert, j'ai cru que je pouvais entrer.

Nikki en profita pour étudier la maison. Keith Gilbert avait minimisé sa splendeur. Or, avec ses multiples pignons, ses belvédères, son moulin à vent du XIXᵉ siècle dominant le jardin de topiaires, la gloriette près de la piscine et la dépendance abritant au moins quatre kayaks de mer, deux Laser et un Hobie Cat, elle méritait amplement le nom de propriété. Le gardien interrompit son examen.

— Il fera nuit dans une heure et j'ai encore pas mal de choses à faire. Je vais fermer le portail derrière vous.

— Voilà pourquoi je te fais attendre dans la voiture, déclara-t-elle dès que le déclic retentit derrière eux.

— Peut-être, mais tu n'aurais jamais vu la maison. Et ce jardin ? Tout droit sorti de la revue *Architectural Digest*.

— Je veux essayer les voisins.

Nikki traversa la rue en quête d'une maison pas trop éloignée pour être considérée comme voisine.

Elle choisit la plus proche, une construction moderne de style marocain qui détonnait dans ce cadre. Rook la suivit sans ralentir le pas.

— Comment Gilbert peut-il prétendre que cela n'est pas une propriété ? Sa résidence fait la taille d'un hôtel. Non, c'est la petite sœur de Downton Abbey, en bois. Et tu as vu la différence de couleur sur le toit et les côtés ? Ce sont sans doute les réparations dont il se plaignait.

En fait, Nikki avait aussi remarqué le nouveau bardage, d'abord sur le vieux moulin à vent, puis sur la maison et le toit ; les parties plus anciennes paraissaient légèrement plus foncées.

— Cet endroit a connu beaucoup de travaux depuis le printemps…

Rook n'allait pas tarder à énoncer sa théorie.

— C'est parti.

— Eh ! Ce n'est pas si dingue de penser que le travail manuel de feu notre Haïtien consistait à rénover *Cosmo*. D'ailleurs, es-tu prête à entendre mon idée sur la question ?

Heat eut beau répondre que non, il exposa malgré tout une hypothèse très proche de celle qu'elle-même avait élaborée.

— Voilà un type sur le point de se présenter à des élections. En général, les candidats sont passés au crible. Tout le monde renifle le moindre aspect de leur vie. Et quel terrible squelette pourrait-il avoir dans son placard, si ce n'est employer un clandestin étranger ?

— Tu penses que les dix mille dollars étaient destinés à faire taire Beauvais ?

— Tu pensais la même chose, tu vois !

Puis il s'étira et sourit de toutes ses dents.

— Validation. Me voilà de retour.

Alicia Delamater les pria d'entrer.

— Je me disais bien que vous n'étiez pas des démarcheurs religieux, commenta la femme tandis que Heat rangeait son insigne. De toute façon, vous ne convertiriez pas grand monde sur ce bout de route. Je peux vous offrir quelque chose ?

Nikki remarqua le verre de vin rouge à moitié vide qu'elle avait dû poser sur le coffre en laque noire lorsqu'ils avaient sonné à la porte.

— C'est très gentil. Nous aimerions simplement vous poser quelques questions.

— Bien sûr. Mais pourriez-vous m'accompagner ? J'étais occupée.

Ils la suivirent dans la salle à manger, désormais transformée en bureau.

— Je télécharge tout un tas de photos de bébés pour composer une affiche pour une cliente qui prépare une surprise à son père pour ses soixante-dix ans.

Elle se retourna vers son écran géant et fronça les sourcils.

— Dire que certains utilisent encore le téléphone pour le numérique. C'est déprimant.

En dehors de pizzas, peut-être, il y avait bien longtemps que cette pièce n'avait pas servi à prendre ses repas. Il y régnait un chaos organisé, avec des surfaces et des étagères couvertes de grands calendriers plannings, de menus de traiteurs, de classeurs avec les noms des clients au dos et des photos d'événements mondains en présence de célébrités.

— J'en conclus que vous êtes organisatrice de réceptions ! lança Rook.

— Organisatrice, exécutrice et psychologue à temps partiel pour les riches. Je ne refuse pas non plus de garer quelques Bentley, si cela peut faire plaisir.

Tout était jeu pour Alicia Delamater. Au-delà d'une formidable énergie et d'une forte ambition, elle dégageait une grande vigueur, comme si un bain de minuit ou un margarita dans un gobelet rouge ne se refusaient pas. Elle devait avoir l'âge de Nikki, mais son style de vie l'avait quelque peu marquée.

— Je suis à vous, dit-elle, déposant les armes face à la lenteur du débit de sa ligne Internet.

— Puis-je vous demander si vous habitez ici depuis long-temps ?

— Environ deux ans. Comme j'en avais marre du monde de l'entreprise, j'ai choisi de créer ma boîte. J'ai emménagé ici, j'ai démarré mon business, et en avant la musique.

— Ça doit bien marcher, dit Rook.

— Assez pour ne pas avoir à organiser les soirées en blanc de Puff Daddy, mais pas si bien.

Elle laissa son regard s'attarder sur le beau journaliste sans se démonter.

Heat l'interrompit en lui soumettant la photo.

— Auriez-vous vu cet homme au cours de ces derniers mois ?

Leur hôtesse éclata d'un rire sonore.

— Oh ! mon Dieu, vous plaisantez ? Mais bien sûr : c'est Fabian !

Puis elle adressa un regard inquiet à Heat.

— Il a des ennuis ?

Nikki conserva un air nonchalant, mais Rook, dans son exaltation, se rapprocha.

— Et vous connaissez son nom de famille ?

— C'est un nom français d'Haïti. Quelque chose comme Bouvier.

— Beauvais ? suggéra Heat.

Alicia acquiesça de la tête.

— Et d'où le connaissez-vous ?

— Il a travaillé pour moi ici. J'ai eu un problème d'inonda-tion après l'ouragan Irene. J'ai fait avec pendant l'hiver, mais j'ai embauché Fabian pour tout remettre en état cet été.

— Et quand l'avez-vous vu pour la dernière fois ? intervint Rook.

— Il y a quinze jours, exactement. Il s'est coupé la jambe avec les cisailles électriques. J'ai proposé de l'emmener aux urgences, mais il a refusé. Probablement parce qu'il était clandestin.

Une idée lui traversa l'esprit.

— Vous n'êtes pas là parce que j'ai fait travailler un étranger ?...

— Non, lui assura Nikki. On essaie juste de retracer ses déplacements. A-t-il travaillé chez d'autres voisins par ici ?

Elle retint son souffle en attendant le lien avec Keith Gilbert.

Cependant, Alicia fit non de la tête.

— Impossible. Il avait bien trop à faire ici, croyez-moi.

— Beauvais vous a-t-il dit où il allait quand il est parti ? demanda Rook.

— Il a juste dit qu'il rentrait à New York.

Heat tourna une page de son calepin.

— Et des visiteurs ?

La jeune femme fit non de nouveau.

— A-t-il jamais évoqué le moindre problème ou conflit avec qui que ce soit ?

— Non, je regrette, inspecteur. C'était juste un chouette type qui a travaillé chez moi et qui est parti. Je n'ai pas grand-chose d'autre à vous dire.

Ils repartirent en silence. Heat éprouvait des sentiments contradictoires. Si elle était déçue que Fabian Beauvais soit plutôt lié à Alicia Delamater qu'à Keith Gilbert, le fait que l'Haïtien ait pu atterrir, dans une région aussi vaste que les Hamptons, chez la voisine du directeur la rendait tout de même circonspecte. Comme souvent, Rook exprima sa pensée à voix haute :

— Tout ça te paraît plausible ?

— Elle n'a pas du tout cherché à savoir pourquoi on s'intéresse à lui.

— Tu ne lui as rien dit non plus. Serait-ce de la rétention d'information, inspecteur ?

— On va encore frapper à quelques portes.

Personne ne leur répondit aux quatre premières. Alors qu'ils venaient de tomber d'accord sur une dernière tentative avant la tombée de la nuit, ils furent accueillis par un auteur de romans policiers à succès, dont les livres occupaient régulièrement les têtes de gondoles dans les gares et les aéroports.

— Bien sûr que je peux vous consacrer une minute. Connelly, Nesbø et Lehane m'attendent chez Nick & Toni, mais ce n'est pas grave. C'est bon pour l'humilité, gloussa-t-il, et ses beaux traits virils s'adoucirent.

Il retrouva le visage emblématique de ses premières photos de promo avant qu'il n'arbore lunettes de soleil et vestes de cuir noir. Il adressa un hochement de tête poli à Jameson Rook lorsque Nikki le lui présenta, mais sembla plus intéressé par Heat et son interrogatoire.

— Non, je ne crois pas avoir vu ce type. Mais il y en a tout un bataillon, de ces ouvriers temporaires. Tous les jours, quelqu'un construit ou démolit quelque chose, par ici. Avez-vous essayé Beckett's Neck ? Je peux vous dire que Gilbert a fait tourner l'économie cet été.

— Nous n'y avons vu personne qui puisse nous aider, dit Heat. À part vous, la seule personne à qui nous ayons parlé est Alicia Delamater, sa voisine.

Le romancier sembla trouver cela drôle.

— « Voisine », répéta-t-il en mimant les guillemets avant de se pencher en avant, comme si on pouvait l'entendre dans sa propriété d'un hectare et demi. Disons plutôt sa « maîtresse ».

— Tiens, tiens, fit Rook. Certains s'amusent donc à franchir les haies ?

— Et pas qu'un peu. Selon les rumeurs, Keith Gilbert couchait déjà avec elle quand elle était employée dans sa compagnie maritime. Elle doit valoir le coup puisqu'il l'a installée ici et a lancé son entreprise.

Rook opina du chef.

— C'est ce que j'appelle un jupon doré.

— Vous devriez vous en tenir à la presse, suggéra l'écrivain.

Le sourire d'Alicia Delamater sembla forcé lorsqu'elle découvrit Heat et Rook sur le pas de sa porte.

— Vous revenez vérifier mon téléchargement ? Toujours pas terminé, incroyable, non ?

— J'ai encore quelques questions, si cela ne vous dérange pas.

Alicia haussa les épaules sans se départir de son large sourire. Heat tenait ostensiblement son stylo au-dessus de son calepin.

— Je me demandais… Comment en êtes-vous venue à embaucher Fabian Beauvais ?

Avec une moue, Alicia laissa son regard vagabonder sur le lambris du plafond sous le porche.

Nikki mit la pression :

— Pourriez-vous m'indiquer le nom de l'agence à laquelle vous avez fait appel ? Ou l'avez-vous ramassé parmi la foule d'immigrants qui traîne près de la gare ?

— Hum, je ne me souviens pas. Mais j'ai votre carte ; je vous appellerai si ça me revient.

Percevant une pointe de malaise dans sa respiration, Heat décida d'enfoncer le clou :

— Êtes-vous actuellement ou avez-vous été en relation avec Keith Gilbert ?

— Je... Excusez-moi, il faut que j'y aille.

Et Alicia Delamater ferma sa porte.

— Je ne suis peut-être pas de la police, dit Rook, mais moi, je prendrais ça pour un oui.

L'hôtesse d'accueil du 1770 House leur proposa l'endroit le plus romantique du restaurant : une table pour deux dans un renfoncement intime et chaleureux, juste à côté de la cheminée ancienne.

— Ça me fait un peu bizarre de descendre dans ce genre d'hôtel sans bagage, dit-elle lorsqu'ils se furent installés.

— Tu vois ? C'est une première, fit Rook.

Il lui prit la main sur la nappe.

77

— Tu n'insistes plus sur le fait que je sois déjà venu ici ?

Heat balaya du regard l'ambiance tamisée de la salle avec ses poutres, ses tableaux de bon goût et ses porcelaines anciennes aux murs. Tout en observant le reflet des flammes qui dansaient sur le visage de Rook, Nikki se sentit envahie par une chaleur et, prise d'un sentiment d'impatience, elle lui caressa la main.

— Il y a de quoi distraire mon attention, fit-elle remarquer.

Conscients du petit monde que représentait la commune d'East Hampton, ils avaient décidé dans la voiture de ne pas discuter de l'affaire en public, ce qui était difficile parce que l'après-midi avait soulevé autant de questions qu'il avait apporté de réponses. Mais cela attendrait. Tandis qu'une bouteille de sancerre du domaine Lucien Crochet patientait dans son seau de glace, le plus pressant pour le moment consistait à choisir entre le dos de cabillaud poêlé et le poulet bio servi avec de la purée et du chou frisé. Rook faisait la grimace.

— Des problèmes avec le poulet après aujourd'hui ? s'enquit-elle.

— C'est quoi, cet engouement pour le chou frisé ? Tu sais ce que c'est, le chou frisé ? Des poils pubiens version légume.

— Chut !

Nikki jeta un regard vers les autres tables, mais personne n'avait entendu.

Il se pencha vers elle et baissa la voix :

— Sérieux. Tu sais quel goût ça a, le chou frisé ? Ça ressemble aux parties basses du Géant Vert. Ne me demande pas comment je le sais.

Ils éclatèrent de rire et trinquèrent. Nikki le scruta du regard, luttant contre son impatience, avant de s'y abandonner avec excitation.

Alors, son téléphone vibra. Elle jeta un œil discret à l'identité de son interlocuteur : l'inspecteur Ochoa.

— Désolée.

— Je t'en prie. Réponds.

Heat sortit de table.

— Attendez, murmura-t-elle tandis qu'elle traversait la salle pour rejoindre l'accueil.

Ochoa et Raley étaient tous les deux en ligne et pressés de lui faire leur rapport.

— On n'a toujours pas de témoins, commença Ochoa, et les caméras de surveillance ne sont pas orientées en notre faveur. Quant à Wall Street, jusqu'à présent, ce type semble un bon candidat pour la sanctification. Mais on ne lâche pas l'affaire.

— Maintenant, il y a un truc étrange, si vous voulez une chaussette dépareillée, poursuivit Raley en reprenant le terme qu'elle employait pour inciter sa brigade à toujours chercher ce qui paraissait clocher sur les lieux d'un crime.

— On a passé la journée ici à tout passer au peigne fin avec la scientifique et le spécialiste de la compagnie d'assurances. Rien de précieux n'a disparu. Pourtant, ce n'est pas ce qui manquait. Bijoux, tableaux de collection, sculptures. Même des krugerrands en or dans la cave à cigares.

— Bref, renchérit Ochoa, les tiroirs ont été vidés, les bibliothèques, fouillées, les placards, mis à sac, vous voyez le tableau. Mais rien de valeur ne semble avoir été volé.

— Oh ! et même la chambre de la bonne a été retournée, ajouta Raley. Ce qui est curieux. Parce qu'elle était plutôt dépouillée. Juste quelques vêtements et du maquillage. Et il n'y avait pas le moindre coffre dans les murs.

— Ils cherchaient quelque chose, conclut Heat.

— Impossible de dire s'ils ont trouvé.

— Et la bonne ? demanda-t-elle.

— Elle est nulle part, dit Ochoa.

— Disparue de chez disparue.

— Et c'est la raison de notre appel. La bonne est non seulement haïtienne, mais, dans sa chambre, on a trouvé la photo d'un type qui pourrait être son petit ami.

Raley marqua une pause.

— Il a un tatouage sur l'épaule : *L'UNION FAIT LA FORCE*, précisa-t-il en écorchant la prononciation. Excusez mon français.

CINQ

Ils abandonnèrent leur table au coin du feu, jetèrent un œil à la chambre, sans l'utiliser, et prirent la direction de l'ouest en s'arrêtant uniquement à Sagapanack pour acheter des plats à emporter au Townline BBQ.

— Tu parles d'un dîner romantique, dit-elle.

— C'était plutôt une incursion. Mais, bon, il ne devrait pas pleuvoir demain soir, dit Rook tandis qu'ils rejoignaient le long ruban rouge de feux arrière sur la 495. Que dirais-tu d'un souper intime sur le toit ? Je suis sûr qu'on trouvera quelque chose pour deux dans n'importe quel bon guide gastronomique. Je n'ai qu'à regarder dans l'index sous *Difficile, mais gravit très vite les échelles de secours.*

— Ou tu n'as qu'à consulter Alicia Delamater. Je parie qu'elle n'est pas du genre à avoir traversé la rue pour n'apporter qu'un seul plat chaud à la casa *Cosmo*.

— Très chaud, je dirais. En tout cas, ça explique pourquoi Keith Gilbert disait que sa femme n'y vient jamais.

— Allons, Rook, c'est visiblement l'inverse. Comme sa femme ne vient jamais, c'est l'endroit idéal pour planquer sa maîtresse.

— Pas si planquée, en fait. C'est comme ça, les secrets… On est bien placés pour le savoir, nous deux : tôt ou tard, ils sont dévoilés.

Et voilà, servie sur un plateau, la chance pour Nikki d'aborder la proposition concernant l'unité opérationnelle et de se soulager du tourment qui l'avait hantée toute la journée. Elle faillit la saisir, mais se retint, se disant que rien n'était sûr, qu'il valait mieux attendre de voir. En vérité, elle savait que ce n'était pas le caractère hypothétique du poste qui la perturbait, mais le changement qu'il entraînerait. Elle était déjà ballottée par la perspective de l'éventuelle proposition de mariage qu'il comptait lui faire... Pourquoi mettre sur le tapis le délicat sujet d'un nouvel emploi impliquant des tas de déplacements à l'étranger ?

— Serait-il possible que Fabian Beauvais ait découvert la liaison de Keith Gilbert et que ça lui ait valu un saut sans parachute, dit-il. Et l'argent pourrait provenir du chantage ?

— C'est quoi, ça, la théorie numéro 10 ?

Même si elle le taquinait, Nikki avait déjà ajouté cette idée à sa liste grandissante. Mais cette liste, Heat la gardait pour elle, car elle avait vu trop d'enquêteurs s'enfermer trop tôt dans une seule théorie.

— Une remarque ? Keith Gilbert doit maintenant savoir qu'on est venus fouiner chez lui. Si son gardien ne lui a rien dit, Alicia s'en sera certainement chargée. Ça fait pratiquement trois heures, déjà, et, pourtant, aucune réaction. Ni appel, ni message, ni barouf de la hiérarchie.

— Vous savez que ça devient de plus en plus bizarre, inspecteur. Jamais je n'aurais imaginé, quand j'ai parlé d'écrire un article sur cette affaire pour *First Press*, que ça finirait par être aussi croustillant. La chute d'un extraterrestre s'écrasant sur la Terre pourrait annoncer la dégringolade d'une étoile montante de la politique. On dirait de l'écriture automatique, hein ? Ce n'est pas le cas, s'empressa-t-il d'ajouter. Pour ta gouverne, rien ne s'écrit jamais tout seul.

Si les inspecteurs Raley et Ochoa étaient fatigués, cela ne se voyait pas. Heat et Rook les avaient rejoints dans l'appartement de West End Avenue, un peu plus tard, après avoir franchi le cordon de sécurité. Tout à la joie de piloter leur propre affaire, les Gars n'avaient pas vu passer la journée.

Chacun à un bout du salon, ils conféraient avec un technicien de la scientifique près des projecteurs qui illuminaient la pièce comme en plein jour, faisant oublier qu'il était minuit.

— Évidemment, pendant que vous filez vous offrir un petit séjour en amoureux dans les Hamptons, nous, on se coltine le gros du travail, dit Ochoa alors que tous les quatre se réunissaient près de la mare de sang.

Heat voulut immédiatement en venir au lien potentiel concernant le tatouage, mais elle dut d'abord s'engager dans le jeu rituel entre flics destiné à masquer l'émotion suscitée par les remerciements déguisés qu'il venait de lui présenter pour cette opportunité.

— Ouais, c'est ça. Justement, quand vous nous avez si impoliment interrompus, on frayait avec J-Lo, Jerry Seinfeld et Martha Stewart. On est uniquement revenus pour rire de toutes les preuves à côté desquelles vous êtes passés, tous les deux.

Une fois ce protocole accompli, les Gars récapitulèrent les faits. La pagaille correspondait exactement à la description qu'ils en avaient faite au téléphone. L'appartement de luxe avait l'air d'avoir subi la visite d'un ours qui aurait cherché la moindre cachette de nourriture possible. Les bibliothèques, les armoires et le mobilier étaient tous griffés, renversés ou tailladés. Les objets de valeur, et le ou les cambrioleurs en avaient laissé beaucoup, avaient été photographiés, répertoriés et classés dans des cartons étiquetés au nom de la police de New York. Les experts étaient encore en train de relever les empreintes digitales et les fibres dans la chambre de la bonne quand ils y pénétrèrent.

— C'est nous qui avons retourné le matelas ? demanda Heat.

— On l'a trouvé comme ça, répondit l'inspecteur Raley.

Puis, sentant la gravité s'emparer de sa supérieure tandis qu'elle se baissait pour inspecter les modestes affaires personnelles éparpillées par terre (une brosse à cheveux, un petit crucifix, du maquillage de supermarché et une bougie votive cassée), il reprit plus doucement :

— Dans le chéquier de la victime, on a trouvé son nom. Elle s'appelle Jeanne Capois.

— Oui, je l'ai vue sur la liste des personnes portées disparues.

Elle se redressa et se dirigea vers la fenêtre.

— Elle était fermée ?

— Et aucun signe de sortie, confirma Ochoa avec un hochement de tête.

— Vous avez trouvé du sang dessus ?

— Non, répondit le technicien en combinaison stérile et charlotte sur la tête. Mais on n'a pas fini de vérifier.

— Et la photo ? s'enquit Nikki.

— On a trouvé ça par terre sous le sommier.

Ochoa lui tendit trois sachets en cellophane. Les deux premiers contenaient des photos d'un groupe d'amis : une dans une discothèque, une autre à Battery Park sur fond de statue de la Liberté.

— Elles ont dû être arrachées là.

Heat remarqua le petit panneau en liège de travers sur le mur, avec une photo de coucher tropical punaisée au-dessus des trois rectangles décolorés où s'étaient trouvés les clichés. Seule une femme était présente sur les deux photos.

Une belle Noire de vingt-cinq ans environ. Sur le troisième portrait figurait un Noir, seul, également dans les vingt-cinq ans. La photo avait été prise sur la promenade du front de mer, à Coney Island. Il était torse nu et, sur l'une de ses épaules, le tatouage haïtien faisait face à l'objectif.

— On va demander aux experts de vérifier le tatouage, dit Raley en la devançant.

— Quelqu'un dans l'immeuble la connaît-il ou l'a-t-il vue récemment ? demanda Heat.

En guise de réponse, les Gars lui adressèrent un large sourire disant oui.

— On dirait presque que vous savez ce que vous faites.

Wilma Stallings, la gouvernante âgée d'un appartement situé un peu plus loin dans le couloir, avait identifié Jeanne

Capois lorsque les Gars avaient frappé aux portes un peu plus tôt dans la journée. Elle répéta à Heat et à Rook qu'elle n'avait rien entendu parce qu'à soixante-dix-huit ans, elle était devenue dure d'oreille. La télévision qui braillait dans une pièce au fond y avait peut-être aussi contribué.

— Quel dommage ! Monsieur David était quelqu'un de formidable. Comme j'ai dit aux autres policiers, il aurait dû les laisser prendre ce qu'ils voulaient. Vous êtes sûrs de ne pas vouloir entrer vous asseoir ? Le couple pour lequel je travaille est chez lui, à Stowe.

Ils la suivirent dans le salon, et Nikki reposa les mêmes questions que les Gars afin de se faire sa propre opinion sur la femme portée disparue et sur sa vie. Wilma avait vu Jeanne Capois la dernière fois la veille, vers 22 h.

— Elle semblait mécontente. D'ordinaire, la jeune femme avait toujours le sourire aux lèvres. Pourtant, quand je l'ai vue dans le couloir, elle tapait sur le bouton de l'ascenseur comme sur une machine à sous. Et elle ne m'a même pas répondu quand je l'ai saluée.

— Avait-elle quelque chose avec elle ? s'enquit Heat.

— Non, juste son sac à main.

— Avait-il l'air particulièrement rempli ou inhabituellement lourd ?

— Quelle drôle de question !... Non, je n'ai rien remarqué.

Évidemment, Heat voulait savoir si la hâte de Jeanne Capois était liée au besoin de sortir au plus vite un objet quelconque de l'appartement. À supposer que ce fût le but de l'intrusion.

— A-t-elle reçu des visiteurs récemment ou mentionné quelqu'un qui l'ennuyait ?

La vieille dame fit non de la tête.

— Savez-vous comment elle avait obtenu cette place ? demanda Rook.

— Oh oui ! Par une agence.

Son regard se perdit dans le vague. Si longuement, à vrai

dire, que Nikki se demanda si elle ne faisait pas une attaque. Puis elle redescendit sur terre.

— Happy Hazels, déclara-t-elle. Je savais bien que ça me reviendrait.

Wilma sourit de toutes ses dents et leva une main, dans laquelle Rook topa. Puis elle plissa fort les yeux derrière ses épaisses lunettes et se frappa joyeusement le genou.

— On ne m'arrête plus : il me revient autre chose. Ces jeunes inspecteurs m'ont montré une photo.

Nikki, qui avait pris un cliché avec son iPhone de l'homme de Coney Island, Fabian Beauvais, le soumit à Wilma et échangea avec Rook un rapide regard plein d'espoir.

— Oui, c'est lui. Je viens juste de m'en rappeler. Je l'ai déjà vu, en fait. Ce petit gars a amené Jeanne un soir à l'appartement, le mois dernier. Ou en juin. Je ne sais plus. Monsieur David était parti en Floride, en tout cas.

Nikki se calma malgré l'énormité du lien établi par la vieille gouvernante. Elle rapprocha la photo afin de lui permettre de la regarder de plus près.

— Vous êtes absolument certaine que c'était lui ?

— Absolument.

Elle se tapota la tempe d'un doigt arthritique.

— Ça met parfois du temps, mais je ne me trompe jamais.

— Comment se comportaient-ils ? Avaient-ils l'air de se connaître ? demanda Rook.

— Ils se dévoraient la bouche l'un l'autre.

— Assez bien, donc, commenta Rook.

Dès la première heure le lendemain matin, Heat réunit sa brigade devant le tableau blanc.

— Grâce à une photo reconnue par un témoin que les Gars ont trouvé, on a maintenant un élément solide reliant Fabian Beauvais au meurtre de Shelton, dit « Shelly », David chez lui.

Affalés sur leurs chaises, Raley et Ochoa avaient les yeux gonflés et portaient encore leurs vêtements de la veille. Entre les photos des deux morts, l'inspecteur Heat afficha un gros plan de Jeanne Capois, tiré du selfie réalisé dans Battery Park.

— Les Gars ?

Raley fit un signe de la tête à son équipier, qui se leva pour poursuivre le topo. Ochoa énuméra leurs découvertes sur les lieux du crime, y compris la chaussette dépareillée que constituait l'effraction sans vol apparent.

— Et vous ne croyez pas que cette mise à sac a juste servi à couvrir le meurtre de la victime ? demanda Randall Feller.

— C'est ce qu'on s'est dit. On a même envoyé Opossum faire des recherches sur l'ancien courtier par le biais de son contact au poste de la première. C'est toujours en cours, mais le jeu a changé quand on a fait le lien entre la bonne portée disparue et notre ange déchu.

Même sans se retourner, il sentit le regard désapprobateur de Nikki dans son dos.

— Enfin, monsieur Beauvais, s'amenda-t-il avant de faire face à sa supérieure. On a relevé l'inspecteur Rhymer de sa mission à Wall Street pour le lancer sur la piste de Jeanne Capois, ajouta-t-il.

— La logique étant qu'elle se trouve être notre meilleure piste maintenant, enchaîna Raley. Qu'elle détienne des informations, qu'elle soit en danger ou qu'elle ait un rôle à jouer dans tout ça. Juste pour votre gouverne.

— C'est votre affaire, c'est vous qui décidez, déclara Heat avec finesse.

L'inspecteur Rhymer signala avoir commencé à sonder les agences déjà contactées pour l'identification de Beauvais.

— J'ai transmis sa photo aux aéroports, au transit et au métro, aussi. D'après leur messagerie vocale, Happy Hazels n'ouvre pas avant 7 h 30. Je vais leur rendre visite pour voir s'ils ont d'autres adresses ou personnes à contacter en cas d'urgence dans son dossier.

— Toujours aucune vidéo des environs de West End Avenue ? demanda Heat à Raley. Avez-vous songé à visionner de nouveau celles de l'intérieur, suggéra-t-elle comme il faisait non de la tête, pour voir où Jeanne Capois a pu aller après avoir quitté l'appartement ?

— C'est fait.

La pièce gloussa, mais se calma aussitôt en voyant arriver Rook. Il entra dans la salle de briefing avec sa tasse et le café au lait aromatisé à la vanille de Nikki à la main. Et il s'était rasé la barbe.

— J'ai raté quelque chose ? demanda-t-il en constatant le silence.

— Oui, la moitié de ton visage, mon pote, fit Ochoa. J'espère au moins que tu m'en as gardé une mèche ?

Pendant le chahut qui suivit, Rook tendit son gobelet à Nikki.

— J'aime bien, articula-t-elle en silence, ce qui dessina un sourire sur ses lèvres qu'elle pouvait enfin voir maintenant.

Après West End Avenue, ils avaient rejoint le loft à 1 heure passée du matin. Trop excités pour dormir, ils avaient décidé de prendre un bain en savourant une bouteille de Hautes-Côtes de Nuits. Comme il raconta que dans une bande-annonce pour *Skyfall*, qu'il avait vue dans l'avion, une James Bond girl rasait Daniel Craig, après leur second verre, Nikki s'était installée à cheval sur lui, munie d'un rasoir. Ce n'était pas l'eau chaude et le bourgogne qui l'excitaient (enfin, peut-être un peu), mais l'intimité du geste et la totale confiance de Rook, dont la tête reposait en arrière sur le bord de la baignoire tandis que, de la lame affûtée, elle lui effleurait la gorge avant de descendre jusque sur sa poitrine nue. Dans le baiser qui les unit pour finir, elle retrouva enfin cette bouche qu'elle aimait tant, et ils finirent par sombrer dans le sommeil après s'être surpris l'un l'autre par des ébats d'une intensité renouvelée.

— Ravie de revoir ce visage, dit-elle tandis que Rook approchait une chaise à roulettes pour se joindre à la réunion.

Heat rapporta à son groupe la visite inopinée de Keith Gilbert, puis expliqua comment, de l'abattoir de poulets, ils en étaient venus à l'idée de se rendre dans les Hamptons, sans oublier leurs entrevues avec Alicia Delamater, qui prétendait que Beauvais travaillait pour elle et non pour son amant.

— Tout propre, tout net, commenta l'inspecteur Feller, exprimant ce que chacun pensait. Je ne dis pas qu'il n'y a rien à chercher là, mais, pour moi, les coïncidences, c'est comme le désodorisant. Ça masque simplement l'odeur. Reste à savoir de quoi.

Il résuma son tour à pied dans Flatbush.

— J'ai fait connaissance avec les gens du cru et distribué des cartes de visite à tous ceux qui ont bien voulu me parler. Aucun résultat pour la photo ou les portraits-robots, même si mon instinct me dit que certains ont reconnu le type. J'y retourne aujourd'hui.

— Prenez aussi la photo de Jeanne Capois, suggéra Heat.

— Peut-être que je devrais m'arrêter acheter un joli album à la librairie.

Son Galaxy sonna. Après un bref coup d'œil, il montra l'écran à sa supérieure. Indicatif 347.

— C'est peut-être quelqu'un de Flatbush. Il vaut mieux que je réponde.

Feller s'éclipsa vers son bureau, à l'autre bout de la pièce, pour être tranquille. À défaut de nouvel indice ou de théories nouvelles, Nikki libéra la brigade afin que chacun retourne à sa mission. De retour à son ordinateur, elle découvrit un nouvel e-mail de la scientifique au sommet de la liste.

— Rook, viens voir.

Alors qu'elle se tournait pour l'appeler, elle constata qu'il se tenait juste derrière elle.

— Tu es vraiment discret quand tu es rasé de près, tu sais ?

— Un vrai ninja. Je ne suis plus de chair et d'os, mais de vent et de fumée. Enfin, exception faite de ce petit truc dans la baignoire, si tu vois ce que je veux dire.

Nikki se couvrit les oreilles.

— Oh ! Je t'en prie.

Elle fit pivoter le moniteur afin qu'il puisse lire le rapport en même temps qu'elle.

Le labo avait examiné les vêtements de Fabian Beauvais trouvés dans sa chambre. L'un des jeans était taché d'éclaboussures séchées d'une résine couramment utilisée pour protéger le bois des agressions extérieures.

— Tu sais ce que ça signifie, n'est-ce pas ? fit Rook.

— Il a lasuré des bardeaux près de la baie. Ce qui signifie qu'Alicia Delamater a menti. Son horreur d'imitation marocaine ne présente pas un seul élément en bois.

— On se calme. Il a pu se salir n'importe où. Cette lasure n'a pas forcément de lien avec... Brigitte Bardot... Laisse tomber... Tu vois ce que je veux dire ?

— Oui. Tu veux dire que, par relation transitive, C moins A n'égale pas B puisque C n'est pas la baie. T'as pigé ? La baie ? insista Heat en lui donnant un coup de coude. Hé ! regarde ce qu'ils ont trouvé d'autre.

Dans son impatience, elle lut à haute voix :

— *L'analyse spectrale révèle plusieurs rangées de marques non parallèles, y compris de légères perforations au niveau du mollet sur l'une des jambes de pantalon. Voir la photo ci-jointe.*

Elle ouvrit la pièce jointe.

— Une morsure de chien, réagirent-ils en chœur.

— Pas exactement une morsure. Ayant moi-même reçu ce genre de message, je dirais plutôt un pincement d'avertissement de la part de Topper. Que fais-tu ?

— Je réponds à la scientifique, déclara Nikki tout en saisissant son e-mail. Pour voir s'ils peuvent déceler ou identifier la race à partir des poils.

— Pendant que tu y es, demande-leur aussi s'ils peuvent faire un test ADN et voir si ça correspond à mon berger allemand préféré.

— Pourquoi pas ?

Elle haussa les épaules et saisit sa requête aussi.

— Le gérant de l'abattoir a dit que Beauvais était blessé. Peut-être était-ce le chien ?

— Possible aussi. Mais il n'est pas fait mention de présence de sang. Pas sur ce pantalon, en tout cas. Je vais leur demander de revérifier les autres vêtements.

— C'est ça, je parie que ces rats de laboratoire adorent ça, qu'un simple flic leur explique comment faire leur travail.

Un frottement de plastique annonça l'arrivée de Wally Irons, de retour du pressing avec sa chemise et sa veste bleue réglementaires.

Constamment prêt à se montrer devant les caméras, le capitaine avait toujours une tenue de rechange pour le cas où l'occasion d'une conférence de presse ou d'une photo se présenterait. Mais, au lieu d'ouvrir la porte de son bureau, il entra dans la salle de briefing et se dirigea vers le bureau de Heat. Lui qui d'ordinaire se montrait toujours obséquieux envers la presse, il n'accorda pas la moindre attention à Rook.

— Devinez ce que je fais depuis un quart d'heure, inspecteur. Non, je vais vous le dire. J'étais assis dans ma voiture, sur le parking, à me faire souffler dans les bronches par le Bureau de gestion d'urgence. Pourquoi ? Parce qu'une malheureuse tempête tropicale au large de la Jamaïque vient de se transformer en ouragan de catégorie 1 et qu'il semblerait qu'une chasse aux sorcières organisée par mon poste empêche des acteurs-clés de préparer correctement la ville alors qu'elle risque d'être touchée.

— Laissez-moi deviner. L'un de ces acteurs-clés n'est autre que Keith Gilbert ?

— À vous de me le dire, Heat. Êtes-vous allée poser vos gros sabots en dehors de votre juridiction, renifler les fesses d'un respectable directeur de l'Autorité portuaire alors que toute sa région est sur le point de passer en veille cyclonique ?

Et voilà. Nikki s'était demandé quelle forme cela prendrait. Elle s'attendait à moitié à une nouvelle visite du directeur. Ou à un appel. Or Gilbert était passé par la voie hiérarchique. Il s'était même adressé en haut lieu pour faire pression.

— Je proteste, monsieur. Il ne s'agit pas d'une chasse aux sorcières.

— Dites ça à l'homme de main du maire au Bureau de gestion d'urgence. C'est lui qui a employé ce terme.

Wally changea les vêtements de main et examina les marques roses que les crochets des cintres avaient laissées sur ses doigts porcins.

— Tempête ou pas tempête, monsieur, je mène l'enquête sur une mort suspecte, désormais reliée à un meurtre.

Elle marqua une pause pour laisser la chose pénétrer la carapace qui protégeait hermétiquement le cerveau de Wally.

— Je ne doute pas que monsieur Gilbert s'émeuve du fait que la police se pose la question de son éventuelle implication dans l'affaire, mais vous savez comment nous procédons, capitaine. Sans peur ni reproche, nous suivons toujours les indices là où ils nous mènent.

Manifestement, le survivant de la politique qui se tenait devant elle prit cela pour une platitude. D'un autre côté, Heat ne le savait que trop bien, Wally préférait ne pas se mouiller et rester réglo au cas où une enquête montrerait qu'il avait fait entrave à une affaire de meurtre. Elle en profita donc pour faire pression à son tour :

— Monsieur, me demandez-vous de clore mon enquête parce qu'elle implique un membre haut placé du gouvernement ?

Cette fois, Irons sembla parfaitement conscient de la présence de Rook. Il jeta un coup d'œil au journaliste, puis revint à Nikki.

— Absolument pas. Je vous informe de tous les enjeux... au fur et à mesure de vos progrès.

Ces mots lui arrachèrent la bouche. Mais, tout ce dont Heat avait besoin, c'était de les entendre.

— Je vous en remercie, capitaine.

Heat et Rook échangèrent des regards de victoire dans son dos.

— Oh ! et, capitaine Irons ? J'aimerais aussi vous faire signer une demande de mandat pour examiner les relevés téléphoniques de Keith Gilbert.

— Là, Heat, vous poussez un peu.

— Mais, monsieur, si je dois…

— Pas question, la coupa-t-il d'un ton sec. J'ai dit que vous pouviez poursuivre votre enquête, mais je ne vais pas réveiller le fauve en sollicitant des mandats contre le directeur, pas après l'appel que je viens de recevoir.

Iron Man fit mine de reprendre son chemin lorsqu'il se ravisa et fit volte-face.

— Au cas où vous ne l'auriez pas envisagé, le Bureau de gestion d'urgence collabore avec la Sécurité intérieure et autres agences. Si cela fonctionne, c'est parce que nous nous partageons le bac à sable et que nous nous parlons.

— Monsieur ?

— Je suis sûr que le contre-terrorisme y est plus ou moins pour quelque chose.

Il lui adressa un regard lourd de sous-entendus.

Son estomac se serra. Par peur que cette conversation ne finisse par révéler son secret à Rook, Nikki changea de position. Elle s'interposa physiquement entre Rook et Irons afin d'essayer de relancer la discussion sur un autre plan.

— Merci encore.

— Tout ce que je veux dire, c'est attention où vous mettez les pieds.

Un sentiment de panique envahit Nikki. Puis il cracha le morceau :

— Vous pourriez dire au revoir à cette fameuse offre de poste à l'unité opérationnelle internationale.

Il opina du chef, puis se dirigea vers son bureau avec un claquement de langue.

Le visage de Rook, si déchiffrable sans la barbe, se renfrogna.

— Quel poste ? De quoi parlait-il ?

Heat le guida vers la salle de pause, où ils s'installèrent à l'unique table. Étant donné les circonstances, elle se serait sans doute sentie plus à l'aise dans l'une des salles d'interrogatoire. Au moins, elle n'avait pas à s'observer dans le miroir.

Il la regarda passivement lui avouer la vraie raison pour laquelle les Affaires internes l'avaient fait suivre, et la conversation qu'elle avait eue à ce sujet avec Zach Hamner du One Police Plaza.

— J'aimerais vraiment que tu saches à quel point ça me déchirait. Je n'ai pas l'habitude d'avoir de secrets pour toi, mais c'est arrivé juste au moment où... on... parlait de toutes tes absences et... je n'avais pas envie de t'en parler à ce moment-là. J'ai eu tort, pour un tas de raisons, y compris celle-ci. C'est pire.

Pourtant, elle avait bien un autre secret, en fait : sa découverte accidentelle du reçu pour la bague.

Celui-là, Nikki se le pardonnait plus facilement. Du moins, c'est ainsi qu'elle se justifiait.

— Passons sur le fait que tu ne m'aies rien dit. Pour l'instant, dit-il, et elle se sentit soulagée.

Mais cela ne dura pas.

— Tu penses accepter ce boulot ?

— Il ne m'a pas encore été officiellement proposé.

— Nikki. Tu étais au courant. C'est pour ça que tu m'as menti.

— Je ne t'ai pas menti.

— Par omission.

— C'est comme ça que tu passes sur les choses ?

— Quelle est ta position ? Tu y penses sérieusement ? Je suis sûr que c'est une grosse promotion. Un boulot passionnant. Des tas de responsabilités, beaucoup de satisfactions...

Il la laissa libre de remplir les pointillés.

— Des tas de déplacements.

Elle hocha gravement la tête.

— Dans le monde entier. Je m'absenterais beaucoup.

— Mais tu vas le faire ?

La question resta en suspens entre eux. Parce qu'ils étaient ainsi faits qu'ils répondaient à l'appel et se sacrifiaient personnellement pour faire leur devoir, tous deux savaient où elle voulait en venir sans avoir à le dire. En vérité, c'était la raison pour laquelle elle lui avait caché l'offre en premier lieu. Pour Nikki Heat, les dés étaient jetés. Elle avait franchi le Rubicon le jour où sa mère avait été tuée et où elle avait décidé d'entrer dans la police.

— Une part de moi aimerait entendre des félicitations.

Le visage qui lui avait fait confiance de manière si entière, si mémorable, dans la baignoire lorsqu'elle l'avait rasé, était maintenant assombri.

— Je crois que tu aurais pu m'en parler hier quand tu as raccroché alors qu'on venait de te faire cette offre, répliqua-t-il calmement. Mais, sincèrement, j'espère que ça va marcher pour toi, ajouta-t-il.

Le téléphone de Heat sonna. Elle lui montra qu'il s'agissait de Feller, et il la laissa seule afin qu'elle puisse répondre. Le cœur serré, Nikki le regarda franchir la porte de la salle de briefing sans une remarque ni une grimace. Ni même un regard pour elle.

— Je suis sur le point de prendre le tunnel en direction d'Hipsterborough.

L'inspecteur Feller nourrissait un mépris non dissimulé à l'égard de ces enfants du millénaire qui avaient annexé Brooklyn, et « gâchaient un honnête quartier ouvrier qui n'avait nul besoin de conserver ses boucheries artisanales et encore moins de voir fleurir les boutiques mixant la bière artisanale et les vinyles de collection », comme il disait. Sa vitre était baissée. Elle entendait qu'il roulait vite.

— J'ai reçu un appel d'un type qui connaît quelqu'un à qui j'ai parlé quand j'ai interrogé le voisinage à Flatbush. Il pense avoir vu les deux gorilles qu'on recherche. Apparemment, ils en avaient après Fabian Beauvais il y a quelques jours.

— Super, Randall.

— On verra. Ces gens n'étaient pas très prolixes, hier.

— Usez de votre charme.

— Ce serait plus drôle de les rosser pour leur faire cracher le morceau, mais, bon. Je vous tiens au courant.

Heat raccrocha et se rendit dans la salle de la brigade pour faire part de la nouvelle à Rook. Il était en train de ranger son ordinateur portable et ses notes sur le bureau qu'il squattait.

— Tu t'en vas ?

— Euh, oui. J'ai du pain sur la planche pour cet article et je n'arrive pas à écrire ici. Tu me raconteras plus tard.

Nikki en voulait plus. Une conversation. Un sourire. Que tout redevienne comme avant. Mais elle resta plantée là, honteuse et maladroite.

— Tu es sûr ? Chez toi ou chez moi ? fut tout ce qu'elle parvint à dire.

— Je ne sais pas. On verra.

L'espoir du dîner aux chandelles sur le toit s'évanouit, sans commentaire, sans panache.

Lorsqu'ils découvrirent le corps de Jeanne Capois, Heat tenta d'appeler Rook, mais elle tomba directement sur sa messagerie. Comme ce n'était pas le genre de nouvelle qu'on annonçait sur un répondeur, elle laissa le message suivant : « Il y a du nouveau. Je suis sur le terrain. Tu peux me joindre sur mon mobile. » Elle résista à l'envie d'ajouter « Appelle-moi » pour ne pas paraître trop en manque d'affection.

L'inspecteur Ochoa la repéra dans sa Taurus banalisée lorsqu'elle la gara devant l'école privée de West End Avenue. Avant de le rejoindre sur le trottoir, Nikki marqua sa pause rituelle.

— C'est le concierge de l'école qui la trouvée, dit-il en l'escortant jusqu'à la grille noire qui séparait le bâtiment de l'école et un appartement à usage mixte, occupé par un cabinet dentaire au rez-de-chaussée.

— C'était jour de ramassage des poubelles aujourd'hui. Il allait les sortir quand il l'a vue, abandonnée derrière. Lauren dit qu'il y a tellement de sang, qu'elle a sûrement été tuée ici.

Accroupie, le Dr Parry était penchée sur le corps, sur lequel elle effectuait des prélèvements et indiquait aux experts quoi prendre en photo.

— C'est très vilain, cette fois, Nikki.

— Une putain de chierie de sadisme, ne put se retenir l'inspecteur Raley, bien qu'il connût l'aversion de sa supérieure pour la grossièreté. Désolé, mais c'est vraiment pas beau à voir.

Nikki se pencha au-dessus de la légiste pour jeter un œil et se détourna vivement.

— C'est plus de sang que n'en provoquerait un passage à tabac, déclara Lauren. Selon moi, mais c'est un avis totalement préliminaire, on a affaire à une mort par asphyxie. Tu vois ces marques sur le cou ? Pour l'instant, je ne vois aucun signe d'agression sexuelle. J'imagine donc qu'il s'agit soit de perversion, soit de torture.

— Compte tenu de la mise à sac de l'appartement dans lequel elle vivait, je parie sur la torture, décréta Ochoa.

— Moi aussi, dit la légiste. Approchez. Vous voyez l'extrémité des doigts ? Ces blessures ont été provoquées par des pinces… Vous voyez les marques de dents ? Quant aux yeux... On dirait qu'on y a versé une sorte de liquide toxique ou corrosif. La tache claire sur son chemisier pourrait provenir d'antigel automobile. Je vais l'analyser.

Heat se détourna de nouveau. Elle se redressa pour regarder droit devant elle les feuilles d'arbre jaune vif sur le point de tomber tandis qu'elle songeait à l'horreur des derniers instants de Jeanne Capois.

— Elle a aussi la bouche éraflée, sans doute à cause d'un bâillon. Et de multiples marques de brûlures de cigarettes sur les seins et la plante des pieds.

— Et ça, juste au-dessus des poignets ? s'enquit Nikki.

— Des traces des liens qui la ligotaient.

— Des menottes jetables, par exemple ? suggéra plus que ne le demanda Ochoa.

Les trois inspecteurs pensèrent aussitôt aux colliers de serrage tachés de sang retrouvés par le vendeur de rue devant le planétarium.

— C'est fort probable, statua Lauren Parry. Pour en être sûre, il faudra que j'examine tout ça de plus près à l'institut.

— Ce sont des menottes jetables, c'est sûr, affirma Ochoa.

— Tu peux estimer l'heure de la mort ? demanda Heat.

La légiste recueillait des traces d'ADN et des particules sur les mains de la victime.

— Le corps est là depuis deux nuits, je dirais. Quant à l'heure, c'est plus délicat. Je vais devoir demander au labo d'établir une fenêtre. Si les analyses le confirment, cela remonterait donc à la veille de l'effraction.

Nikki baissa les yeux vers le doux visage de Jeanne Capois. Un tel contraste avec la brutale agonie qu'elle avait connue… Quelle avait été sa vie ? Les photos trouvées dans sa chambre donnait à voir une joyeuse jeune femme au sourire radieux, entourée d'amis et amoureuse. D'un garçon également victime d'une mort affreuse. Heat visualisa une jeune immigrante, la vingtaine, venue à New York, comme beaucoup, en quête du rêve américain. Et voilà où cela l'avait menée. Dans un local à poubelles. Pour finir à la morgue sur une table d'autopsie dans la salle du sous-sol de la 30e Rue Est. Que s'était-il passé ? À quoi était-elle mêlée ? Une chose était sûre : compte tenu du moment où son meurtre était survenu et de sa relation avec Fabian Beauvais, elle était forcément plus qu'une simple immigrante de première génération venue chercher une vie meilleure.

Les inspecteurs se réunirent sur le trottoir tandis que la camionnette de l'institut médicolégal reculait par le portail. Même si l'école resterait fermée le lendemain, on chargeait le corps en toute discrétion.

— À votre avis, le décès a eu lieu avant ou après la mise à sac de l'appartement ? demanda Heat.

— Les deux sont possibles, dit Raley. Soit ils l'ont chopée à sa sortie de l'immeuble à… Quelle heure, selon la gouvernante ?

— 22 heures.

— Bon. Ensuite, ils l'ont emmenée ici, ou surprise dans sa cachette, et l'ont contrainte à avouer ce qu'ils cherchaient.

Ochoa fit non de la tête.

— Dans ce cas, pourquoi ravager l'appartement ?

— Peut-être qu'elle n'a pas parlé, intervint Heat. Ou qu'elle a menti.

Les pieds métalliques du brancard se replièrent au moment du chargement. Tous s'interrompirent et songèrent à la force de volonté de cette jeune femme en pareilles circonstances.

— Messieurs, l'affaire reste entre vos mains. Que décidez-vous ?

Ochoa ne montra pas la moindre hésitation.

— Je veux qu'une patrouille interroge tous les voisins des quatre pâtés d'immeubles entre ici et l'appartement pour voir si quelqu'un a vu ou entendu la moindre chose cette nuit-là. Si elle était poursuivie, elle a forcément fait du bruit. Ici aussi, d'ailleurs, même s'ils l'ont bâillonnée.

— Et comme je règne toujours sur tous les médias de surveillance, je vais dénicher quelques caméras, proposa Raley.

Heat demeura sur les lieux du crime. C'était désormais la meilleure piste. Néanmoins, soucieuse de ne pas court-circuiter les Gars, elle les laissa organiser le déploiement des simples agents, des policiers en civil empruntés à la brigade des cambriolages et de l'inspecteur Rhymer. Toutefois, elle suggéra de placer sous surveillance les sans-abri qui installaient régulièrement leurs cartons pour dormir sur le perron de l'église au coin de la rue. Le malheur de ces oiseaux de nuit n'en faisait pas moins d'importants témoins. Alors qu'elle examinait un fragment de tissu déchiré retrouvé par la scientifique, la vibration de son téléphone la fit sursauter.

— Inspecteur Heat ? Inez Aguinaldo de la police de Southampton.

Rook ne la rappelait donc toujours pas.

— Je voulais faire le point sur les vérifications dont nous avions convenu. Je ne vous dérange pas ?

— Je suis sur les lieux d'un meurtre, mais on peut parler.

— Je serai brève, dans ce cas. D'abord, j'ai vérifié les appels et les plaintes en provenance de Beckett's Neck depuis avril dernier. L'un des appels, auquel j'ai personnellement répondu, nous signalait la présence d'un intrus chez Keith Gilbert. À notre arrivée, monsieur Gilbert se trouvait en compagnie d'une femme manifestement venue passer la nuit avec lui.

— Alicia Delamater ?

— Oui. Gilbert tenait en joue, avec une arme dûment déclarée, comme nous l'avons aussitôt vérifié, l'intrus qui s'est révélé être un auteur de romans policiers du coin, très aviné. Il a déclaré s'être trompé de maison.

— Elles se ressemblent toutes, dans le coin, répondit Heat.

— Pour le reste, il ne s'agit que de quelques contrôles routiers de routine…, uniquement des riverains. Une autre plainte pour une dispute chez le même romancier – cette fois parce qu'il avait rayé la peinture sur la portière de son rédacteur en chef – et quelques autres pour tapage sur la plage : une fête d'étudiants qui a dégénéré.

— La *flashmob Thriller* ?

— Vous nous avez placés sur écoute ?!

— C'est Keith Gilbert qui m'en a parlé.

— À nous aussi, pouffa-t-elle. Disons que *Thriller* était fini. Et depuis longtemps. J'ai aussi montré les portraits-robots et la photo aux patrouilles locales. C'est l'avantage des petites villes. Comme mon chef de patrouille est en vacances, il faudra attendre son retour pour les lui soumettre. Aucun retour sur les deux sbires. En revanche, un agent pense avoir vu l'homme sur la photo prendre le dernier train pour New York il y a quelque temps, mais il n'en est pas certain. Il faisait nuit et il l'a trouvé titubant dans la rue. Il a d'abord cru qu'il était ivre, mais l'inconnu a dit souffrir d'une mauvaise grippe. Il semblait lucide, bien que difficile à comprendre à cause d'un fort accent étranger ; alors, il a été relâché.

— Ce pouvait être Beauvais. C'était quand ?

— Il y a neuf jours. Cela peut vous être utile ?

— Vous savez ce que c'est, inspecteur Aguinaldo. On ne sait jamais avant de savoir.

Heat remercia sa collègue pour sa coopération et raccrocha afin de répondre à un double appel.

— Bon, voilà le topo, attaqua l'inspecteur Feller sans même un bonjour. Le gérant de nuit d'un snack qui sert de la cuisine des îles dans Church Avenue, ici, à Flatbush, s'est fait accrocher il y a environ six jours par nos deux gorilles. Je n'ai pas pu lui parler hier, mais j'ai vu son cousin, de l'équipe de jour, et il lui a passé ma carte.

— Il connaissait Beauvais ?

— Il dit que non. C'est d'ailleurs ce qu'il leur a dit aussi. Comme ils ont cru qu'il leur racontait des blagues, ils l'ont un peu secoué. Du coup, il a noté leur plaque quand ils sont partis. Juste par sécurité.

— Je me demande si c'est l'une des voitures dans lesquelles ils se sont enfuis du motel, répondit Heat.

— Pas du tout. J'ai vérifié.

— Randall Feller, vous assurez !

— Et ce n'est pas fini. Il se trouve que la plaque correspond à une Chevrolet Impala. Devinez à qui elle appartient ? L'immatriculation correspond à l'Autorité portuaire de New York et du New Jersey.

Après avoir recommandé à l'inspecteur Feller de rester à Flatbush pour continuer de creuser dans le quartier haïtien, Nikki s'assit un instant sur l'escalier en métal galvanisé à côté de la porte de service de l'école pour digérer ces nouvelles.

Elle n'était pas certaine de savoir où cela la mènerait, mais, à son avis, ce qui se tramait dépassait de loin les apparences. Compte tenu de ce lien avec l'Autorité portuaire, notamment, il devenait de plus en plus difficile de ne pas tirer de conclusion.

Pour se concentrer au milieu de l'activité qui régnait autour d'elle, Nikki détacha son regard des faits et gestes de la scientifique et se ferma au brouhaha de la rue et des voix. Dans ce silence, dans cette solitude créée de toutes pièces au milieu du chaos, elle visualisa le tableau blanc à six pâtés d'immeubles de là. À force de passer en revue chaque tournant de l'affaire, elle finit par couvrir de post-it imaginaires le portrait grand format de Keith Gilbert.

À qui appartenaient les coordonnées trouvées avec les liasses de billets chez l'Haïtien ? Pan. À qui appartenait le chien qui avait vraisemblablement laissé des traces de morsure sur le jean de Fabian Beauvais – un jean maculé de lasure provenant sans doute des travaux de rénovation de *Cosmo* ? Pan. De qui la voisine de Southampton était-elle la maîtresse…, voisine, coïncidence un peu énorme, qui affirmait avoir employé Beauvais ? Pan. À quel organisme appartenait la voiture conduite par les deux gorilles qui en avaient après Beauvais… et qui avaient incidemment pris la fuite à Flatbush ? Pan. À force d'imagination, Heat colla tant de petites feuilles pastel autour de sa photo que Gilbert avait l'air de porter une couronne de fleurs tahitienne sur la tête.

Mais ce n'était pas gagné pour autant.

Savoir dans quelle direction tous les indicateurs pointaient ne suffisait pas pour agir, car elle n'avait toujours rien de compromettant. Sans compter l'absence de mobile. Et elle ignorait encore comment Beauvais était mort. Heat ne disposait donc d'aucun élément solide pour accuser Keith Gilbert d'autre chose que d'avoir embauché un journalier clandestin pour réparer le toit de sa résidence secondaire.

Du moins, jusqu'au texto pressant que lui adressa Rhymer.

— Je l'ai trouvé là, à l'intérieur, l'informa l'inspecteur à son arrivée.

Sur le trottoir, il indiqua à Heat le distributeur jaune de prospectus pour des ateliers d'écriture. La caisse en plastique était coincée entre un présentoir rouge rempli d'exemplaires du *Village Voice* et le conteneur bleu du *Big Apple Parent*.

— Je me suis dit : « Bon, et si elle n'avait pas été capturée, si elle avait fui sous l'emprise de la panique », vous voyez ? Comme on n'a pas retrouvé son sac à main sur les lieux du crime, j'ai pensé que, si elle ne l'avait pas fait tomber ou si les affreux ne lui avaient pas pris, peut-être qu'elle l'avait discrètement planqué. J'ai refait le chemin depuis son immeuble, vérifié les branches d'arbre, les poubelles, même les toits des camions garés. Deux rues plus loin, bing.

Son accent du Sud ressortit sur ce dernier mot, faisant penser Heat au petit Opossum qu'il avait dû être, à courir dans les collines avec son limier. Au vu de ses résultats, peut-être n'avait-il pas besoin de chien.

Arrivé en voiture avec Raley, Ochoa déposa soigneusement de ses mains gantées le contenu du sac sur le capot. Puis son équipier alluma le mobile à carte de Jeanne Capois sous les yeux de ses collègues. Le sac à main ne semblait renfermer que des objets usuels : rouge à lèvres, poudrier, chouchou pour les cheveux, chewing-gum, carte de métro, jeu de clés, liste de courses, quelques cartes de visite et un stylo-bille à capuchon. Son portefeuille contenait encore du liquide : juste quelques dollars et de la menue monnaie en pièces américaines et haïtiennes. Dans les compartiments pour photos figurait le portrait d'un couple d'âge mûr, certainement ses parents, ainsi qu'un cliché de Fabian Beauvais souriant fièrement au-dessus d'une grillade de poissons.

— Euh, inspecteur, il faut que vous voyiez ça, dit Raley en tendant le téléphone.

Nikki en protégea l'écran du soleil afin de pouvoir lire le texto qu'il avait ouvert. *File. Ça a mal tourné avec KG. Sauve-toi ! Je t'aime. Fab*[1], disait le message. Les deux autres inspecteurs se flanquèrent de part et d'autre pour y jeter également un œil. Opossum laissa échapper un long sifflement.

— C'est ce qui s'appelle un lien, constata Ochoa avec son flegme habituel.

Heat relut le SMS et se tourna vers son équipe.

— Je crois qu'il est temps d'avoir une autre conversation avec Keith Gilbert.

---

1. En français dans le texte.

SIX

À son tour, l'inspecteur Heat voulait prendre Keith Gilbert au dépourvu, afin qu'il ne se tienne pas sur ses gardes. Même si le directeur lui accorderait une entrevue si elle téléphonait avant, il avait déjà montré qu'il pouvait user de son influence. Pour quelqu'un qui prétendait l'assurer de sa totale coopération...

Avant de se rendre aux bureaux de l'Autorité portuaire, situés dans Park Avenue South, Heat voulut se faire une idée de la campagne électorale de Gilbert sur son site Internet. En tout premier lieu, elle tomba sur l'annonce d'un discours de politique générale qu'il tenait ce matin-là à l'occasion d'un forum d'entreprise organisé par une station de radio locale. Laissant l'inspecteur Rhymer s'occuper des recherches dans West End Avenue, les Gars l'accompagnèrent à l'hôtel Widmark sur Times Square. De nouveau, il tombait un fin crachin, rappelant le matin où Fabian Beauvais s'était écrasé sur le planétarium. Quand, une fois les voitures garées, ils se furent retrouvés sur le trottoir, Ochoa leva le visage vers le ciel.

— Ça ne sent vraiment pas la tempête.

— On croirait entendre le voisin de Noé quand il a construit son arche, railla Raley, qui poursuivit dans l'escalier mécanique menant sur la mezzanine du hall de l'hôtel. De toute façon, Sandy est censée arriver d'ici, quoi, cinq jours ? Lundi ou mardi, donc.

— Tu te prends pour un présentateur météo, maintenant ?

Mais Nikki n'écoutait que d'une oreille. Son attention se porta sur trois agents de sécurité en costume sombre postés à la porte de la salle de réunion Fraunces. Essentiellement parce qu'elle sentait toute leur attention concentrée sur elle.

— Vos billets, s'il vous plaît ? demanda l'hôtesse à l'accueil.

Il y avait moins d'une douzaine de badges non réclamés sur la table devant elle. La voix amplifiée du présentateur résonna à l'ouverture de la porte, lorsque quelqu'un sortit discrètement de la salle. Heat remarqua qu'il s'agissait d'un quatrième agent de sécurité. Elle présenta son insigne.

— Je ne suis pas là pour le forum. C'est une affaire de police.

La jeune femme se mordit les lèvres et leva un regard interrogateur vers l'agent de sécurité. L'homme qui venait de les rejoindre s'avança avec un sourire sans joie particulière. Il dégageait une odeur mêlée de déodorant et de menthe forte.

— Êtes-vous venue nous prévenir d'une menace, inspecteur ?

— Non, pas du tout.

Elle déclina son identité et présenta les Gars. Son interlocuteur montra sa carte de la police portuaire, mais pas ses acolytes.

— Nous enquêtons sur une affaire relevant de la police de New York.

— Je le respecte, répondit-il sur un ton qui sentait l'obstruction. Cette manifestation est toutefois placée sous la responsabilité de l'Autorité portuaire, et seuls sont autorisés les invités munis de billets.

— Je le respecte, répondit-elle de la même manière, mais on n'est pas là pour les discours. On veut juste interroger quelqu'un.

— Qui ?

Ce petit jeu commençait à fatiguer Heat, qui conserva néanmoins son affabilité.

— Compte tenu de votre métier, je suis sûre que vous

comprendrez que je ne puisse pas divulguer les détails d'une affaire en cours.

— C'est en effet votre prérogative, dit-il avant de croiser les bras pour lui faire comprendre qu'il était inutile d'insister.

— Nous sommes venus voir monsieur Gilbert.

— Le directeur ne reçoit personne. Il prépare les commentaires qu'il doit présenter après le petit-déjeuner.

Derrière Heat, Ochoa se racla la gorge.

— On peut attendre, dit-il.

— Désolé, juste après, il doit filer vérifier les docks des porte-conteneurs à Port Newark qui doivent être prêts pour Sandy.

Le policier plongea la main dans sa poche et en sortit une carte de visite qu'il tendit à Heat.

— Voici le numéro de son bureau. Je suis sûr que son assistante sera ravie de vous aider à comparer les calendriers avec vous.

— Ça me court sur le haricot, fit Raley lorsqu'ils furent redescendus dans le hall.

— Ces types n'ont aucune juridiction ici. La police portuaire ne s'occupe que des installations portuaires. Aux dernières nouvelles, l'hôtel Widmark n'en fait pas partie.

Heat haussa les épaules.

— La seule chose dont ils se préoccupent en l'occurrence, c'est le directeur. À moins de chercher la bagarre, ces types n'allaient pas céder.

— Quoi, vous baissez les bras ? s'étonna Ochoa.

De nouveau, Nikki pensa à Rook. Néanmoins, cette fois, ce n'était pas à cause de son départ de la salle de la brigade ni du fait qu'il ne répondait pas à ses appels. Heat se revit avec lui quelques années plus tôt, lorsqu'ils avaient dû franchir un barrage de sécurité pour pénétrer dans un hôpital de la région parisienne. Il lui avait prouvé qu'on ne vous demande rien si vous portez ou, mieux, si vous mangez quelque chose. Avec un large sourire à Ochoa, elle décrocha l'un des téléphones de l'hôtel.

— Le responsable des cuisines, s'il vous plaît.

Cinq minutes plus tard, Nikki se tenait au milieu de la frénésie maîtrisée des préparatifs d'un banquet pour sept cents personnes. Le responsable accepta l'enveloppe fermée qu'elle lui remit au nom de la brigade criminelle, la déposa sous la cloche en inox destinée à garder au chaud le petit-déjeuner de Keith Gilbert et envoya aussitôt quelqu'un servir le directeur.

Le message, qu'elle avait rédigé de sa plus belle écriture sur une carte à l'en-tête du Widmark, était succinct : *À moins que vous ne souhaitiez déclencher un esclandre entre forces de police lorsque je vous ferai descendre du podium sous bonne garde, vous feriez mieux de me recevoir. Au plus vite.*

L'hôtel Widmark avait donné à ses salles de conférences des noms de tavernes et de pubs datant de la guerre de l'Indépendance. Après la taverne Fraunces, sur la mezzanine, venait dans le sens des aiguilles d'une montre Slaters, Buckman, Green Dragon et Bull's Head. C'est dans cette dernière salle, où aucun banquet n'avait lieu ce jour-là, que Heat pénétra. Dans la pénombre de ce vaste espace prévu pour accueillir mille cinq cents convives, la silhouette solitaire de Keith Gilbert se détachait au milieu de la pièce vide. D'un pas étouffé par l'épaisse moquette, elle traversa la salle pour le rejoindre.

— Cette manière de vous imposer ici relève non seulement d'une formidable impolitesse, inspecteur Heat, mais elle ne restera pas sans conséquence ! lui lança-t-il alors qu'elle n'avait pas encore parcouru la moitié du chemin. Je me suis présenté au poste de mon propre chef, j'ai répondu à vos questions en toute bonne foi et vous ai aidé à orienter votre enquête. Alors, pourquoi cette intrusion ?

Il jeta alors l'enveloppe du Widmark à ses pieds.

— Une lettre de chantage avec mes œufs pochés à la béchamel ? Ce n'est pas sérieux ?!

— J'ai essayé la porte. Elle était bloquée.

— J'ai un bureau.

— Et vous êtes ici. Donc, moi aussi. Et j'aimerais des réponses, asséna-t-elle en soutenant son regard sans flancher.

— Moi aussi. Qu'avez-vous après moi ? Vous êtes toujours aussi agressive ? Ou cherchez-vous à me mettre la pression ? La municipalité chercherait-elle à soulever un lièvre pour m'empêcher de présenter ma candidature ?

Bien sûr, il ne plaisait pas à Heat qu'on sous-entende qu'elle agissait pour le compte de quiconque, mais elle avait suffisamment d'expérience pour savoir qu'il ne s'agissait là que d'une manœuvre psychologique pour la mettre sur la défensive et prendre l'interrogatoire en main. Sans mordre à l'hameçon, elle sortit son calepin.

— Si vous en avez terminé, peut-être pourrions-nous commencer ? dit-elle posément. Je ne voudrais pas vous mettre en retard pour votre discours.

Malgré la pénombre, elle le vit clairement contracter la mâchoire.

— Il y a quelques incohérences que je vous donne l'occasion de lever. Lorsque je vous ai informé l'autre jour que vos coordonnées à Southampton avaient été retrouvées dans les affaires personnelles de Fabian Beauvais, vous avez nié connaître cette personne.

— Exactement.

— Et vous ne l'avez pas reconnue sur la photo.

— En effet.

— Vous maintenez ? Parce que je me suis rendue à Beckett's Neck hier et, compte tenu de ce que j'ai appris depuis, je vous suggère de réfléchir avant de confirmer que c'est votre réponse officielle.

— De quoi diable parlez-vous ? Soyez plus claire.

— Votre voisine, Alicia Delamater, a déclaré que Fabian Beauvais avait travaillé pour elle, dernièrement. Si ce n'est pas une coïncidence…

Heat leva la main.

— Or, je ne suis pas fan des coïncidences. Sauf lorsqu'elles sont signes de quelque chose.

— Peut-être lui a-t-elle donné mon numéro de téléphone.

— Pourquoi ferait-elle une chose pareille ?

— Posez-lui la question. Vous voyez ? Vous allez juste à la pêche. En a-t-on terminé ?

Une fois de plus, Nikki saisit la perche.

— Merci, je le lui demanderai. Mais, en attendant, vous confirmez donc que vous n'avez jamais vu ni parlé à monsieur Beauvais alors qu'il est venu en face de *Cosmo*, cet été ?

— C'est exact.

À son tour de le pousser dans ses retranchements.

— Même s'il était censé être employé par votre maîtresse ?

Soit Keith Gilbert était quelqu'un de très détaché, soit on pouvait le croire sur parole.

— On dirait que vous avez aussi prêté l'oreille à quelques ragots là-bas, se contenta-t-il de répondre avec un demi-sourire.

Puis l'amusement disparut.

— Je n'ai pas de maîtresse. Je suis marié depuis des années, mon couple est solide et je crois aux valeurs de la famille. Par ailleurs, je suis prêt à parer les accusations infondées qui peuvent survenir dans le combat politique.

Il haussa les épaules pour souligner sa fin de non-recevoir.

— Et si je vous disais que j'ai la preuve que Fabian Beauvais était chez vous ? n'en démordit pas Heat.

— Quelle preuve ?

— Maintiendriez-vous votre déclaration ?

— Absolument. Quelle preuve ?

Pour l'enquêtrice, les taches de lasure et les morsures de chien étaient sans appel. En guise de réponse, elle tourna la page de son carnet à spirales.

— Les deux hommes dont je vous ai montré les portraits-robots.

— Que je ne connais pas non plus.

— Un témoin à Flatbush les a identifiés dans son restaurant. Ils étaient venus lui demander où se trouvait Fabian Beauvais.

— On dirait que vous tenez une piste.

— Il se pourrait que vous ayez raison, car il a relevé leur

plaque. Or ils conduisaient une voiture immatriculée au nom de l'Autorité portuaire, monsieur le directeur.

Enfin une réaction. Très légère : ses yeux s'agitèrent tandis qu'il digérait la nouvelle. Et réfléchissait à sa réponse.

— Vous avez une idée de combien de véhicules dispose l'Autorité portuaire ? gloussa-t-il en se maîtrisant. Des milliers. Et qu'est-ce que cela signifie ? S'il s'agissait d'une voiture de la MTA[1], soumettriez-vous son directeur au même interrogatoire ?

— Peut-être, si son adresse et son numéro de téléphone étaient retrouvés au fond d'un placard, dans une enveloppe remplie d'argent et tachée de sang, chez un mort.

Elle le regarda attentivement.

— Ou si le mort avait envoyé un SMS à son sujet à sa petite amie en lui conseillant de prendre ses jambes à son cou, ajouta-t-elle.

— De quoi parlez-vous ?

Nikki avait obtenu ce qu'elle voulait : il était désarçonné.

— Parlez-moi de Jeanne Capois, insista-t-elle.

— Qui ?

— Vous ne la connaissez pas non plus, j'imagine.

— Vous dites que mon nom est apparu sur le mobile d'une femme ?

— Un message d'alerte. On l'a trouvé en fouillant dans ses affaires… après son assassinat.

Le directeur retrouva son calme.

— Je ne vois toujours pas ce que cela a à faire avec moi.

— Vous étiez mentionné.

Il parut stupéfait.

— Moi ? Par mon nom ?

Poursuivre sur cette voie, c'était s'aventurer en terrain glissant, car seules les initiales de Gilbert figuraient dans le texto. Percevant l'hésitation de la policière, il sauta sur l'occasion :

— Tenez, fit-il en lui tendant les poignets, si vous avez quoi que ce soit de solide, passez-moi les menottes.

---

1. L'entreprise chargée de la gestion des transports publics.

Puis il se moqua :

— Allez-y, inspecteur, ne vous gênez pas.

Sa voix résonna alors parmi les chaises et les tables empilées au bord de la salle vide.

— Allons, quoi ?!

Il se rapprocha et se pencha vers elle comme un joueur de base-ball menaçant un arbitre après l'annonce d'un strike qui n'en était pas un.

— Ha ! ha ! Vous ne le ferez pas, parce que vous ne le pouvez pas. Vous flairez le sang, mais vous ignorez à qui il appartient. Vous n'avez rien, voilà tout.

Brusquement, il arrêta son cinéma. Le visage toujours près du sien, il reprit sur un ton glacial :

— Ce n'est pas un jeu, inspecteur. N'essayez pas de m'intimider. Ne me racontez pas n'importe quoi. Inutile d'aller plus loin. Parce que vous n'êtes pas de taille, et, si on me cherche, on me trouve.

Elle se redressa et bomba le torse, inébranlable.

— J'en aurai le cœur net, quoi qu'il en coûte.

— Vous savez, mon père avait un rival dans le transport maritime. Un certain George Steinbrenner. Ce type avait toujours le mot qu'il fallait quand on le poussait un peu trop. Du genre : « La prochaine fois que vous me mettrez dos au mur, je vous balancerai par-dessus. »

— Sacré orateur, ce George. Dois-je prendre cela pour une menace ?

Il sourit.

— Ne vous méprenez pas. C'est juste une information.

Sur ce, il partit faire son discours.

En retournant à sa voiture, Nikki découvrit que Rook avait laissé un message sur sa boîte vocale et s'en voulut d'avoir raté son appel : *Salut, c'est moi. Désolé d'avoir disparu de la circulation, mais je travaille dans ma grotte, tu sais comment c'est. Ça m'ennuie beaucoup, mais je crois que ça ne va pas être possible pour le dîner, ce soir. Je t'expliquerai plus tard. C'était si...*

neutre. Pas la moindre trace de colère, ni de peine. Ni de chaleur, non plus. Juste les faits, ma'ame. Elle se retint de le rappeler et, motivée par un fort désir d'exaucer le vœu de Keith Gilbert et de lui passer ces menottes, retourna au poste avec les Gars.

Plus par habitude que par faim, Heat s'assit à son bureau pour passer ses coups de fil tout en grignotant son sandwich à la dinde acheté chez Andy. L'un d'eux avait été inspiré par le commentaire de Gilbert sur le nombre de véhicules peuplant le parc automobile de l'Autorité portuaire. Cet organisme conjoint des États de New York et du New Jersey, non seulement supervisait les aéroports, le fret aérien, les gares maritimes, les principaux ponts et tunnels, les gares routières, le réseau ferré traversant l'Hudson et le nouveau World Trade Center, il disposait en outre d'une force de police hautement respectée composée de mille sept cents agents. Heat avait eu le plaisir de faire la connaissance de quatre d'entre eux le matin au Widmark. Loin d'en vouloir au garde du corps qui leur avait barré le passage, elle considérait qu'il avait agi en professionnel et accompli son devoir. Si les rôles avaient été inversés, elle aurait sans doute fait de même. En tout cas, il s'était montré poli et efficace.

La police portuaire possédait par ailleurs un BCI[1] fort de cent inspecteurs, dont Nikki appela l'un des superviseurs.

— Juste pour que ce soit bien clair, commença-t-elle, dans le cadre de notre enquête sur un immigrant haïtien nommé Fabian Beauvais, l'un de mes inspecteurs a entendu dire que deux autres individus le recherchaient également à Flatbush dernièrement. J'ignore qui ils sont, mais, compte tenu de la description qui m'en a été faite, je me demande s'il ne s'agirait pas de policiers en civil. C'est pourquoi je fais le tour des popotes afin de m'assurer qu'on n'empiète pas sur les plates-bandes des confrères.

Reconnaissant de cette courtoisie professionnelle, l'inspecteur Hugo déclara qu'il allait vérifier et la rappellerait. Heat s'abstint d'évoquer la nature de l'affaire ou le directeur. Elle omit en outre le lien entre les hommes en question et la

---

1. Bureau of Criminal Investigation.

voiture immatriculée au nom de l'Autorité portuaire, au cas où l'Impala serait un véhicule banalisé du BCI. Si Beauvais faisait l'objet d'une enquête de la police portuaire, l'information changerait la donne. Leur conduite, notamment la bousculade au sortir du logement, ne ressemblait pas aux habitudes policières ; néanmoins, quelque chose dans l'orchestration et la précision d'exécution de leur duo sentait l'entraînement.

Une demi-heure plus tard, Heat réunit Raley, Ochoa et Rhymer auprès du tableau blanc pour leur indiquer que la police portuaire avait rappelé et affirmé que Fabian Beauvais ne faisait l'objet d'aucune enquête de leur part.

— Reste tout de même à savoir ce que faisait leur voiture là-bas, fit remarquer Ochoa.

— Eh bien, le lien avec Gilbert est assez évident.

Heat montra du pouce l'immatriculation notée sous les deux portraits-robots.

— On a diffusé le numéro de plaque ; alors, si l'alerte donne quelque chose, on aura peut-être une réponse.

L'inspecteur Rhymer avait pris contact avec un membre du personnel chez Happy Hazels, l'agence qui avait trouvé la place de femme de ménage à Jeanne Capois.

— Rien de bouleversant. Mais c'est plutôt triste. Ils l'aimaient bien et ils n'avaient que du bien à en dire. Et Fabian était plus que son petit ami. Apparemment, ils étaient arrivés fiancés d'Haïti, et la seule chose que voulait Jeanne, c'était rentrer pour se marier.

— J'ai découvert une anomalie sur la carte de métro de Jeanne Capois, annonça Raley. Ses jours de congé, elle avait pour habitude de prendre la ligne 3 de la 72e Rue à Saratoga Avenue, à Brooklyn : la station la plus proche, j'imagine, de chez son fiancé à Flatbush. Réglé comme du papier à musique : deux fois par semaine, pendant six mois. Mais, il y a quelques semaines, elle a commencé à emprunter la une, de la 79e Rue et Broadway à la 14e Rue, à Chelsea, pour revenir dans l'Upper West Side le même jour.

— Et cela s'est produit aux mêmes heures et les mêmes jours ?

Heat connaissait l'importance des changements d'habitudes. Les événements marquants comme les changements de style de vie et de revenus constituaient des indicateurs-clés à creuser dans une enquête, mais les petits détails se révélaient parfois encore plus significatifs.

— Je me demande si elle n'avait pas rendez-vous quelque part. Peut-être qu'elle était enceinte. Ou qu'elle avait des problèmes médicaux. Y a-t-il une clinique dans les environs ? Des séances chez le kiné, peut-être ?

— Ces trajets ont tous eu lieu à des heures différentes, de jour comme de nuit.

— Je vais vous dire, enchaîna son équipier. On va les « garsifier ».

Heat pencha la tête vers l'inspecteur Ochoa.

— Vous avez dit les « garsifier » ?

— Oui. On va tout reprendre, tout repasser au crible : son sac à main, sa chambre… et voir si on trouve un lien avec Chelsea.

— Vu sous cet angle, dit Nikki, ce serait idiot de refuser.

À son retour de la salle de pause, elle aperçut son iPhone, qu'elle avait posé sur son bureau, ramper en vibrant sur son sous-main. Une fois de plus, ce n'était pas Rook. L'inspecteur Feller appelait de Flatbush.

— J'en ai une bonne pour vous. Un inspecteur rentre dans un bar, commença-t-il.

— Et ?

— Et en ressort avec un indice.

— J'écoute.

Par réflexe, Heat ouvrit son carnet Clairefontaine à une nouvelle page. Certes, Feller aimait faire le pitre, mais elle savait qu'il n'appellerait pas à moins que ce ne soit important. Comme toujours.

— Il y a une sorte de rade pourri dans le coin où créchait

Beauvais. Je sais que c'est encore un peu tôt dans la journée, mais je me suis dit que ça vaudrait peut-être le coup d'aller y jeter un œil. Bon, le barman n'avait pas l'air de vouloir parler, mais, en même temps, je sentais bien qu'il avait des choses à me dire. Vous voyez le genre, hein ?

En effet.

— Comme il y a d'autres types au bar, le nez dans leur bière, devant lesquels il n'a peut-être pas envie de se confier, je lui demande s'il peut sortir m'indiquer le chemin pour rejoindre la voie rapide. Une fois que nous sommes seuls, évidemment, il admet connaître Beauvais de vue et raconte qu'un soir, il y a environ une semaine, le gars est arrivé juste avant la fermeture, l'air ivre, alors qu'en fait, il ne l'était pas. Il avait du sang sur sa chemise et affirmait qu'on lui avait tiré dessus.

— Comment ça, il a pris une balle ?

— Exactement. Beauvais demande qu'on n'appelle pas les secours, refuse d'être emmené aux urgences, mais se souvient que le barman a un ami médecin.

— Vous avez eu un nom ?

— Je lui ai déjà parlé. Et devinez quoi ? Il va coopérer, annonça Randall Feller, demeurant ainsi indiscutablement l'agent de patrouille préféré de Nikki Heat. Je pars justement l'interroger.

— Je vous accompagne. On s'y retrouve d'ici une demi-heure.

— Il est situé dans Cortelyou, près de la 16e Est.

Il lui indiqua l'adresse exacte, puis la répéta par mesure de clarté.

— Vous verrez, il y a un garage Klaus.

— Le cabinet se trouve à côté ?

— Négatif. C'est là qu'il travaille. Demandez Ivan.

En chemin pour Brooklyn, Heat appela Alicia Delamater, qui avait prétendu que Fabian Beauvais s'était blessé avec le taille-haie, pour essayer de clarifier les choses. Ou, plus exactement, pour offrir à la voisine-maîtresse de Gilbert l'opportunité de revenir sur sa déclaration et son mensonge. Sans la moindre sonnerie, elle fut aussitôt basculée sur la messagerie : « Bonjour, c'est Alicia. Je ne suis pas disponible pour le moment. En cas d'urgence, appelez le... » Nikki composa le numéro et tomba sur son avocat. Vance Hortense, du cabinet Hortense, Kirkpatrick & Young, s'exprimait comme la version masculine de Siri, lorsqu'on demande à son iPhone de faire quelque chose qui ne figure pas dans le menu. Il parlait d'un ton neutre, froid et peu accommodant, ce qui, selon Heat, aurait été plus adapté comme nom pour le cabinet.

— Mademoiselle Delamater a quitté le pays.

— Où est-elle partie ?

— Quelque part aux antipodes.

— A-t-elle laissé un numéro de téléphone ?

— Non, je regrette.

— Ne me dites pas que vous ne sauriez pas où la joindre en cas d'urgence ?

— Si elle se manifeste, je lui dirai que vous la cherchez.

— Elle doit revenir bientôt ?

— Je ne saurais le dire.

Et vous ne le direz pas, songea-t-elle.

— Je ne vais pas avoir d'ennuis, j'espère, dit Ivan Gogol, dont les yeux, surmontés d'épaisses paupières constellées de verrues, passaient nerveusement de Heat à Feller. Un homme a besoin d'aide ; j'aide, c'est tout.

Son évidente peur de l'interrogatoire rappela à Nikki tous les films d'espionnage de l'époque de la guerre froide auxquels Rook était accro, et dans lesquels les malheureux citoyens finissaient toujours par avouer tout ce qu'ils voulaient aux agents du KGB.

— Laissez-moi vous mettre à l'aise, tenta-t-elle de le rassurer du mieux qu'elle put. Nous vous sommes très reconnaissants de votre coopération. Nous ne sommes pas là pour enquêter sur vous, mais simplement pour vous entendre sur votre rencontre avec cet homme.

Il regarda de nouveau la photo de Beauvais et opina du chef en se détendant un peu sur sa chaise. Sous les néons du bureau encombré que le gérant du garage leur avait laissé, sa barbe ressemblait à un tatouage bleu foncé sous sa peau blafarde. Il leur avait dit avoir trente-huit ans, mais sa calvitie lui en donnait vingt de plus. Ou peut-être était-ce le prix d'une vie de paranoïa.

La première question de l'enquêtrice était évidente, mais, sachant qu'elle serait source de stress, elle aborda les choses avec douceur.

— J'ai été surpris quand l'inspecteur Feller m'a dit qu'on vous trouverait ici.

— C'est mon gagne-pain. À Saint-Pétersbourg, j'ai quitté faculté comme docteur en médicine, oui ? Mais quand je viens aux États-Unis, les – qu'est-ce que c'est... ? Les critères... pour permis d'exercer pas faciles. En Russie, j'aurais propre clinique. Venir ici avec ma femme, surprise. Je conduis taxi ou travaille ici. Un jour, je passe examen pour avoir cabinet à Brighton Beach.

— Techniquement, vous n'êtes donc pas médecin, résuma Feller.

Comme le regard d'Ivan s'agitait de nouveau, elle intervint :

— C'est pourquoi il est si admirable que vous rendiez service à vos amis qui n'ont pas les moyens de consulter.

Elle marqua une pause tandis qu'il sortait une cigarette, mais il la remit dans sa poche.

— Est-ce ainsi que l'homme sur cette photo est venu chez vous ?

Gogol raconta l'appel du barman reçu tard dans la nuit, dont tous les détails concordaient avec ceux fournis par la source de Feller.

— Alors, je m'habille et je prends ma sacoche pour aller au bar où cet homme, Fabian, est dans l'arrière-cuisine. Il a mal et ne va pas bien.

— La blessure était grave ? s'enquit Heat.

Feller, ayant compris le message, avait pris place à côté du bureau, en observateur.

— Sa vie n'était pas en danger. Il avait stoppé le saignement par compression, comme ceci.

Ivan appuya des deux mains sur sa cage thoracique.

— Mais la peau est très fine au niveau des côtes, et beaucoup de terminaisons nerveuses partent de la colonne vertébrale. Très douloureux.

— De quel type de balle s'agissait-il ? Vous l'avez conservée ? ajouta-t-elle, impatiente.

— Balle ? Non, la blessure ressemblait à coupure. Coupure, pas perforation. Regardez.

De nouveau maître de la situation, il déchira une page du bloc publicitaire du garage et, d'une main experte, traça les contours d'un torse. À la grande surprise de l'inspecteur Heat, son dessin se révéla précis, bien plus que certains schémas qu'elle avait pu voir dans des dossiers d'autopsie. Il ajouta une entaille à l'endroit où la balle avait touché Beauvais.

— Une éraflure.

— C'est ça, éraflure. Mais près du cœur. Il a eu chance.

Sur le moment, songea-t-elle.

— Vous avez parlé ?

— *Da*. Son accent difficile, mais oui, dit-il dans son propre anglais.

— A-t-il dit qui avait tiré sur lui ?

Les deux inspecteurs le scrutèrent tandis qu'il se tortillait sur sa chaise.

— Non.

Puis Ivan fixa son petit dessin et se mit à le tripoter, à étendre la feuille du plat de la main. Comme le silence le perturbait, il le meubla :

— Tout ce que lui me dire, c'était qu'il était quelque part dans les Hamptons dans la soirée.

— Vous a-t-il dit où exactement ?

— Hmm, non.

— Dans un bar, chez quelqu'un, dans la rue ?

— Je ne sais pas.

— Dans quelle ville ? demanda Feller à son tour.

Tout ce qu'il obtint du Russe fut un haussement d'épaules avant qu'il ne recommence à jouer avec son croquis, qu'il fit ensuite glisser vers Heat comme une sorte d'offrande.

— Aidez-moi à comprendre, dit-elle. Il n'a donc pas vu qui a tiré ou il ne l'a pas dit ?

— Je pas posé questions. C'est mieux, à mon avis.

Nikki fut frappée par le fait qu'elle n'allait guère plus loin avec lui qu'avec l'avocat d'Alicia Delamater. Il noyait le poisson de la même manière, à la différence près qu'elle sentait la peur chez Ivan Gogol. Était-ce dans son caractère ? À cause de sa prudence d'immigrant toujours sur le qui-vive ? Ou bien cachait-il quelque chose ?

— Sachez que vous n'avez rien à craindre, si vous avez quoi que ce soit à nous dire.

En guise de réponse, il se leva.

— Je dois me remettre au travail. J'ai des carburateurs à livrer.

Dernière tentative.

— Fabian Beauvais a été assassiné. Son meurtrier court toujours.

Nikki l'observa digérer l'information tandis qu'elle lui remettait sa carte de visite.

— Si autre chose vous revient, appelez-moi, de jour comme de nuit. Je vous promets de vous aider.

Elle sourit, mais il détourna le regard et quitta la pièce.

Lorsque Heat et Feller sortirent sur le trottoir, Ivan les attendait près de leurs voitures.

— Quand j'ai fini de le recoudre, ce Fabian est parti, et puis il est revenu. Il a dit qu'il y avait une voiture et qu'il voulait attendre qu'elle parte. Il avait très peur. Il a dit qu'il voulait me dire qui lui avait fait ça au cas où il lui arriverait quelque chose. Et maintenant vous me dites que c'est arrivé ?

Nikki savait qu'il valait mieux ne pas interrompre ce délicat instant de vérité. Il lui fallut un long moment pour prendre son courage à deux mains. Mais il sauta le pas :

— Il a dit que c'était un homme puissant. Et c'est vrai. Parce que je l'ai vu à la télé. Monsieur Keith Gilbert.

Pour être honnête, Heat ne voyait pas du tout le lien entre le coup de feu tiré par Keith Gilbert et la chute fatale de Fabian Beauvais au planétarium.

En revanche, elle avait suffisamment d'expérience pour en tirer quelques conclusions. Deux tentatives d'assassinat sur Beauvais, dont une couronnée de succès, auxquelles s'ajoutaient la torture à mort de sa fiancée, un tas de billets planqués, la mise à sac d'un appartement chic après intrusion... Tout cela puait le complot et la volonté d'étouffer une affaire. Par ailleurs, l'expérience lui avait appris que, dans un complot, il y a toujours quelqu'un qui tire les ficelles. Quelqu'un de pouvoir. Forte de ces réflexions, elle savait qu'il était temps d'embarquer son principal suspect.

Il n'allait pas être simple d'obtenir le mandat ; elle ne l'ignorait pas. La signature du procureur représentait déjà un sacré obstacle. L'arrestation d'une personnalité aussi en vue qu'un directeur de l'Autorité portuaire, surtout de la stature de Keith Gilbert, qui ne manquait pas de relations, nécessiterait l'approbation de ses supérieurs les plus haut placés.

Mais Heat avait confiance en la courageuse impartialité du procureur et n'hésiterait pas à la solliciter. En fait, le problème se situait à un échelon nettement inférieur.

Le visage de son commandant de brigade vira au pourpre lorsqu'elle lui demanda la permission d'appeler le procureur. Les ressorts fatigués du fauteuil de direction du Grand Wally grincèrent lorsqu'il bascula en arrière. La mâchoire relâchée, les yeux comme des billes, il soupesait mentalement les risques et les avantages d'une telle démarche. Pour l'encourager, Heat le guida de son bureau vers le tableau blanc afin de lui en résumer les points principaux, avec persuasion, mais surtout en lui exposant laborieusement, comme si elle s'adressait à un petit enfant, les éléments à charge contre Keith Gilbert. Il l'écouta sans l'interrompre en agitant la tête. Nikki finit par croire qu'elle avait enfin réussi à percer l'épaisse couche de graisse qui lui isolait le cerveau.

Mais c'était mésestimer le pouvoir de l'instinct de survie.

— Expliquez-moi donc ceci, répondit le capitaine. Votre Haïtien volant est bien mort en s'écrasant sur le planétarium, non ? Et maintenant, vous voulez arrêter Gilbert parce qu'un charcutier ruskov doté d'un nécessaire à couture, mais sans permis d'exercer, prétend que le directeur a buté le type ? Il n'a pas été victime d'une arme, mais de la gravité.

Une fois de plus, son commandant de brigade brillait par son manque d'expérience sur le terrain. Nikki savait comment on résolvait une affaire. On ramassait une pièce du puzzle par-ci, une chaussette dépareillée par-là, une coïncidence peu logique... On s'en tenait à ça et, peu de temps après, au fur et à mesure qu'on assemblait d'autres pièces, on finissait par voir se dessiner le tableau, et la vérité triomphait. Cela ne vous tombait jamais tout cuit dans la bouche, comme semblait le croire Wally. Elle revint à la charge :

— Enfin, capitaine, il a tiré sur lui. Et, à mon avis, ce n'était pas la première fois. Comme ça n'a pas marché, Gilbert a changé de méthode. Ou trouvé quelqu'un pour le faire à sa place.

Irons ne cessait de secouer la tête.

— Je veux un mandat d'arrestation pour lui et un mandat de perquisition pour son arme.

— Remballez, trancha-t-il lorsqu'elle eut terminé. Ce sera sans moi.

Dans son dos, la brigade bombarda le capitaine de regards réprobateurs. Heat mit de côté son propre mépris et se concentra sur le mandat.

— Peut-être devrais-je revenir sur certains points, si je n'ai pas été assez claire, monsieur.

— Oh ! j'ai bien compris vos arguments, ne vous en faites pas. Mais ce que vous me demandez représente un pas gigantesque. Que je n'ai aucune intention de franchir en l'absence de la seule chose qui vous manque.

D'un grand moulinet du bras dédaigneux, il désigna le tableau :

— Je ne vois aucun lien concret entre le sieur Beauvais et le directeur Gilbert. Ce que je vois, c'est un tas de preuves indirectes et une multitude de conjectures.

— Capitaine Irons, c'est du solide. J'ai procédé à des arrestations et obtenu des condamnations pour moins.

— Pas cette fois.

Il tapota du poing sur le tableau et en effaça certaines annotations.

— Montrez-moi un lien entre le défunt et monsieur Gilbert. Là, je vous donne le feu vert.

La première chose que fit Heat lorsque son patron eut refermé la porte de son bureau fut de demander à ses inspecteurs de garder leurs remarques pour eux et de rester concentrés.

— On s'apitoiera plus tard sur notre sort autour d'une bière au Plug Uglies. Pour l'instant, il nous faut trouver un chemin détourné.

— Ce qu'il nous faudrait, c'est détourner le chef, dit Feller.

— J'ai dit plus tard, Randall, gronda Heat pour stopper les commentaires.

Puis elle réfléchit, encore et encore, en se tapotant le stylo sur les lèvres.

— OK. On creuse encore sur ce qu'on a. Inspecteur Rhymer, interrogez vos contacts aux Douanes pour voir si Alicia Delamater s'est servie de son passeport hier ou aujourd'hui. D'après son avocat, elle a quitté le pays ; or, je veux lui parler.

— Je m'y mets.

— Et, dites, Opossum, se ravisa-t-elle. Juste au cas où elle ne serait pas encore partie, passez en revue la liste des croisières gérées par Gilbert Maritime au départ de New York ou du New Jersey et lancez une alerte à son nom.

Si Keith Gilbert s'efforçait de lui mettre des bâtons dans les roues pour son enquête, il était possible qu'il fournisse un moyen de transport à l'un de ses témoins.

— Inspecteur Feller. Rendez visite à l'Autorité portuaire. Usez de votre charme pour qu'on vous montre les réquisitions au parc automobile et voyez si vous trouvez des noms d'employés pour cette fameuse Impala. Je veux ces deux types dans nos locaux au plus vite.

Elle remarqua que Rhymer était toujours dans les parages. Politesse oblige, il attendait qu'elle ait terminé pour demander la parole en levant le doigt.

— Il m'est venu une idée.

Avec son accent de Virginie, son affirmation semblait être une question.

— C'est le lien avec le téléphone. Beauvais avait le numéro du domicile de Gilbert ; c'est ce qui a tout déclenché.

— Ouais, fit Ochoa avec une certaine impatience, mais c'est devenu kafkaïen avec Irons qui nous refuse le mandat pour les relevés téléphoniques de Gilbert. En plus, comme on n'a pas retrouvé le téléphone de Beauvais, pas moyen de creuser, là.

— J'ai bien compris, dit Rhymer, mais on a celui de Jeanne Capois. Elle a bien reçu un SMS de Beauvais, non ?

Nikki le suivait parfaitement.

— Excellent. Si on peut remonter jusqu'au téléphone de Beauvais par ce biais, on aura son numéro… et plus besoin de mandat. Le voilà, notre moyen détourné.

Ochoa se tourna vers son équipier.

— Comment se fait-il que tu n'y aies pas pensé ?

Raley haussa les épaules.

— Il faut bien laisser leur chance aux autres de temps en temps.

Un quart d'heure plus tard, l'inspecteur Heat faisait revenir le capitaine Irons devant le tableau blanc pour lui montrer les derniers éléments affichés.

— Nous avons trouvé un lien, monsieur : un appel téléphonique de Fabian Beauvais sur le numéro du domicile de Keith Gilbert correspondant à cette date.

— Un instant, l'interrompit Wally. Qui diable vous a autorisé à examiner les relevés téléphoniques de Keith Gilbert ?

— On n'a pas examiné ses relevés, mais ceux du défunt après avoir identifié le téléphone prépayé de Fabian Beauvais.

— Il possédait un jetable ?

Dans la bouche d'Irons, l'accessoire prit un caractère criminel.

— Ce n'est pas du tout rare pour les personnes à faible revenu d'utiliser des mobiles à cartes, capitaine. Ni un crime.

— Peut-être. Mais c'est chez lui qu'il a appelé. Une fois. Vous appelez cela un lien ?

— Voilà pourquoi la série d'appels qui a suivi les jours d'après, expliqua Heat, y compris ceux du mobile personnel de Keith Gilbert à Fabian Beauvais sont si... convaincants. Vous n'êtes pas d'accord ?

Wally Irons était un pro de la survie. Certes, il jouait aux dames et non aux échecs avec ses stratégies de carrière, mais même le plus maladroit des ânes finissait par trouver son fourrage.

— Vous êtes absolument certaine que c'est votre homme ?

— Oui, monsieur. Mais je suis déjà en train de perdre mes témoins potentiels du meurtre et de la fuite.

Dans l'espoir de lui asséner l'argument massue, elle se tourna directement vers lui.

— Tout retard risque maintenant de nous placer en très mauvaise posture s'il y a enquête.

Il ne lui en fallut pas plus.

— Allons-y.

À l'hôtel Widmark, les mêmes policiers en civil qui avaient barré la route à Heat et aux Gars le matin contournèrent les portes à tambour, qui les rendait vulnérables d'un point de vue stratégique, pour emprunter la sortie aux portes vitrées coulissantes réservée aux porteurs de bagages.

Aussitôt, le garde du corps du directeur de la police portuaire repéra la présence de l'inspecteur Heat à côté de la Suburban de son patron. Gilbert, qui les suivait, fut plus lent à réagir ; cependant, la colère se peignit sur son visage dès qu'il l'aperçut. Puis, conscient de la présence des médias, ses traits se détendirent. Le futur candidat sourit même à Nikki en s'approchant d'elle. Toutefois, avec son visage buriné et son bouc, elle y vit un sourire de pirate.

— Vous êtes une acharnée, grinça-t-il entre ses dents tout en prenant l'air naturel pour la photo.

Mais les filets blancs de salive sur sa langue ne mentaient pas, eux.

— Que mijotez-vous encore ?

— Je vous rends service.

— Il haussa un sourcil, et elle poursuivit :

— Vous pouvez venir avec moi sans discuter ou...

D'un signe de tête, elle indiqua les inspecteurs Raley, Ochoa, Feller et Rhymer, qui patientaient à côté de leurs voitures banalisées aux deux extrémités de la desserte de l'hôtel dont ils bloquaient les issues. Chacun était en outre accompagné d'une demi-douzaine d'agents de patrouille...

— Cela pourrait devenir gênant.

— Je ne comprends pas. Ne m'avez-vous pas déjà posé toutes vos questions ?

— Je ne suis pas là pour poser des questions, monsieur Gilbert, mais pour vous arrêter. Pour le meurtre de Fabian Beauvais.

Après avoir nettoyé à l'alcool l'encre laissée sur ses doigts par la prise de ses empreintes, Keith Gilbert, assis dans une cellule privée avant son interrogatoire officiel, attendait son avocat. Même si Heat avait habilement manœuvré pour éviter que son arrestation ne tourne au vinaigre devant la presse au Widmark, la nouvelle s'était rapidement répandue, et une nuée de camionnettes de télévision et de badauds se pressait maintenant devant le poste, dans la 82ᵉ Rue Ouest.

Heat recevait tant de demandes d'interviews, officielles ou officieuses, qu'elle arrêta de répondre aux appels de la presse et cessa de lire ses SMS et ses e-mails, se contentant de les vérifier toutes les dix minutes environ, au cas où Rook se manifesterait.

Elle lui avait laissé un bref message vocal, juste pour l'informer de l'arrestation, en veillant à ne pas le presser de la rappeler. Nikki ne voulait pas avoir l'air d'être en manque d'affection, même s'il lui tardait qu'il reprenne contact. Surtout après leurs délicats échanges du matin au sujet du poste qu'on lui offrait.

Lorsqu'elle vit Wally Irons sortir à grands pas des toilettes, Heat ne fut pas surprise de le voir lisser les boutons de la chemise d'uniforme propre qu'il avait apportée sur un cintre le matin. Malgré ses œillères, le capitaine avait constamment le doigt au vent ; or, cette fois, il imaginait que le plus avantageux pour son avenir était de se tenir à l'écart du suspect dans cette affaire de meurtre.

En outre, l'homme était incapable de résister aux sirènes de la télévision. Un véritable papillon de nuit attiré par la lumière. La légende voulait que, des années auparavant, il avait même renversé un enfant dans sa hâte de monter sur l'estrade d'une conférence de presse.

Heat apparut sur le seuil de son bureau au moment où il nouait sa cravate devant le miroir. Lorsqu'elle lui demanda s'il était sûr de vouloir se présenter si tôt devant les médias, comme toujours, il drapa sa réponse dans son sens du devoir :

— Quelqu'un doit avoir le courage de faire savoir à nos concitoyens que la police de New York agit sans peur ni reproche, dit-il au miroir.

— À votre place, j'éviterais cette formule, monsieur.

— Je la tiens de vous.

— Et moi du *New York Times*.

— Encore mieux, conclut-il.

Heat espérait seulement qu'il imprimerait ne serait-ce que la moitié du topo qu'elle lui avait fait, ainsi que la formule. Elle avait des doutes.

Dix minutes plus tard, Nikki se posta à l'écart tandis qu'Iron Man s'adressait au bouquet de micros installés devant la porte d'entrée du poste.

— Bon après-midi. Je suis le capitaine Wallace Irons, commandant de brigade de la vingtième circonscription.

Il marqua une pause pour laisser aux obturateurs le temps de faire leur œuvre.

— Pour votre information, cela s'écrit : « W-A-L-L-A-C-E » et « I-R-O-N-S ». J'ai une brève déclaration à vous faire, suite à l'enquête menée sur la mort d'un certain Fabian Beauvais...

— Pouvez-vous nous épeler ? demanda la représentante d'une chaîne locale.

— Je vous fournirai tous les détails après ma déclaration, répondit le capitaine, momentanément déstabilisé. Pour l'instant, suite à notre enquête sur la mort de monsieur Beauvais, nous avons procédé à l'arrestation de notre principal suspect.

Bien que tous les reporters fussent déjà au courant, un murmure parcourut la foule, accompagné d'un redoublement de déclics d'appareils photo.

— Je ne discuterai pas des preuves que nous détenons contre lui, mais, vous savez tous parfaitement qui est Keith Gilbert. Je suis ici pour vous assurer personnellement que la police de New York agit sans considération.

Se rendant compte de sa gaffe, il se reprit :

— Pour sa stature, s'entend.

— Cela affectera-t-il la capacité de l'Autorité portuaire à préparer l'arrivée de l'ouragan Sandy ? demanda un pigiste du *Ledger*. N'est-ce pas lui qui s'en occupe ?

— Hum, je poserais plutôt cette question à l'Autorité portuaire.

— Où et quand l'avez-vous arrêté ? lança un reporter de 1010WINS.

— Le directeur a été placé en garde à vue sans incident aujourd'hui à l'issue d'une conférence publique...

Tandis qu'Iron Man détaillait l'arrestation, Heat s'autorisa à se détendre un peu, satisfaite de le voir, comme convenu, limiter ses commentaires aux détails pratiques de l'arrestation et à la procédure, sans révéler de preuves ni autres éléments confidentiels. Une main légère se posa sur son épaule et, lorsqu'elle se retourna, Rook était là. Quelque chose dans son expression la déconcerta.

— Nikki, ne m'en veux pas, d'accord ? lui murmura-t-il à l'oreille.

— T'en vouloir ? Allons...

Le poids qu'il semblait porter sur ses épaules l'inquiéta, mais elle sourit et se laissa aller discrètement contre lui.

— Pourquoi t'en voudrais-je ?

— Parce que j'ai quelque chose à te dire.

Elle se tourna pour lui faire face.

— Vous n'avez pas arrêté le bon, lui murmura Rook à l'oreille.

SEPT

Nikki scruta de nouveau le visage de Rook dans l'attente d'y lire le sourire ou la malice avec laquelle il plissait les yeux lorsqu'il la faisait marcher. Elle n'y vit ni l'un ni l'autre.

— Je suis sérieux, se contenta-t-il d'insister.

Et il en avait l'air.

— Mais ce n'est pas possible. Tu te trompes.

— Je te dis que Gilbert n'est pas le meurtrier.

— Pas ici, dit Heat en remarquant qu'un free-lance de la presse à scandale s'avançait vers eux en essayant de surprendre des bribes de leur conversation.

Elle saisit Rook par la main et le conduisit à l'intérieur du poste ; ils franchirent le couloir commémoratif des héros, puis le vestibule et se retrouvèrent dans le hall, entièrement désert, outre la présence du sergent de service derrière la vitre blindée de l'accueil et l'odeur omniprésente de désinfectant. La rangée de chaises en plastique moulé orange était vide.

Ils prirent place sous le grand panneau Stop, réquisitionné à la circulation, qui marquait la frontière entre l'espace réservé aux visiteurs et l'accès aux policiers.

— Je sais que tu as eu toute la journée pour imaginer un autre scénario, commença-t-elle.

Elle lui tenait toujours la main, et leurs cuisses se touchaient.

— Mais tu as raté des tas de trucs pendant ton absence.

Sans avoir besoin de notes, car elle avait l'aptitude de se représenter visuellement le tableau blanc, ce dont elle se félicitait parfois lorsqu'elle ne le regrettait pas, Nikki récapitula rapidement sa journée, comme elle l'avait déjà plus ou moins fait pour Wally Irons afin d'obtenir son mandat. Puis elle lui lâcha la main pour poser la sienne sur son genou.

— Je te jure, Rook, qu'après avoir vu tout ça, je n'ai pas arrêté de penser que, si tu avais été avec moi, tu aurais aussi bouclé Gilbert.

Surprise qu'il ne l'interrompe pas, mais se contente d'acquiescer comme s'il attendait la fin, elle continua de tout lui raconter jusqu'à la preuve tangible des appels téléphoniques entre Beauvais et Gilbert, qui prétendait ne pas connaître le défunt. Malgré cette chute, Heat n'obtint pas la réaction escomptée.

Rook avait la tête ailleurs. Plongé dans quelque rumination, le regard perdu vers le distributeur à l'autre bout du hall, il n'avait toutefois pas l'air de chercher à se décider sur quel parfum de jus de fruits il allait jeter son dévolu.

— J'ai essayé de t'appeler, dit-elle.

Il revint à elle.

— Ben, en fait, j'étais en totale immersion.

— Que veux-tu dire ?

— Nikki, ne te méprends pas, j'adore t'accompagner dans ton travail, mais il arrive un moment où il faut que je prenne du champ pour redevenir le journaliste que je suis.

Comme elle se surprenait à lui serrer le genou, elle retira sa main. Il n'eut pas l'air de le remarquer.

— Je suis officiellement en mission sur ce sujet, tu sais. C'est capital pour moi, alors, je dois protéger mes arrières. Quand je te suis, ça me profite, bien sûr. J'en tire une tonne d'observations et ça me donne un sacré aperçu. Mais je risque d'y perdre mon objectivité. Et, si ça arrivait, je ne serais plus journaliste. J'ai besoin de garder mon indépendance de vue.

Que se passait-il ? se demanda-t-elle. Rook avait beau s'exprimer posément sur toute cette affaire, ce qu'il disait – au sujet de l'indépendance et du recul – avait pour effet de semer le trouble au plus profond de son être, un sentiment qui ne cessait de croître à chacune de ses phrases. Plus à l'aise ou du moins en sécurité avec les faits, Nikki aiguilla la conversation sur une autre voie :

— D'accord. La solitude de l'écrivain. Je t'ai vu au travail, je comprends. Mais qu'est-ce qui a bien pu te passer par la tête pour que tu penses que je me trompe dans cette affaire ?

— Quand tu dis « passer par la tête », j'ai l'impression que tu me prends pour, je ne sais pas, un taré de la théorie du complot.

Certes, elle s'efforçait d'éviter la dispute, mais ça, ça méritait une réponse.

— Allons, Rook, tu veux que je te dresse la liste de toutes les suppositions à la noix qui te sont déjà passées par la tête ?

— C'est simplement pour te sortir de ton cadre habituel. Pour te stimuler et t'inciter à envisager les choses sous un autre angle. Je ne t'ai quand même pas parlé de Roswell.

— L'autre jour au planétarium, tu suggérais que le corps de l'inconnu était tombé de l'espace. Le lendemain, tu me parlais de vaudou.

— Bon, on ne va quand même pas tomber dans l'anecdotique. Là, c'est différent. J'ai du solide, des faits plutôt révélateurs, si tu veux bien les entendre.

— Évidemment. J'en serais ravie.

Non, elle ne l'était pas. Elle aurait voulu partir en courant. N'importe où pour ne pas vivre ce moment.

Il sortit un calepin de sa veste de sport. Elle ne put s'empêcher de remarquer qu'il avait troqué son habituel Moleskine noir pour un Rhodia orange vif venant de France.

Une *différence*[1] de plus à digérer. Sans réfléchir, elle prit la décision de jeter le Clairefontaine dont il lui avait fait cadeau.

— Commençons par l'abattoir, proposa-t-il. Les gens

---

1. En français dans le texte.

comme Fabian Beauvais ne se pointent pas comme ça, sans crier gare, pour égorger des poulets.

— Non, tu as raison, je suis sûre que ça fonctionne par le bouche-à-oreille dans sa communauté.

— J'en conviens. Mais il y a aussi le parrainage. De quoi un immigrant a-t-il besoin, surtout s'il est clandestin ? De quelqu'un pour le guider dans le labyrinthe. Pour la paperasserie, le logement, le boulot. Et discrètement. Sans faire de vagues.

Il ouvrit le calepin à l'une des premières pages.

— Autrement dit, un avocat. Attention, on ne parle pas d'un ténor du barreau. Ni même de ces types qu'on voit sur les pubs des bus pour les cas de dommages corporels. Ce sont des parasites, c'est sûr, mais ils jouent leur rôle en venant en aide aux marginaux.

Dehors, l'agitation des reporters qui rivalisaient pour obtenir la parole détourna son attention vers la fenêtre. La conférence de presse tirait à sa fin.

— Tu comptes me faire un cours d'éducation civique ?

— J'en viens au but. Cette fameuse coïncidence que le gérant de l'abattoir a mise en évidence et qui nous a dirigés vers les Hamptons ne m'a jamais totalement convaincu.

— Pourquoi ? C'est pourtant ce qui s'est passé.

Rook poursuivit sans relever :

— Alors, j'ai procédé à quelques recherches. Pour les recommandations de ses employés, notre ami Jerry, le gérant de l'usine de poulets, a un arrangement qui ressemble plutôt à un système de pots-de-vin avec un avocat du nom de Reese Cristóbal. Tu te souviens que Fabian Beauvais s'était fait arrêter pour s'être introduit sans autorisation dans une propriété privée ? Je te laisse deviner quel avocat s'est chargé de sa défense. Reese Cristóbal. J'ai deviné pour toi.

— Tout ça est très bien, mais…

— Reese Cristóbal ne chôme pas. Il a de forts liens avec la communauté d'immigrants clandestins… Le soir où Fabian Beauvais s'est fait arrêter pour son plongeon dans les poubelles, deux autres types se sont fait serrer en même temps. Aussi des immigrants. Aussi représentés par notre spécialiste.

— Ce qui ne lui rapporte que s'il cumule ce genre d'affaires, dit-elle.

— Certes. Mais c'était une première dans le cas de Fabian. J'ai découvert que ses deux acolytes avaient des casiers bien plus intéressants.

Nikki inclina la tête.

— Comment as-tu obtenu ces informations ?

Rook sourit de toutes ses dents.

— Je t'en prie. Faut-il que je brode mes Pulitzer sur moi pour prouver mes qualités de journaliste d'investigation ?

S'en voulant déjà de ne pas s'être renseignée sur les compagnons d'infortune de Beauvais, Heat le pressa de continuer. Il se référa de nouveau à ses notes.

— Notre « bachelor » numéro 1, Fidel dit « FiFi » Figueroa a échappé à une condamnation pour trouble à l'ordre public pour avoir lancé une bombe puante dans la foule. Oh ! tu sais où ? À Washington Square. Lors d'un meeting pour la campagne de Keith Gilbert.

— Continue, dit-elle.

— Ah ! le doux son de ta voix, lorsque tu m'accordes ta pleine attention. Notre « bachelor » numéro 2, Charley Tosh, s'est fait arrêter pour cambriolage et vandalisme. À savoir : au milieu de la nuit, il a pénétré par effraction dans une devanture qu'il a totalement détruite, au carrefour de la 63ᵉ Rue et de Lexington. Le QG de campagne de Keith Gilbert. Tu me suis ? À ton expression, je dirais que oui. Et tu sais pourquoi ? Ce n'était pas un hasard. Ils étaient payés pour leurs bêtises par un comité d'action politique très actif. Ce CAP a un nom des plus anodins. Il est enregistré sous le sigle CBP. Tu veux savoir ce que « CBP » veut dire ? Comité pour bloquer le PATHologique.

Il leva les yeux de ses notes.

— Je n'y suis pour rien, ces conseillers politiques sont parfois très caustiques. Tu as déjà entendu Bill Maher ?

La curiosité l'emporta.

— « PATH », tu veux dire le réseau ferré qui traverse l'Hudson et qui dépend de l'Autorité portuaire ? s'enquit Heat.

— Tout à fait, mais il ne s'agit pas du métro. Le PATHo-logique en question serait un certain directeur désireux de se présenter aux élections sénatoriales.

— Et alors ? Ces deux gus ont fait un sale boulot pour un CAP au nom douteux…

— … contre la campagne de Keith Gilbert, surtout.

— Mais ce n'était pas Beauvais. Lui, il n'a fait que fouiller dans les poubelles.

— Avec lesdits gus. Or, qui se couche avec les chiens se lève avec des puces. Et, si tu veux mon avis, la mise à sac du QG de campagne de Gilbert rappelle beaucoup ce qui s'est passé dans la West End Avenue. Sauf que...

— Sauf que quoi ?

— Eh bien, au bureau de campagne, quelqu'un a déféqué sur le bureau du président.

Elle fit la grimace.

— Tu as lu le rapport de police ?

— Non, c'est le porte-parole de Keith Gilbert qui m'en a parlé aujourd'hui.

— Attends voir. Tu as parlé à l'attaché de presse de Gilbert ?

Rook haussa les épaules, l'air de dire qu'il n'y avait pas de quoi en faire un plat.

— J'ai connu Dennis à l'époque où il était doyen de l'école de journalisme à l'Université d'Hudson. On s'est vus cet après-midi. C'est pour ça que j'avais éteint mon téléphone.

— Rook. Je n'arrive pas à le croire. Tu as parlé à un membre de l'équipe de mon principal suspect ? De cette affaire ?

— En effet. C'est ce qui s'appelle entendre les deux versions.

— Que lui as-tu dit au sujet de l'affaire ? Parce que, ça va revenir droit aux oreilles de Gilbert et de sa *dream team*.

— On ne va quand même pas se laisser gagner par la parano ?

— Non, mais par l'agacement.

Les jambes coupées, Nikki le fixait d'un regard tellement indigné qu'il en fut troublé.

Il se mit à feuilleter fébrilement son calepin.

— Comme je sens une certaine résistance, laisse-moi terminer.

Il arriva à une page cornée.

— Tu te souviens de ces ouvriers, à l'abattoir, qui se sont faufilés par-derrière, manifestement par crainte de la police ?

— Évidemment.

— Eh bien, j'y suis retourné aujourd'hui et je me suis fait quelques amis dans la ruelle.

— Tu les as payés ?

— Je t'en prie. Ce serait insultant. J'ai distribué des coupons-repas de chez Dunkin' Donuts. Et ça a en valait la peine, parce qu'une femme s'est livrée à moi.

Il tapota un nom dans son carnet.

— Hattie Pate. Elle était amie avec Fabian Beauvais. J'imagine que tuer des poulets par centaines, ça crée des liens. Bref, Hattie a dit que Fabby est arrivé un jour tout paniqué. Elle lui a demandé ce qui n'allait pas et il lui a dit qu'on cherchait à le tuer.

Il marqua une pause.

— Tu veux que je répète ?

— Continue.

— Beauvais a dit à Hattie qu'il travaillait en free-lance pour une bande de types. Une sorte de réseau organisé de vol de DAB. Brusquement, ils se sont retournés contre lui et ont menacé, je cite, « de le foutre en l'air et de l'éliminer ». Comme ils savaient où il habitait, Hattie lui a indiqué le motel miteux où on a retrouvé ses dix mille dollars. Tiens, tiens, serait-il possible qu'ils en aient eu après son argent ?

Il la regarda fixement, puis hocha la tête et sourit tandis qu'elle digérait l'information.

— Je le redis : vous vous êtes trompés de gars.

Elle était tellement plongée dans ses pensées à ruminer ce que Rook venait de lui raconter, ainsi que ses indiscrétions à la presse, qu'elle n'avait pas remarqué que la conférence de presse était terminée et que Wally Irons se tenait maintenant à quelques mètres.

— Que se passe-t-il ?

— Rien, répondit Nikki pour devancer Rook. Je le mettais juste au courant de l'affaire.

Le capitaine ne sembla pas totalement convaincu, mais, comme son mobile s'animait, il s'enfonça plus loin à l'intérieur du poste.

Une fois Irons parti, Heat se tourna dans son horrible siège moulé pour faire face à Rook.

— Je t'accorde que tu soulèves de nombreux points intéressants. Mais je ne vois rien qui change les charges que j'ai contre Gilbert.

— Parce qu'une menace de mort, ce n'est rien pour toi ?

— Non, et tu sais très bien que je vérifierai.

Elle caressa son calepin.

— Pour ça, je veux d'ailleurs les coordonnées de Hattie. Mais, pour l'instant, ce ne sont que des ouï-dire et ça ne remet pas en cause la preuve que j'ai contre Gilbert.

— Fais comme moi et prends un peu de recul, Nikki. Tu appelles ça une preuve ?

— Tu parles !

— Parce que, si je remets en contexte tout ce que tu as...

Nikki fut frappée par le fait que, jusqu'au matin où il avait été pris de court par la nouvelle concernant l'unité opérationnelle, Rook aurait dit « on a » et non « tu as ». Des deux mains, il mima un carré dans les airs entre eux.

— Je pourrais tout recadrer dans un scénario montrant que le seul lien entre Gilbert et Beauvais a été de faire face à une campagne de harcèlement politique.

— Ouah ! Rook, tu ferais un excellent attaché de presse pour Keith Gilbert ! s'exclama-t-elle sans masquer son sarcasme. Tu inverses les rôles pour faire passer ce pauvre directeur pour la victime.

— Il n'est peut-être pas une victime, mais on s'en est clairement pris à lui.

— Alors, explique-moi un peu pourquoi Gilbert niait connaître Beauvais ?

— Qui sait ? Peut-être cela n'avait-il rien à voir avec le meurtre. Ou peut-être en avait-il assez de se faire harceler par l'Haïtien. Peut-être que Beauvais allait dévoiler l'existence de sa maîtresse. Ou Keith et Alicia ont eu un enfant adultérin – comme c'est arrivé au démocrate John Edwards. Alors, Gilbert le menace…, lui tire dessus dans le feu de l'action, juste pour le faire taire…, et le gang des DAB le supprime parce qu'il leur a dérobé dix mille dollars. Moi, ça me rendrait circonspect, c'est sûr.

Il ferma son calepin et s'en frappa la paume à plusieurs reprises tout en retournant une idée dans sa tête.

— Je crois qu'il va falloir regarder de plus près ces deux brutes du motel. Tu sais, ce n'est pas parce que Beauvais s'est fait tuer qu'il n'avait rien à se reprocher.

Remarque pertinente. Nikki se prenait souvent à tomber dans le piège, assez naturel, de sanctifier les victimes de meurtre.

— Tout ce que je dis, c'est qu'il faut prendre un peu de distance. Peut-être que les choses ne sont pas comme elles en ont l'air. Il n'est pas impossible que Keith Gilbert n'ait rien à voir avec la mort de Fabian Beauvais. Il était peut-être simplement dans son orbite.

Au lieu de s'ouvrir à ces possibilités, Nikki s'assombrit. Elle s'était accoutumée aux hypothèses conspirationnistes de Rook, qu'elle trouvait même divertissantes, admettait-elle du bout des lèvres ; c'était comme écouter du pop-corn sauter dans sa cervelle.

Cependant, cette fois, il était passé à un autre registre. Ses affirmations remettaient en cause toute son enquête. Et ce n'était pas drôle du tout.

L'inspecteur Feller l'attendait au bout du fil lorsqu'ils arrivèrent dans la salle de briefing.

Tandis qu'elle prenait l'appel, Rook déposa sa sacoche sur son bureau d'emprunt et se dirigea discrètement vers le tableau blanc pour se mettre à jour.

— Vous savez pourquoi cette affaire est pour moi ? lança Feller, qui faisait son rapport sur sa visite du parc automobile de l'Autorité portuaire à Jersey City. Des ponts, des tunnels et encore des ponts et des tunnels. Oh ! et encore des tunnels.

— Je vais sortir mes kleenex ! J'ai deux douzaines de messages téléphoniques de reporters qui m'attendent. Ils veulent tous faire de moi leur source confidentielle et anonyme sur l'arrestation de Gilbert.

— Moi, je les mettrais tous en conférence les uns avec les autres et je reculerais pour admirer les éclairs qui surgiraient du téléphone.

— Vous avez terminé ? s'enquit-elle.

— Quasiment. J'ai quelques surprises ici. L'immatriculation n'a rien donné. Personne n'a sorti cette Impala depuis un mois, d'après l'ordinateur.

— Comment est-ce possible ?

— Parce que – tenez-vous bien – la voiture a été volée.

— Quand ?

— Justement, c'est ça le plus étrange. Ça vient d'être découvert et signalé aujourd'hui.

Nikki raccrocha, se glissa près de Rook et déboucha un marqueur pour inscrire le vol de l'Impala.

— Tu es tendue ? demanda-t-il lorsqu'elle eut terminé.

— Non, pourquoi ?

— Tu ne ferais pas crisser davantage ton marqueur ? Ou c'est dans mon imagination ?

— Possible, dit-elle. Dieu sait si elle est fertile.

Avant que Rook ne puisse répondre, Wally Irons se pencha par la porte de son bureau.

— Inspecteur ? Les avocats de Gilbert sont avec lui dans la salle d'interrogation. Tout le monde est prêt.

Heat pénétra seule dans l'arène. Le capitaine Irons, qu'elle avait invité par respect du protocole, était bien trop lâche, Dieu merci, pour assister à l'interrogatoire. Rook, qui s'attendait au contraire à y prendre part, apprit la mauvaise nouvelle de sa bouche devant la porte de la salle. Compte tenu de l'enjeu et de l'envergure de l'affaire, l'enquêtrice ne pouvait se permettre la moindre erreur. Au sommet de la liste des faux pas figurait la participation d'un reporter à l'interrogatoire officiel d'un représentant de l'État sous l'œil vigilant de sa *dream team*, une bande de stars du barreau opportunistes, dans le cadre d'une affaire de meurtre.

La première chose qu'elle remarqua fut le sourire de Keith Gilbert. Loin d'avoir l'air d'un homme auquel on venait de retirer sa cravate, sa ceinture et ses lacets, il donnait l'impression d'être parfaitement détendu, presque avenant.

Nikki prit position sur la chaise libre, dos au miroir sans tain. En face d'elle, de l'autre côté de la table, flanqué par son trio en costume, Keith Gilbert avait plus l'air d'un gros investisseur de l'émission *Shark Tank* que d'un suspect. L'inspecteur Heat décida qu'elle allait changer cela.

— Keith Gilbert, pour votre information, ceci est un interrogatoire officiel. Tout comme vous avez été informé au moment de votre arrestation que tout ce que vous pourrez dire pourrait être utilisé contre vous, sachez qu'au cours de cet entretien, vous êtes mis en examen...

Nikki poursuivit sa récitation, non seulement pour parer à tout vice de procédure, mais aussi afin de s'imposer en maître. Compte tenu de la présence de cette élite de pénalistes, elle savait, en entrant, que les chances étaient minces qu'elle obtienne la moindre preuve accablante... Pas d'aveux, en tout cas.

Mais elle gardait l'espoir qu'il laisse échapper un petit rien par faute d'inattention, qu'une de ses réponses contredise une déclaration préalable ou qu'il en surgisse un nouvel élément utile. Parfois, les plus grandes condamnations tenaient aux choses les plus ténues.

Frederic Lohman, associé fondateur du cabinet Lohman & Barkley, agitait dans les airs ses mains arthritiques comme pour chasser les moustiques.

— Inspecteur, dit-il de sa célèbre voix placide proche du murmure, je crois que je nous ferai gagner à tous un peu de temps en stipulant qu'on a bien lu ses droits à mon client et que son droit à une défense a correctement été satisfait.

Le vieil avocat laissa échapper un petit rire rauque auquel se joignit son côté de la table, y compris Gilbert, qui parvenait, on ne sait comment, à paraître toujours aussi bronzé et en forme alors que tout le monde avait l'air malade sous les néons blafards.

— Nous nous en économiserons davantage en vous informant, avec tout le respect que nous vous devons, que monsieur Gilbert ne fera aucune déclaration, ni ne répondra à aucune question.

Le message tout en retenue de Nikki n'échappa à personne.

— Et, avec tout le respect que je vous dois également, maître, soyez assuré que je vous ferai savoir si nous épargner du temps devient la priorité de cet entretien. En attendant, son principal objet étant d'obtenir des réponses à certaines questions, je vais interroger votre client sur son rôle dans un meurtre. Vous ferez comme il vous plaira, mais ce n'est pas à vous de me dicter ma conduite.

Fort d'une expérience de plus d'un quart de siècle, l'avocat prit la rebuffade comme à son habitude dans ce contexte. Il prétendit ne rien avoir entendu et se contenta de patienter en affichant une expression neutre.

Heat ouvrit son dossier et se lança. Déterminée à revenir sur le moindre détail, elle commença par le début : elle brandit la photo de Fabian Beauvais et demanda au directeur s'il le connaissait.

— La question a déjà été posée, et on y a répondu, déclara Lohman.

Ensuite, elle montra les portraits-robots des deux hommes qui avaient fui chez Beauvais.

— La question a déjà été posée, et on y a répondu.

Ce petit jeu se poursuivit encore quelques minutes, jusqu'à ce que Keith Gilbert se mette à gigoter sur sa chaise.

— Vous voyez l'idée, inspecteur ?

Lohman lui posa une main d'épouvantail sur la manche pour le mettre en garde, en vain.

— À quoi ça rime ?

— À rassembler les faits. Et vous donner une chance de coopérer…

— Je ne fais que ça…

D'un geste vif, Gilbert libéra son bras. Pour le plus grand plaisir de Nikki, qui espérait que sa frustration le conduise à une faute d'inattention.

— Dites-moi quand je n'ai pas coopéré, hein ?

Heat saisit la perche.

— C'est de la coopération, pour vous, de faire disparaître des preuves, de faire entrave à une enquête ?

— Comment cela ?

— Keith, intervint Lohman.

— Non, je veux l'entendre.

Il fléchit la tête d'un côté, puis de l'autre en faisant craquer ses cervicales.

— En tant que directeur, j'ai juré de faire respecter les lois de ce pays ; alors, j'aimerais savoir en quoi j'ai pu faire obstruction.

— Voyons voir. Un véhicule immatriculé au nom de l'Autorité portuaire, une Chevrolet Impala, a été utilisée par deux personnes dans cette affaire.

— On va s'en tenir là, dit l'avocat. Tout cela est bien joli, mais vous oubliez que la victime n'a pas été tuée par une Impala, inspecteur Heat.

Content de lui, il sourit à l'adresse de ses collègues.

— Il me semble qu'il a été jeté d'un avion alors que mon client se trouvait à trente kilomètres de là, à Fort Lee, dans le New Jersey. Alors, en quoi est-ce notre problème ?

— Je continue, monsieur le directeur, dit-elle en évinçant

ostensiblement Lohman. Ce matin, j'ai mentionné l'utilisation de ce véhicule devant vous. Quatre heures plus tard... Oh ! surprise... L'Impala en question a non seulement disparu de votre parc automobile, mais il se trouve qu'un de vos employés remarque – cet après-midi – qu'elle a été volée il y a un mois. J'aimerais qu'on m'explique en quoi cette formidable coïncidence ne relève en rien de l'obstruction.

Frederic Lohman eut une quinte de toux effroyable.

— Mon client n'a pas à échafauder de théorie à partir de vos spéculations, déclara-t-il ensuite.

— Non, Freddie, je veux répondre. C'est ma réputation qui est en jeu.

Sans tenir compte du hochement de tête de son avocat destiné à l'en empêcher, Gilbert continua.

— Je n'ai jamais eu directement affaire aux services techniques. Tout ce que je sais, c'est qu'ils gèrent un grand nombre de véhicules. À mon avis, le vol de l'Impala a sans doute seulement été découvert au moment de l'inventaire en vue des préparatifs pour Sandy. Ça a plus à voir avec l'ouragan qu'avec moi, je vous l'assure.

— Comme vous m'assurez que vous ne connaissez pas Fabian Beauvais ?

Lohman cogna sur la table comme sur une porte, une première dans l'expérience que Nikki avait en salle d'interrogatoire.

— D'accord, je vais fortement conseiller à mon client d'exercer son droit au silence ! lança-t-il avec un regard noir en direction de Gilbert. Par ailleurs, vos insinuations, inspecteur, ne seront pas plus crédibles à force de répétition. À dire vrai, je pense que nous serons sortis d'ici très vite, compte tenu de la requête que nous avons déposée, car de nouvelles preuves soulèvent de sérieux doutes sur le fond de votre affaire.

Nikki ne savait pas exactement à quoi Lohman faisait allusion, mais l'assurance et la décontraction dont il faisait étalage déclenchèrent sa sonnette d'alarme intérieure. Il tenait quelque chose. Mais quoi ?

— Je ne vois pas très bien ce que vous entendez par « nouvelles preuves », dit-elle pour tester l'eau, mais si vous avez engagé un privé, il vous faudra attendre le procès pour faire valoir les résultats de son enquête.

— Vous croyez ? Alors que le défunt s'est vu spécifiquement menacé de mort, et de manière crédible, par quelqu'un d'autre que mon client ? À savoir : un gang de voleurs spécialisé dans la carte bancaire et les DAB, des gens qui disposaient d'un mobile, des moyens et de l'occasion de le faire ?

La sonnette d'alarme retentit plus fort. Frederic Lohman haussa un sourcil en bataille.

— Vous n'êtes pas au courant ? Voilà qui me surprend, inspecteur. Votre, euh..., disons, ami..., Jameson Rook, respectable journaliste d'investigation, a découvert suffisamment de preuves pour que je puisse déposer une requête en vue de la remise en liberté sans caution de mon client. J'imagine que nous ne devrions pas tarder à en entendre parler, car la présence de monsieur Gilbert est capitale aux préparatifs en vue de la catastrophe naturelle qui menace nos côtes.

Rook ? Que diable avait-il bien pu dire à l'attaché de presse de Keith Gilbert ? À combien d'autres personnes avait-il parlé de l'affaire ? Son cerveau bouillonnait.

Elle qui pensait déstabiliser son suspect pendant cet interrogatoire, voilà que c'était elle qui était ébranlée. Tandis que Nikki s'efforçait de rassembler ses esprits, l'avocat continua sur le même ton détaché et monocorde.

— Bon, la remise en liberté sans caution n'est qu'un début. On va tout mettre en œuvre pour obtenir un non-lieu sur la base de ces nouveaux faits. Évidemment, c'est une autre paire de manches, mais le jeu en vaut la chandelle. On a tous l'habitude de prendre des risques, n'est-ce pas, inspecteur Heat ?

Le téléphone de Nikki sonna sur le dossier posé à côté d'elle. C'était le bureau du procureur, lui annonça l'écran. De l'autre côté de la table, ils souriaient tous. La pièce s'était véritablement transformée en bassin à requins. Et il sembla à Nikki que le niveau de l'eau montait.

Quelques minutes plus tard, Heat assistait derrière la vitre au départ de Keith Gilbert. Pas pour la prison de Rikers Island, mais, comme son fossile d'avocat ne cessait de le clamer, pour tenir le rôle indispensable qu'il avait à remplir à l'approche de la situation de crise qui se préparait.

Derrière elle, Rook regardait le magnat du transport maritime rattacher sa montre de sport.

— Je te jure, Nikki, que je n'ai rien dit à personne, affirma-t-il.

— Drôle de coïncidence, tu ne trouves pas ? répondit-elle sans se retourner ni même élever la voix.

— Écoute, je sais de quoi ça a l'air. Surtout que tu étais déjà remontée que j'aie rencontré l'attaché de presse de Gilbert.

— Aujourd'hui.

— Allons, fais-moi un peu confiance. Je ne vais quand même pas aller divulguer les tenants d'une affaire à un proche du suspect.

— Ils tiennent bien l'info de quelque part. Et ils ont laissé entendre que ça venait de toi. Non, c'est ce qu'ils ont dit, même.

— Ils mentent.

Au regard qu'il lui adressa, elle comprit qu'il avait eu un déclic.

— Ou alors, ils ont une source à l'intérieur. Peut-être une taupe au *First Press*. Je parie que c'est ça.

Wally Irons les interrompit en se joignant à eux derrière la vitre. Il secouait la tête.

— Quelle parodie ! Me faire ça alors que je viens de m'exposer en public... Je passe pour quoi, moi ?

— Personne ne regrette plus que moi ce qui vient de se passer, monsieur, mais ce n'est qu'un contretemps, assura Heat. Ce n'est qu'une remise en liberté. L'affaire tient toujours.

— Ah oui ? Il vaudrait peut-être mieux commencer à colmater les fuites, dans ce cas. Et commencer par prier votre petit ami de quitter les lieux.

Sur ce, le capitaine se déroba en battant en retraite vers son bureau.

— Je rêve ou il vient juste de me chasser ?

Heat assista à un rapide échange de poignées de main entre Gilbert et sa *dream team* qui prenait congé en paradant. Puis elle se tourna vers Rook :

— C'est peut-être mieux pour toutes les parties concernées.

— Quoi ?

Il tourna brusquement la tête.

— J'ai bien entendu ?

— Ce sont les ordres, Rook.

— Mais je n'y peux rien. Surtout maintenant que c'est fait.

— Justement, tu en as assez fait comme ça.

— Nikki, tu ne veux quand même pas dire que tu ne me crois pas ?

Aussi furieuse et découragée fût-elle, Heat savait qu'il valait mieux ne pas se lancer sur ce terrain.

— Je dis que mon supérieur m'a demandé de faire en sorte que tu partes. Pour le reste, on verra plus tard.

Il lui adressa un regard peiné. La déception, semblait-il, était un sport collectif.

La première personne que Heat rappela lorsqu'elle revint à son bureau fut son amie légiste.

— La mauvaise nouvelle d'abord, annonça la légiste. La scientifique ne parvient pas à trouver d'où proviennent les morsures sur le pantalon de Beauvais ; ni la race du chien ni l'animal en particulier. Malgré tous leurs efforts, ils n'ont trouvé trace ni de poil ni d'ADN. En revanche, j'ai demandé au labo d'examiner les marques sur les poignets de Jeanne Capois. Ils correspondent en tous points aux attaches autobloquantes trouvées près du planétarium après la chute de Fabian Beauvais. Sinon, poursuivit Lauren Parry, sous les ongles de main de la victime, on a trouvé des résidus de peau appartenant à son ou ses agresseurs, qu'elle a griffés pour se défendre. Tout est parti au labo pour les recherches ADN.

— Espérons, dit Nikki.

Si Lauren avait conservé un ton très clinique pour parler de ces résidus, l'enquêtrice avait du mal à rester détachée, car elle n'imaginait que trop bien la jeune femme en train de lutter, en vain, pendant qu'on la traînait brutalement derrière les poubelles.

— On a aussi trouvé de curieuses fibres.

Nikki griffonna dans son calepin tandis que le Dr Parry continuait :

— Sous les ongles et coincées dans le fermoir de sa montre, la scientifique a trouvé des fibres noires : un mélange de nylon anti-déchirures et d'élasthanne. Ça signifie qu'on a affaire à un genre de tissu utilisé pour les uniformes de police, Nikki. Et plus particulièrement des groupes tactiques.

— Tu penses à l'unité des services d'urgence ou au SWAT ?

— Aucune conclusion, pour l'instant, évidemment. On va d'abord procéder à d'autres analyses. C'était juste pour te tenir au courant.

Avec ce bref coup de téléphone, une nouvelle pièce du puzzle avait surgi, mais elle ne s'insérait nulle part. Pourquoi l'agresseur de Jeanne Capois portait-il un uniforme de policier tactique ? Cela avait-il un rapport avec elle ou son petit ami, Fabian Beauvais ? Les deux ? Les deux types que Nikki avait pourchassés avaient bien une allure militaire. Mais quel lien pouvait-il y avoir avec Keith Gilbert, outre l'utilisation de la voiture de l'Autorité portuaire ?

Plus les informations se multipliaient, plus les choses s'embrouillaient, semblait-il. Quoi qu'il en soit, Nikki en était sûre, cela allait bien plus loin qu'un type tombé d'un avion, un cas pourtant déjà compliqué.

Dans quel contexte ces éléments s'inscrivaient-ils ? Heat l'ignorait encore, mais, comme dirait Rook, il y avait forcément une histoire derrière tout cela. Il suffisait de la découvrir pour découvrir le meurtrier.

Elle décida de s'atteler à résoudre certaines parties du casse-tête.

Reese Cristóbal, le fameux avocat mentionné par Rook, possédait un bureau dans la 38e Rue Ouest, près des écuries des calèches de New York, un quartier qui ne figurait pas exactement parmi les incontournables du circuit touristique. Heat trouva une place de stationnement et présenta sa plaque au réceptionniste, dans le minuscule réduit à la vitrine fêlée qui donnait sur la rue.

Après avoir serré sa main moite, elle sut qu'elle sentirait l'eau de Cologne poivrée de l'avocat le restant de la journée. Cristóbal portait une chemise rose à manches courtes avec une cravate assortie, probablement vendues ensemble.

Il retourna à sa place, derrière la pile de papiers posée sur son bureau en désordre. Nikki s'installa sur l'unique chaise réservée aux visiteurs et s'efforça de ne pas fixer du regard ses implants capillaires.

— J'essaie de joindre des clients à vous. Fidel Figueroa et Charley Tosh.

Comme il ne réagissait pas, elle continua :

— Je peux attendre, si vous avez besoin de consulter vos dossiers.

— Rectification, inspecteur : anciens clients. Et nul besoin de consulter mes dossiers parce que je me souviens très bien d'eux. Ils ont disparu de la circulation. Je n'ai pas la moindre idée d'où ils sont allés et je m'en fiche éperdument.

— Eh bien ! Vous avez une sacrée mémoire.

Ses yeux se posèrent sur les fameux implants qui lui bordaient le front.

— Je ne m'occupe guère d'affaires criminelles. La plupart du temps, j'assiste les masses en transition. Problèmes avec les bailleurs, papiers d'identité, immigration et bla-bla-bla et bla-bla-bla. Mais, en cas de coup dur, je viens en aide à mes clients. Ces deux-là, Tosh et Figueroa, ont un peu abusé. Je les ai sortis du pétrin pour m'apercevoir juste après que ce n'était qu'une arnaque. Ils avaient été payés par des crétins d'un co-mité politique pour semer la pagaille. Comme si j'avais besoin de ce genre d'ennuis !

— Je ne comprends pas. Quel genre d'ennuis ?

— Ça ne m'intéresse pas d'aider des crétins de sans-pa-piers à venir jeter des pierres chez nous à un futur sénateur.

— Vous parlez de Keith Gilbert ?

— Nul autre.

La conversation prenait le tour qu'elle avait souhaité. In-triguée par la réaction de protection de l'avocat à l'égard du candidat, elle resta sur la voie du comité anti-Gilbert.

— Vous soutenez Gilbert ?

— C'est lui qui va l'emporter. Alors, vous pensez bien.

— Êtes-vous impliqué dans sa campagne ?

— Non.

— Vous le connaissez ? L'avez-vous déjà rencontré ?

— Euh... Laissez-moi réfléchir.

Il fit mine d'étudier son plafond taché par de multiples dé-gâts des eaux.

— Non.

— C'est curieux que vous vous souveniez de Figueroa et de Tosh, mais pas de votre candidat préféré.

— Curieux ?

Il haussa les épaules.

— J'ai juste eu besoin de réfléchir, c'est tout.

Ce n'étaient pas les écuries que Heat sentait, mais le men-songe. Elle s'occuperait de cela plus tard. Pour l'instant, elle avait autre chose en tête.

— Vous souvenez-vous également d'un nommé Fabian Beauvais ?

Comme il fronçait les sourcils, elle lui montra la photo.

— Ah oui, bien sûr. Délit d'intrusion. Il s'est fait prendre avec les deux autres. Mais il n'était pas « avec eux ». Un bon petit. Vif. Mais ça peut vous jouer des tours quand on refuse de regarder sa réalité en face.

— Il n'aurait pas su garder sa place, d'après vous ?

— Dans la vie, l'habit fait souvent le moine… Il faut bien se rendre à l'évidence… Pourquoi vous renseignez-vous à son sujet ?

— Il a été assassiné.

— Hmm, pas de chance. Je ne le connaissais pas. Avant son arrestation, je veux dire.

Elle flaira une autre esquive.

— Vous ne lui avez pas trouvé un emploi ?

Nikki attendit avant de relancer :

— À l'abattoir de poulets ?

— Euh, je ne sais plus. Il faudrait que je consulte mes dossiers, mais je serai ravi de vous aider.

L'avocat se leva.

— Écoutez, je suis en retard : on m'attend dans le Bronx. Ne pourrions-nous pas voir ça un autre jour ? Vous pourriez peut-être prendre rendez-vous.

Prétexte ou non, elle n'y pouvait rien. Après maintes excuses et au revoir, il lui appliqua une nouvelle dose d'eau de Cologne dans la main et se précipita vers la sortie.

Une fois sur le trottoir, Heat le suivit du regard tandis qu'il se hâtait vers son 4 x 4 Mercedes classe G gris métallisé. Pour un simple spécialiste en droit des étrangers, Reese Cristóbal gagnait bien sa vie, songea-t-elle.

De retour au poste de la vingtième circonscription, l'enquêtrice apprit que Feller venait de rentrer du New Jersey. Elle put donc réunir toute la brigade pour un dernier topo. Elle abrégea la remise en liberté de Gilbert et éluda le fait que le capitaine avait banni Rook du poste. Comme la rumeur avait fait son œuvre, son équipe eut la compassion – ou le bon sens – de ne pas commenter.

— Je ne suggère pas que les tueurs sont des policiers, déclara-t-elle après avoir relaté la nouvelle concernant les fibres découvertes par l'institut médicolégal et le labo. Ce pourrait être des agents de sécurité, des vigiles ou de simples fanas des surplus militaires. Inspecteur Rhymer, j'aimerais que vous soumettiez les portraits-robots de nos deux gorilles dans les boutiques de ce genre. Je sais qu'on a pu acheter ces vêtements sur Internet, mais autant commencer par la rue.

— Et la police portuaire ? demanda Feller.

— Bien vu. Puisque vous commencez à bien maîtriser le sujet, pourquoi ne pas vous y faire des amis et voir si Beauvais et Capois figurent dans leurs fichiers. Arrestations, amendes, plaintes contre la police, bref, n'importe quoi. Les Gars, du nouveau sur les virées en métro à Chelsea ?

— Absolument, confirma Raley. La seconde fois qu'on a fouillé le sac de Jeanne Capois, on a trouvé quelque chose au dos d'un reçu de courses dans son portefeuille. Une adresse à Chelsea, dans la 16e Rue Ouest.

— Un appartement situé non loin de la station de métro, ajouta Ochoa.

— Et, ironie du sort, du terminal domestique de l'Autorité portuaire. Pas la peine de s'exciter, il n'appartient plus à l'autorité, mais à Google. J'ai fait une recherche dans Google…, abyssale mise en abyme de l'ironie du sort.

— Si vous nous donniez cette adresse, Raley, avant que vous ne vous fassiez happer dans une autre dimension temporelle ? Je lui rendrai visite en rentrant. J'aimerais qu'avec Ochoa, vous alliez interroger Hattie Pate, l'amie de Beauvais, à l'adresse qu'a laissée Rook.

Avant de les lâcher pour la soirée, elle exprima ce qui les turlupinait tous :

— Inutile de vous dire que cette affaire est loin d'être validée. Je n'irai pas jusqu'à dire qu'elle est en péril, mais on ne peut pas se contenter de ce qu'on a là.

Elle indiqua le tableau blanc par-dessus son épaule.

— Reprenons depuis le départ pour voir ce qu'on peut obtenir de plus.

— Plus haut, plus loin, plus vite, fit Rhymer.

Ochoa fit non de la tête.

— Arrête. S'il te plaît.

Après avoir donné l'adresse de Chelsea au chauffeur de taxi, Nikki s'installa à l'arrière, écrasée par le poids de cette journée déprimante et de ses propres pensées moroses. Certes, le soudain revirement de l'affaire et ses répercussions lui tournaient dans la tête, mais sa principale préoccupation avait un nom, celui de Jameson Rook.

Après des années d'intimité et de bonheur partagé, sans compter le profond respect qu'elle éprouvait pour lui, elle avait toutes les raisons de le croire quand il affirmait n'avoir fourni aucune information au collaborateur de Gilbert. Comment la chose était-elle arrivée ?

Elle sortit son téléphone et ouvrit le texto que Rook lui avait envoyé peu après avoir quitté la vingtième : *Au fait, comme on avait évoqué le vaudou, je me suis aussi renseigné sur la question aujourd'hui. Pas aussi satanique qu'on pense. Selon une de ces croyances, il n'existe ni accident ni coïncidence. Rien n'arrive pour rien. R.*

Nikki se demanda pourquoi il avait envoyé ce message. Non pas à cause du texte, qui tendait manifestement vers la réconciliation, mais pourquoi il divergeait et interférait dans son enquête ? Même s'il n'était pas la cause directe de la remise en liberté sans caution de Gilbert, il s'était comporté de manière plus qu'imprévisible. Elle n'arrivait pas à se défaire de l'impression qu'il travaillait contre elle.

Depuis l'annonce du poste à l'unité opérationnelle.

Heat refusait de croire qu'il puisse chercher à saborder ses chances d'entrer à l'unité opérationnelle pour la seule raison personnelle de vouloir la garder pour lui à New York.

Pourtant, elle ne pouvait s'en empêcher.

Aussi remit-elle en marche la vidéo qu'elle avait arrêtée sur l'écran de télévision destiné aux passagers pour suivre les actualités, histoire de se changer les idées. « L'ouragan Sandy frappe la Jamaïque. » Tu parles d'une distraction ! D'après le bulletin, la tempête, désormais qualifiée de catégorie 1, qui se déplaçait vers le nord, s'abattait sur la Jamaïque avec des vents à 130 km/h. Sur les images, les gens marchaient courbés en deux tellement la pluie était forte. Debout à côté d'un brise-lames, un reporter en ciré jaune faisait son commentaire au milieu des éléments déchaînés.

Criant pour se faire entendre, il annonçait des dizaines de morts et de disparus, d'habitations effondrées, d'autres balayées par le déferlement des vagues. L'ouragan poursuivait sa route dans les Caraïbes et, d'après les calculs, il était toujours prévu qu'il touche le nord-est des États-Unis le lundi ou le mardi suivant. Comme la plupart des New-Yorkais, Heat avait du mal à le croire en voyant la bruine qui faisait miroiter les lumières de la ville sur les trottoirs. Mais il pouvait s'en passer, des choses, en cinq jours.

Lorsque le taxi la déposa au carrefour de la 8e Avenue et de la 16e Rue, une nouvelle vague d'appréhensions la submergea. Après s'être rendue à cette adresse, où irait-elle, chez elle ou chez Rook ? Il faudrait bien se confronter au problème à un moment ou un autre.

Pour l'instant, c'était partie remise. Heat vérifia encore l'adresse et s'avança en se demandant pourquoi diable elle était allée sortir de la poubelle ce sac du bijoutier parisien.

Si, au lieu de cela, elle avait fait attention à ce qui se passait dans la rue, elle les aurait peut-être vus arriver. Le temps que l'homme en uniforme noir du SWAT la tacle par-derrière, son équipier lui avait déjà arraché son arme.

HUIT

Surprise, Heat mit une demi-seconde à réagir, le temps de se demander ce qui lui arrivait alors qu'elle basculait la tête la première vers le trottoir. Mais, dans l'instant qui suivit, l'entraînement reprit le dessus. Et l'esprit de vengeance.

Règle de base au combat rapproché : ne pas se laisser immobiliser. Dans sa chute, Nikki se retourna afin de tomber sur le dos. En même temps, elle donna un fort coup de coude à l'oreille de son adversaire derrière elle, qui en fut non seulement assommé, mais dévié, de sorte qu'il n'atterrit pas sur elle. Alors qu'il heurtait le sol en poussant un « Han ! », elle s'écartait déjà d'une roulade pour, d'un coup de pied, faire plier les genoux à l'autre individu, à côté d'elle, qui lui avait pris son arme. Certes, il tenait son Sig Sauer, mais il le braquait à l'endroit où elle se trouvait précédemment.

La balayette fit s'effondrer le type lourdement. L'arrière de sa tête s'écrasa comme une noix de coco sur le trottoir. Heat bondit en position accroupie, prête à allonger le bras pour récupérer son pistolet, mais l'autre assaillant avait entre-temps retrouvé l'équilibre et il se jeta sur elle.

Comme son équipier, il était grand et costaud, solide comme un roc, mais sa masse le rendait aussi plus lent que Nikki. De nouveau, elle se mit sur le dos. Lorsqu'il voulut la clouer au sol à l'aide de ses mains posées sur ses épaules, elle le frappa à coups de poing rapides en plein visage, visage qu'elle reconnut alors pour l'avoir croisé chez Beauvais. Au moment où il allait se défendre, elle s'en débarrassa d'un coup de tête sur le nez. Il hurla.

De son côté, l'autre homme, également présent au motel, se hissait sur les genoux. Il avait l'air encore étourdi, et l'arrière du crâne, rasé, était en sang. Dans la pâle lumière, Nikki le vit lever le Sig Sauer. Elle se débattit pour se dégager du corps gémissant qui l'écrasait. Une fois en position accroupie, elle se rendit compte qu'elle n'avait pas le temps de sauter pour récupérer le pistolet, car il était trop loin.

Sans regarder ce qu'elle faisait, elle tira sur la bande velcro de son holster de cheville. Le bruit fit hésiter l'homme un instant. Heat en profita pour tirer avec son Beretta Jetfire. Deux claquements retentirent, et les éclairs illuminèrent le visage de son adversaire avant que les balles de calibre 25 ne lui pénètrent dans le front, juste au-dessus des sourcils.

À côté d'elle, Nikki perçut un bruit de frottement. Elle reçut un coup de chaussure militaire noire dans le poignet, et son arme de secours lui échappa des mains. Le Beretta vola dans le parking du complexe de logements sociaux.

Sans attendre, Nikki plongea pour arracher son Sig aux mains du mort. Alors qu'elle était à deux doigts d'y arriver, deux paires de mains la saisirent par-derrière pour la remettre sur ses pieds. Un autre Musclor s'était joint à ses attaquants. Tous deux la traînèrent sur le trottoir vers une camionnette qui attendait moteur tournant. Heat se débattit de toutes ses forces, car elle savait très bien que, s'ils parvenaient à la faire monter à bord, c'était fini pour elle.

Autre principe d'entraînement : l'effet de surprise – jouer les contraires. Plus ils se rapprochaient des portes latérales de la fourgonnette, plus elle luttait violemment. Comme elle n'était pas de taille contre leur force, le but était de les conditionner à s'opposer à sa résistance.

Puis, à un mètre des portes ouvertes, ils eurent droit à leur surprise. Heat renversa la vapeur et accompagna subitement le mouvement dans le sens où ils la poussaient. Ce brusque revirement les précipita tous les trois contre le véhicule.

Nikki était la seule à s'y attendre. Lorsque les deux compères percutèrent la paroi de la camionnette de part et d'autre, Heat se dégagea et prit ses jambes à son cou.

À 22 heures en semaine par temps bruineux, il régnait un calme désespérant dans le quartier. Les vestibules et les couloirs étaient vides et fermés à clé, le grand immeuble de bureaux sur la gauche était désert, et il n'y avait ni taxi ni voiture à héler. Plus loin, au carrefour de la 9ᵉ Avenue, un foyer de lumières vives lui rappela la présence des hôtels. Le Dream et le Maritime attiraient une foule de noctambules. Et offraient un abri. Mais elle s'arrêta net.

Une silhouette approchait de cette direction. Certes, cette forme sombre d'allure paramilitaire se trouvait encore à une rue de là, mais elle arrivait. En marchant.

En prenant son temps, même, la main portée à la hanche. Cette aise faisait naître un sentiment de menace encore plus grand. Nikki s'empressa de tourner dans la 16ᵉ Rue, qu'elle traversa pour se donner une marge de manœuvre.

Elle faillit se faire renverser par la fourgonnette de ses agresseurs qui débôula à fond en sens interdit. Heat profita de leur vitesse. Comme ils ne pourraient pas tourner, elle repartit d'où ils arrivaient et se dirigea vers la 8ᵉ Avenue. Mais la camionnette ne prit pas la peine de faire demi-tour. Heat entendit les vitesses grincer et le moteur rugir. Elle jeta un coup d'œil derrière elle en courant et fut alors aveuglée par les feux de recul de l'utilitaire qui fonçait droit sur elle, en marche arrière. Le conducteur était doué. Même à cette vitesse folle, il reculait les roues parfaitement parallèles au caniveau.

Le fourgon fut bientôt à côté d'elle, et il régla son allure sur la sienne. Les portes latérales s'ouvrirent à grand bruit, et l'attaquant dont elle avait aplati le nez se pencha par l'ouverture, prêt à sauter ou à simplement l'attraper au passage. Les poumons brûlants, Heat évalua ses chances de parvenir au carrefour. Déterminée à ne pas mourir, en tout cas pas comme ça, elle se demanda un instant si c'était ce qu'avait vécu Jeanne Capois juste avant d'être soumise à la torture.

Au carrefour de la 8ᵉ Avenue, un taxi approcha avec son voyant allumé sur le toit. Nikki le héla à grands cris en agitant les bras, mais le chauffeur ne regardait pas dans sa direction. Elle poursuivit sa course au milieu de la circulation. Les quelques autres taxis qui passèrent étaient tous pris.

Ses grands signes à un piéton demeurèrent sans effet ; ce n'était qu'un ivrogne ou un touriste. Elle songea à montrer son insigne pour l'obliger à s'arrêter, mais, de nuit, c'était un peu risqué. Et puis, la camionnette était toujours à ses trousses. Son conducteur avait fait demi-tour dans la 8ᵉ Avenue et revenait sur elle en marche avant, cette fois.

Heat se hâta de gagner le trottoir, puis piqua un sprint en direction de la 15ᵉ Rue, sans plan défini. Elle cherchait uniquement à prendre le large. Au carrefour suivant, un livreur s'apprêtait à attacher son vélo à un poteau.

— Hé ! hé ! Police de New York, brailla-t-elle. Réquisition.

Soit il avait mal compris, soit il n'y croyait pas, car il bouscula Heat pour défendre son bien. Elle n'avait pourtant pas besoin de cela. Perdre du temps avec un livreur de plats indiens. Elle lui passa devant et grimpa sur son vélo.

— Appelez les secours ! Demandez des renforts !

Sachant pertinemment que, si elle restait sur la chaussée, elle finirait sous les roues de la camionnette, elle s'engagea sur le trottoir.

La camionnette roulait de nouveau à côté d'elle. En parallèle, à la même vitesse, au même niveau. La vitre s'abaissa côté passager. Une paire de manches noires en surgirent, des avant-bras prirent appui sur le rebord et des mains se refermèrent sur un Glock braqué sur elle.

Heat freina de toutes ses forces. La camionnette continua et la dépassa. Un coup de feu retentit de la fenêtre. La balle la rata et heurta le mur à côté d'elle. Son coup de frein lui fit perdre l'équilibre. Elle entendit du bruit plus loin, un grand fracas. Luttant pour rester en selle, elle fit une embardée. Elle y était presque. Presque... La source du vacarme provenait de quelques mètres plus loin. Une équipe de démolition travaillant de nuit faisait descendre une grosse poubelle de gravats par une rampe juste sur sa route.

Sous la force de l'impact, Nikki rebondit contre le conteneur en plastique et atterrit sur le trottoir. La roue avant de la bicyclette tournait au-dessus de sa tête. Aussitôt les ouvriers, se précipitèrent vers elle. Ils relevèrent leur masque de protection et l'aidèrent à se relever.

— Oh là là, vous allez bien, mademoiselle ? demanda l'un d'eux.

Une balle lui déchira alors le bras.

— Baissez-vous ! Baissez-vous !

Heat leur fit signe de la rejoindre derrière la benne, juste au moment où deux autres balles heurtaient des fragments de plaques de plâtre à l'intérieur, les aspergeant de poudre. Abasourdis, les deux hommes se figèrent. Nikki prit donc les choses en mains :

— Police de New York. Vous.

Elle pointa du doigt vers celui qui ne saignait pas.

— Allez-y, poussez.

Chaque seconde comptait.

— Allez.

Elle l'attrapa par la salopette et le tira près d'elle. Elle saisit les paumes de l'autre pour compresser sa blessure.

— Appuyez. Restez près de nous.

Elle compta jusqu'à trois, et ils firent rouler le conteneur pour lui faire remonter la rampe en s'abritant derrière. Trois nouvelles balles heurtèrent le plastique, mais sans le pénétrer. Il fallait se mettre à l'abri. Penser déplacement tactique et protection. Entrer dans l'immeuble, se réfugier derrière cette porte en métal.

— Vite !

À mi-chemin, cependant, le blessé s'évanouit et s'affala par terre. Heat balaya la rampe du regard. Il était temps de changer de tactique.

Nikki envoya un message pour demander des secours, puis attendit l'arrivée des renforts. Une longue demi-minute durant laquelle tous ses sens se mirent en éveil. Elle se demanda combien ils étaient. Il lui manquait une arme.

Elle s'efforça de ne pas penser en termes de probabilités. Uniquement à sa position. La voix de son instructeur lui parvint du passé, plus de dix ans en arrière : « Face à un adversaire en nombre supérieur, il faut toujours répondre avec une énergie surprenante. » Résolue à faire la fierté de son mentor, Heat tendit l'oreille, disséqua la nuit.

Il fallait s'attendre à un assaut calculé, elle le savait. Pas seulement parce que ces types avaient un penchant pour les tenues tactiques. Leur fuite de Flatbush à bord de deux voitures montrait qu'ils étaient organisés et entraînés. De même que l'exécution de leur intervention musclée de ce soir : leur discrétion, leur maîtrise de la conduite, le fait de prévoir quelqu'un pour lui barrer le passage vers les hôtels.

Alors, elle se glissa dans leur tête pour comprendre leur stratégie, anticiper leur approche. C'est pourquoi, lorsque le Glock se profila au coin de la rampe, à l'endroit précis où elle l'attendait, elle était prête. Néanmoins, elle se retint de risquer un œil. Mieux valait attendre de voir surgir le bras. En fait, elle en vit deux, car le tireur tenait son pistolet en position isocèle, comme il se doit.

Maintenant.

Heat actionna trois mètres de tuyau en métal souple à la manière d'un fouet. Un lancer parfait. Le câble en acier galvanisé s'enroula autour des deux poignets et les ligota. Agrippée des deux mains à son lasso métallique, elle usa de tout son poids pour tirer. Le bras gauche de son adversaire tapa contre le coin du mur en béton et cassa net. Un hurlement retentit tandis qu'il tombait en avant. Nikki bondit sur lui pour lui arracher le Glock avant que le lien ne se relâche autour de ses poignets, mais, en s'écrasant au sol, il lâcha l'arme qui glissa hors de portée. Elle rampa dans sa direction, mais, comme il avait encore l'usage d'une main, il la retint par sa veste. Un coup de feu tiré depuis l'autre côté de la rampe fit siffler une balle à son oreille. Non seulement le type l'empêchait de récupérer le pistolet, mais il faisait d'elle une cible. Elle attrapa à sa ceinture le marteau qu'elle avait pris à l'un des ouvriers. D'un mouvement de balancier, Heat frappa son attaquant à la tempe. Elle voulut réitérer son geste, mais l'outil était coincé. Peu importait : il lâchait prise pour de bon.

Il y eut quatre coups de feu supplémentaires. Le Glock se retrouva dans la zone la plus exposée. D'une roulade, Heat s'écarta pour se remettre à l'abri derrière la benne à ordures. Puis elle adressa un signe à l'ouvrier conscient, caché avec son copain derrière le coffre à outils, près du tableau électrique. Il opina du chef, leva le bras et tira sur la poignée. La rampe fut plongée dans le noir ; seul demeura l'éclairage de la rue.

De nouveau, Heat attendit.

Il arriva en avançant à croupetons. Elle voyait son reflet dans le miroir convexe au-dessus de l'ascenseur de service. Il se rapprochait. Prudemment.

Attentif, car la tâche était périlleuse. C'était le type au nez cassé. Nikki évitait de respirer trop fort afin de ne pas trahir sa position. Mais il devait savoir où elle se trouvait.

Et il avait raison. Il arriva sur le côté de la poubelle. Elle l'entendit avaler sa salive. Accroupie dans le noir, elle n'était qu'une ombre parmi tant d'autres pour lui, alors que lui était éclairé de dos par les lumières de la rue, et elle le voyait dans le miroir. Il n'était qu'à quelques centimètres d'elle. À un pas seulement. Comme elle l'espérait, il le franchit.

Elle alluma le niveau laser. D'abord, elle rata les yeux, mais rapidement elle ajusta son tir et l'aveugla avec l'outil. Il fit feu en direction de la source de lumière, mais Nikki, munie d'un pistolet à clous, s'était déjà déplacée d'un bond. Bien qu'il n'y vît rien, il l'entendit arriver et balança un bras pour l'intercepter. Le cloueur partit. Compte tenu du manque de lumière, elle ne savait pas où elle tirait, mais il suffoqua et laissa échapper un « Merde ! » Il fallait à tout prix lui enlever son arme, qu'il braquait déjà vers elle. De sa main libre, Heat parvint à l'écarter en la repoussant, mais il tenait bon. Il lui décocha un coup de poing à la joue qui l'étourdit.

Ne parvenant pas à lui arracher son arme, Nikki lui appuya le pistolet à clous sur le poignet et tira. Puis encore. Et encore. C'est douloureux, les clous. D'autant plus entre les articulations. Le pistolet tomba enfin. Désarmé, l'homme prit ses jambes à son cou en gémissant.

Des sirènes arrivaient. En nombre. Armée du Smith & Wesson de son assaillant, l'inspecteur Heat passa brusquement en mode offensif. Instantanément. Elle voulait ces types. À cause de ce qu'ils avaient fait. De ce qu'ils savaient.

D'un pas prudent, mais rapide, elle se fraya un chemin derrière la poubelle à gravats qui l'avait protégée et sauta pardessus le corps avec le marteau planté dans la tête, étalé sur le béton. Elle s'aplatit dos au mur le long de la rampe et brandit l'arme des deux mains.

La porte latérale de la camionnette claqua à deux pas, puis elle entendit le moteur s'éloigner. Alors, elle pivota sur le trottoir afin de tirer dans les pneus, mais le véhicule était déjà loin. De l'autre côté de la rue, un peu plus loin vers l'ouest, une Impala gris foncé attendait moteur tournant.

Un homme se tenait à côté de la portière ouverte du conducteur. C'était l'homme au pas tranquille qui l'avait bloquée un peu plus tôt. Leurs regards se croisèrent. Dans la lumière orange des réverbères, il présentait un visage aux traits impassibles. Un véritable masque de mort-vivant.

— Police de New York, pas un geste, fit Nikki, l'arme braquée sur lui.

Avec une froide désinvolture, il leva son fusil d'assaut et envoya une rafale qui la fit se baisser derrière le capot d'une voiture garée. Lorsque les coups de feu eurent cessé, leur écho se perdant dans la nuit, Heat secoua les éclats de pare-brise tombés sur ses cheveux et se redressa, prête à riposter. Mais l'Impala tournait déjà à l'angle dans la 9e Avenue. Avant que le véhicule disparaisse, Heat aurait juré avoir vu le conducteur lever un bras et lui faire un doigt d'honneur.

Quarante minutes plus tard, Lauren Parry s'agenouillait à côté du corps par terre sur la rampe.

— Nikki Heat, c'est toi qui as fait ça ?

— Ça passerait mieux si je te disais qu'il l'a bien cherché ?

La légiste regarda de nouveau le marteau, toujours fiché dans la tête de l'homme, puis son amie.

— À l'avenir, je tâcherai de me rappeler qu'il vaut mieux éviter de te chercher des poux dans la tête, ma grande, gloussa Lauren, qui priait constamment son amie de veiller à ne pas se faire tuer.

Son rire était aussi faux que le sourire niais de Nikki.

Heat avait encore les artères pleines d'adrénaline. Après le véritable tsunami hormonal qu'elle venait de vivre, son corps restait tout tremblant ; elle se sentait vide de toute émotion et avait du mal à se concentrer. Ayant puisé dans toutes ses réserves, elle ne tenait plus que par la force de la volonté. Elle fut soulagée de remettre la main sur ses armes.

Grâce à un jeune de la cité qui était descendu fumer un peu d'herbe dans le parking, malgré le couvre-feu imposé par sa mère, son Beretta 950 avait été remis aux experts en plein examen du corps de l'agresseur qu'elle avait abattu. Il retrouva sa place dans son holster de cheville. Près du corps, la scientifique avait également récupéré son Sig Sauer.

L'inspecteur Feller, expert en décharges d'adrénaline, lui tendit un Snickers. Randall était arrivé sur les lieux parmi les premiers intervenants après avoir entendu le code 10-13 à la radio. Lorsque le vétéran de la rue lui déclara que, s'il avait su que c'était elle qui demandait de l'aide, il les aurait tous devancés, Nikki le crut volontiers. Il l'informa que les numéros d'immatriculation des deux véhicules qu'elle avait fournis correspondaient à des voitures de location de l'aéroport… Autant chercher une aiguille dans une botte de foin.

— C'est ce que j'ai pensé en voyant la plaque de l'Impala provenant du Montana, dit-elle.

— Un type pareil ne conduirait évidemment pas un véhicule aux couleurs de l'Autorité portuaire.

— On n'a pas affaire à n'importe qui, en effet. Le G36 dont il se servait devait être équipé d'un chargeur à tambour de cent coups. Les experts se sont trouvés à court de cavaliers pour numéroter l'emplacement des étuis. Ils ont dû en faire venir un lot supplémentaire.

Il retourna voir s'il était possible de récupérer le Sig de sa supérieure. Heat prit une nouvelle bouchée de barre au chocolat afin d'améliorer son taux de glycémie, puis elle sentit de nouveau l'adrénaline monter en elle, car Rook arrivait. Il avait été le premier à qui Nikki avait téléphoné lorsque les choses s'étaient calmées et que l'ouvrier blessé, une fois soigné, avait été chargé dans l'ambulance. Elle voulait juste qu'il sache où elle était, c'est du moins ce qu'elle s'était dit. À dire vrai, elle avait vraiment besoin d'entendre sa voix. Il lui fallait absolument renouer avec la vie après être passée si près de la mort. Et, bien qu'elle lui eût dit qu'il n'était pas utile de venir, il se tenait là, rayonnant sur le trottoir, comme s'il voulait la savourer du regard avant de courir la prendre dans ses bras.

Ils s'étreignirent en murmurant chacun le nom de l'autre, puis s'embrassèrent. Au diable les détracteurs d'effusions en public, songea-t-elle, j'ai bien mérité ce moment. Les tensions qu'ils avaient éprouvées disparurent. Tout ce qu'elle voulait, c'était le tenir dans ses bras et se blottir dans les siens.

Du pouce, il effleura tendrement la marque rouge qu'elle avait sur la joue, et elle l'assura que les équipes de secours avaient vérifié qu'elle n'avait rien de cassé.

— Tu sais, je crois que je n'avais encore jamais embrassé une femme au-dessus d'un corps, plaisanta-t-il.

Nikki éclata de rire, mais, comme le rire tournait aux larmes, elle posa la tête contre sa poitrine pour se calmer et ne pas craquer, ce qu'il sembla comprendre.

Ils restèrent donc ainsi en silence quelques instants, jusqu'à ce qu'elle recule d'un pas et lui fasse signe d'un hochement de tête qu'elle allait bien.

Ils s'installèrent un peu plus loin sur le trottoir pour laisser Lauren travailler.

— Au moins, toi, on sait ce que tu ferais si tu avais un marteau, déclara-t-il.

L'allusion à la fameuse chanson l'amusa, jusqu'à ce qu'elle remarque qu'il avait la larme à l'œil.

— Eh ?

Elle lui prit la main.

— Je vais bien.

Une Crown Victoria du poste s'arrêta à côté d'eux, et l'homme qui avait besoin de toute cette place s'en extirpa.

— Heat, vous allez finir par me faire faire un infarctus, fit Wally Irons.

— Non, je crois que les côtelettes de porc et les beignets s'en chargeront avant, marmonna Rook à Nikki tandis que le capitaine les contournait en se dandinant.

Avant même de vérifier qu'elle allait bien, Irons dévisagea Rook de la tête au pied d'un air dédaigneux.

— Je vous demanderais bien ce que vous faites sur ma scène de crime, mais j'imagine que je peux laisser passer, somme toute.

— Vous êtes un homme d'envergure, Wally, commenta Rook, ce qui lui valut un coup de coude de sa compagne.

Heat mit son supérieur au courant des derniers événements. Bien que l'exercice l'obligeât à en revivre les désagréments, il l'aida aussi à faire le point en vue du rapport qu'elle aurait à rédiger. Cela lui évita en outre d'avoir à tout récapituler à Rook. Pour terminer, elle informa le capitaine que l'inspecteur Feller allait demander à la scientifique de vérifier les empreintes des deux morts ainsi que celles laissées sur le Smith & Wesson par l'homme qu'elle avait criblé de clous.

Il dodelina de la tête.

— Vous m'avez l'air d'avoir tout bien organisé.

— C'est mon travail, monsieur.

Il détourna les yeux pour considérer la rue vide en cette heure tardive, hormis l'animation derrière le cordon de sécurité.

— Vous croyez que ça a un lien avec l'affaire Gilbert ?

— Absolument.

À côté d'elle, Rook se racla la gorge, mais garda sagement le silence.

— Heat, je veux voir tomber des têtes pour ça.

Son regard revint sur elle.

— En attendant, je sais déjà ce que vous allez me répondre, mais je n'accepterai pas un non. Je place une voiture radio devant votre porte pour la nuit. Point.

Elle songea à ses assaillants. Revit l'impassibilité lourde de menaces du type au calme olympien. Et accepta. Irons en fut ravi. Jusqu'à ce que Rook précise que la voiture devrait être envoyée devant chez lui pour la nuit.

Le lendemain matin, Heat était debout et habillée ; elle allait et venait dans la cuisine avec son téléphone, lorsque Rook sortit de la chambre en traînant les pieds.

Après un long bain chaud pour apaiser les courbatures de son combat de rue de la veille, elle avait déjà préparé un thermos de café qu'elle avait apporté aux agents stationnés dans la voiture bleu et blanc au pied du loft. Tout en écoutant Zach Hamner – rude manière de commencer la journée –, Nikki versa à Rook une tasse du second café qu'elle avait préparé et lui envoya un baiser muet.

— Ceci n'a rien à voir avec nos petites conversations amicales, avait commencé le Hamster lorsque le téléphone de Heat avait sonné à 7 h 01 exactement.

Zach était si diablement sérieux qu'il était impossible de savoir s'il plaisantait ou s'il pensait vraiment qu'ils entretenaient une relation cordiale.

— Ceci est un appel tout ce qu'il y a de plus officiel, je vous avertis, inspecteur. Vous m'entendez ?

— Oui, Zach, je vous entends.

Rook leva les yeux de son ordinateur portable qu'il venait de mettre en route sur le plan de travail.

— C'est le Hamster ? murmura-t-il.

Elle acquiesça de la tête et leva les yeux au ciel.

— Demande-lui s'il ne veut pas te servir de cobaye pour ton prochain lancer de marteau ; ça détendra l'atmosphère.

Un doigt posé sur ses lèvres pour le faire taire, Nikki se détourna afin de ne pas rire au nez de son interlocuteur.

— En tant qu'adjoint principal au commissaire aux Affaires juridiques, poursuivait Zach, je vous informe que nos services ont été avisés que les avocats de Keith Gilbert allaient porter plainte pour arrestation illégale. Inutile de vous dire le coût que représenteraient de telles poursuites. Pas uniquement en espèces sonnantes et trébuchantes. Imaginez la gêne pour tout le monde ici, au One Police Plaza.

— Êtes-vous en train de me dire qu'ils me menacent ? C'est de la pure bravade. Pourquoi ne portent-ils pas directement plainte s'ils ont de quoi nous poursuivre ?

— Un peu d'indulgence, vous n'êtes pas à ma place, dit-il. Je veux l'assurance de votre part que vous disposez de preuves suffisantes.

Nikki le confirma, mais songea qu'il valait mieux ne pas lui dévoiler tout ce que sa brigade avait récolté. Peut-être n'était-elle pas diplômée en droit, mais elle savait que la prudence est mère de sûreté.

— J'ai du solide, Zach. Des preuves médicolégales. Des relevés téléphoniques reliant Gilbert à Beauvais, même s'il nie le connaître. J'ai le médecin qui a soigné Beauvais, lequel lui a dit que Gilbert lui avait tiré dessus.

— Dites-moi que vous avez l'arme.

— La demande de mandat de perquisition est en cours.

— Quel est le problème ? Non, laissez-moi deviner : Wally Irons.

— Gagné !

Cela ne fit pas rire Zach Hamner. Le Hamster ne riait jamais, parce qu'il n'était pas humain. Mais, cette fois, son aigreur avait des raisons d'être : il était sous pression.

— Il faut faire le nécessaire, Heat. *Vous* devez faire le nécessaire. Perdre le ballon nuirait certes à toute l'équipe, mais une mauvaise récupération de votre part aurait de très sérieuses répercussions sur la viabilité de *vos* futures entre-prises. Vous voyez de quoi je parle, n'est-ce pas ?

— Oui, l'unité opérationnelle, évidemment.

À ces mots, elle vit Rook lever les yeux de son écran et se hâter de les baisser de nouveau. Cela allait-il leur permettre d'en discuter ou allaient-ils continuer à faire l'autruche ? Avide de contact chaleureux, Nikki fit le tour du plan de travail pour venir lui passer un bras autour des épaules.

— Bien, fit le Hamster.

Elle l'entendit remuer des papiers sur son bureau.

— Résumons-nous. Vous allez continuer de creuser. Et embarquer ce médecin afin de recueillir sa déclaration sous serment. Quant à l'arme, je vais voir ce que je peux faire pour le mandat de perquisition.

— Ça nous aiderait bien.

— Quoi qu'il en soit, il nous faut des preuves en béton. Et j'aimerais l'entendre de votre bouche. Inspecteur ? insista-t-il comme Heat ne répondait pas.

Nikki ne disait rien parce qu'elle était stupéfaite par ce qu'elle venait d'apercevoir sur le MacBook de Rook. Il s'agis-sait d'un arrêt sur image extrait d'une vidéo de surveillance : deux hommes, la mine patibulaire, apparaissaient au premier plan du cliché, légèrement déformé par le grand angle. Heat avait déjà vu des tas de photos de ce genre. Les deux repris de justice avaient été pris en flagrant délit alors qu'ils installaient un faux clavier et un faux lecteur de cartes sur un distribu-teur de billets afin de voler les codes et les numéros de carte bancaire. Mais ce n'est pas ce qui l'avait interloquée. Ce qui laissait Heat sans voix, c'était la personne qu'elle voyait faire le guet en arrière-plan : Fabian Beauvais.

— Allô ? Vous êtes toujours là ?

— Oui, oui, bien sûr.

Puis d'une voix qu'elle espérait convaincante, elle répéta...

— En béton.

NEUF

Nikki posa son téléphone sur le plan de travail et examina calmement l'image affichée à l'écran. Elle scruta plus particulièrement les deux canailles pour voir si c'étaient eux qui lui avaient tendu l'embuscade à Chelsea. Non seulement elle ne les reconnaissait pas, mais ils ne jouaient pas du tout dans la même cour. Le gang de Chelsea, y compris le duo du motel de Fabian Beauvais, avait quelque chose de paramilitaire, un côté propre sur eux, de la discipline, une sorte d'uniforme, même. Les deux individus sur la photo avec Beauvais étaient de simples voyous. Des racailles qui semaient la pagaille.

— Quand as-tu eu ça ?

— Juste là. C'est arrivé par e-mail cette nuit. On dirait qu'il y a deux pièces jointes. L'autre, c'est une vidéo. Tu veux voir ?

Rook n'avait pas besoin de réponse. Il cliquait déjà sur son pavé tactile.

Une vidéo de surveillance tournée dans la rue, par une caméra postée en hauteur, probablement sur un réverbère. Il n'y avait pas le son, mais l'image présentait, malgré le grain, une définition assez bonne pour distinguer Fabian Beauvais en train de courir sur le trottoir en direction de la caméra tout en jetant des coups d'œil angoissés par-dessus son épaule aux deux hommes qui le suivaient. Quelques secondes plus tard, il sortit du cadre, et ses poursuivants s'arrêtèrent juste sous la caméra. L'un d'eux leva un pistolet et tira. Heat compta trois éclairs. Après les coups de feu, les deux voyous, les mêmes que sur la photo du DAB, tournèrent la tête en direction de Beauvais, puis repartirent d'où ils venaient en courant. À leur tour, ils sortirent du champ.

— Ouah ! fit Rook. C'est *Règlement de compte à Queens-boro Plaza* !

— Repasse-la…, fut tout ce que Nikki parvint à dire.

Déconcertée par le premier visionnage de la vidéo, elle voulut y jeter un regard plus clinique. La seconde fois, elle se concentra sur les détails. Beauvais portait quelque chose sous le bras : un sac de couleur claire ou une enveloppe, peut-être. Cela lui avait échappé auparavant. Il était vêtu d'une chemise différente que sur la photo du DAB, ce qui portait à croire qu'il s'agissait d'un autre jour. Les deux hommes à ses trousses étaient aussi habillés différemment. À son allure, sa façon de dégainer le pistolet qu'il portait à la taille, de le tenir à plat, tel un gangster dans un film de John Woo, et de tirer coup sur coup, elle sut que le tireur n'était pas de la police ni formé au tir. Ce genre de position était attrayant et fonctionnait bien pour tirer rapidement au combat rapproché, mais, surtout pour une cible mouvante qui s'éloignait, les instructeurs de la maison enseignaient qu'il fallait prendre le temps de bien se positionner pour « stabiliser, viser, appuyer ». Cette observation ne fut pas vaine ; elle lui permit de comprendre que ces types ne faisaient pas partie du groupe de professionnels qui s'en était pris à elle la veille.

— Je te la repasse, annonça Rook sans qu'elle eût besoin de le solliciter.

Cette fois, Nikki eut l'impression que Beauvais serrait le sac ou l'enveloppe sous son bras, comme si c'était quelque chose d'important. Comment perdre du temps en courant ? En portant quelque chose. Il courait pour sauver sa peau, et pourtant il ne semblait pas prêt à renoncer à son paquet.

Une fois la séance de visionnage terminée, Rook se rassit sur son tabouret de bar et la considéra, les bras croisés. Bien qu'il ne dît rien, son attitude lui rappela celle qu'il avait eue la veille, lorsqu'Irons lui avait demandé si elle pensait avoir été attaquée à cause de Gilbert. Là aussi, il avait gardé le silence, mais en piaffant comme un cheval à l'écurie rendu nerveux par une odeur de fumée. Nikki ramassa sa tasse de café. Comme elle était froide, elle la reposa à côté de son téléphone.

— Ça ne prouve rien, tu sais ça ? dit-elle enfin.

— Comment ça ? Il me semble quand même bien voir notre ami être poursuivi et se faire tirer dessus.

— Ah ! tu veux jouer au plus malin ? Pas maintenant, d'accord ? Évidemment que je sais de quoi ça a l'air. Mais Beauvais a-t-il été touché ? Il était hors cadre.

— Trois coups, Nikki.

— C'est vrai, il ne traînait pas. Et le tireur frimait avec son arme. Mais j'ai déjà vu des vieux de la vieille rater un suspect qui courait.

— Pas toi, en tout cas, objecta-t-il avec un large sourire espiègle.

— Inutile d'essayer de m'amadouer avec tes flatteries.

Puis elle céda un peu à son sourire.

— Mais juste un peu. Au fait, je n'ai pas vu l'heure. Ça s'est passé quand ?

Rook relança la vidéo et lut l'horodatage. Puis il calcula en remuant les lèvres en silence.

— Le matin de la veille où Beauvais est allé faire soigner sa plaie par balle chez le docteur Ivan.

Cela pouvait correspondre. Si une de ces balles avait provoqué la belle éraflure décrite par le Russe, il s'était écoulé plus de quarante heures entre la blessure et les soins, ce qui laissait largement le temps à cet incident de se produire. Même si cela remettait en cause son sentiment profond sur cette affaire, Heat s'en tiendrait à son objectivité de policière et admettrait la possibilité que Beauvais ait été abattu non par Keith Gilbert, mais par un vulgaire voyou. Elle se tourna de nouveau vers l'écran, à temps pour revoir les trois tressautements silencieux de l'arme dans la main du tireur. Quoi qu'il ait pu se passer, songea-t-elle, le pauvre Haïtien devait certainement avoir vécu des moments difficiles ces derniers jours. Que pouvait-il bien trafiquer ?

Nikki ne cessait d'espérer tomber sur l'indice qui éclaircirait tout, mais, tout ce qu'elle trouvait, c'étaient des pistes orphelines qui l'embrouillaient davantage. Elle s'imposait la patience, se persuadant qu'elle n'avait simplement pas encore compris toute l'histoire. Et qu'au final, tout prendrait un sens. Tant qu'elle ne perdait pas espoir et ne renonçait pas. Puis, elle posa une question toute simple :

— Tu as reçu ça par e-mail. De qui ?

Il répondit sans hésiter. Comme si ce n'était rien. Comme si cela allait de soi.

— C'est Raley qui me l'a envoyé.

— ... Raley. Tu veux dire, comme ça, par hasard ?

— Non, bien sûr que non. Comme il avait un peu de temps libre, je lui ai demandé d'éplucher quelques vidéos de surveillance.

Il inclina la tête vers elle.

— C'est un problème ?

— C'est juste que l'inspecteur Raley n'a pas de temps libre parce qu'il travaille sur les missions que je lui confie.

— OK, bon, c'est un problème.

— Irons t'a banni du poste.

— Voilà pourquoi j'ai appelé Raley au lieu de m'y rendre en personne. Je lâche pas comme ça, Nikki Heat.

— Et il ne t'est pas venu à l'esprit que tu pouvais avoir besoin de mon autorisation pour détourner mes enquêteurs à tes fins personnelles ?

— J'en conviens. Mais hier soir, quand Hattie, l'amie de Beauvais, m'a tuyauté sur ce...

D'un geste, il indiqua l'écran.

— ... je ne pouvais pas te joindre parce que tu étais occupée à jouer les Bob le Bricoleur avec tes agresseurs. Alors, j'ai appelé Raley pour lui demander ce service. C'est vraiment si grave ?

Un douloureux pincement lui serra le cœur, comme si on lui enfonçait des épines. Ce n'était pas à cause de son agression. Quelques jours à peine auparavant, Heat pensait que Rook allait lui offrir une bague de fiançailles. Maintenant, il piquait des crises. Sachant reconnaître un tournant quand sa vie était sur le point d'en prendre un, Nikki décida que suffisamment de batailles l'attendaient pour prêter le flanc à Rook. Dans son intérêt supérieur, Nikki savait qu'il valait mieux ravaler sa salive pour faire ce qu'elle savait si bien faire, à savoir laisser de côté ses sentiments pour le bien du boulot. Alors, elle se contenta d'un haussement d'épaules.

Mais ils allaient devoir avoir une petite conversation.

Comme la voiture de patrouille lui était de toute façon assignée, Heat se fit emmener de Tribeca à Chelsea. Les agents la remercièrent pour le café en plaisantant qu'ils ne pourraient désormais plus avaler l'infâme bouillasse qu'ils achetaient dans la rue. Lorsqu'ils la déposèrent au carrefour où elle avait été attaquée à peine dix heures auparavant, Nikki déclina leur offre de l'escorter. Néanmoins, au moment où elle passait devant l'entrée de la cité, encore humide après que la scientifique en eut lavé à grande eau le sang qui la tachait, elle jeta un regard en arrière et les vit tous les deux lui faire signe qu'ils continuaient de veiller sur elle.

Lorsqu'ils se garèrent devant la maison mitoyenne de la 16e Rue Ouest, Raley et Ochoa eurent l'air un peu surpris de trouver Heat déjà là à les attendre.

Comme l'embuscade l'avait empêchée de vérifier l'adresse que Jeanne Capois avait notée sur le reçu d'épicerie, les Gars s'étaient proposé de s'en charger ce matin. Or Nikki avait décidé d'en faire autant, et sa visite-surprise n'était pas sans raison. Comme elle était accroupie sur le trottoir à côté de la voiture des Gars, Raley baissa sa vitre, côté passager.

— Il paraît que vous avez passé une sacrée soirée.

— Laissez-moi réfléchir... Ah oui...

Au volant, Ochoa se joignit au petit jeu de la minimisation.

— Écoutez, j'aurais besoin d'un menuisier. Vous faites aussi dans le bois ou juste dans la chair humaine ?

Le ballon ayant suffisamment circulé sur le terrain, ils déclenchèrent les loquets de leurs portières.

— Restez dans la voiture, dit-elle, provoquant un nouvel échange de regards perplexes entre ses enquêteurs. Changement de plan. C'est moi qui m'occupe de cet interrogatoire. Vous, je veux que vous vous renseigniez sur ces deux-là. Elle leur remit la photo des voleurs de DAB imprimée chez Rook.

— Évidemment, c'est Fabian Beauvais à l'arrière-plan, mais je veux tout savoir des deux autres au premier plan.

Elle marqua une pause et posa un regard éloquent sur Raley.

— Sean, je crois savoir que cette photo vous est déjà familière… après votre petit boulot en douce pour Rook.

Il rougit.

— J'étais de toute façon resté tard au poste. Comme c'était Rook, j'ai cru que...

Voyant son mécontentement, il préféra laisser tomber.

Son équipier fut moins intimidé.

— Où est le problème ? Il faisait son boulot, pour aider.

Heat tourna vers lui un regard posé, mais ferme.

— Vous n'allez tout de même pas discuter, non ?

Ochoa poussa un soupir et serra le volant, puis les deux hommes regardèrent droit devant eux, par-dessus le capot de la voiture.

— C'est dit, c'est bon. Vous avez votre mission. On se retrouve devant le tableau blanc dans une heure.

Les Gars démarrèrent sans un mot ni un signe de tête. Génial, se dit-elle en les regardant s'éloigner. Les voilà tous les deux fâchés contre moi. Elle-même aussi l'était un peu.

Patienter, sonner, patienter de nouveau, en vain. Heat ne reçut aucune réponse. Elle essayait de joindre l'appartement 3 par l'interphone. Comme les boutons des autres appartements sur le panneau en aluminium ne donnaient rien non plus, elle appela le concierge au téléphone. Il habitait dans un autre l'immeuble, dans Bleecker Street. Il fallut donc à Heat attendre encore un quart d'heure, le temps qu'il arrive de Greenwich Village. Il n'y a pas si longtemps, elle aurait téléphoné au locataire, mais, comme de plus en plus souvent en ces temps numériques, il n'y avait aucune ligne fixe correspondant à cette adresse. Le concierge l'accompagna à la porte avec son trousseau de clés et patienta à ses côtés tandis qu'elle frappait.

— Police de New York, annonça Nikki, ouvrez.

Elle frappa de nouveau, puis colla une oreille à la porte. Rien. Pas la moindre odeur de décomposition non plus. Le concierge s'avança vers la serrure, mais l'enquêtrice lui fit signe de s'écarter, ce qu'il fit en reculant de trois pas. Une main sur la crosse de son Sig, Nikki tourna la poignée et poussa la porte.

— Police de New York, répéta-t-elle.

Cette fois, sa voix résonna sur le parquet et les murs nus de l'appartement.

Le concierge jeta un coup d'œil à l'intérieur.

— J'y crois pas !

Il n'y avait personne. Personne ne semblait vivre là.

Lorsque Nikki Heat entama son topo du matin au poste de la vingtième circonscription, il manquait un inspecteur dans la salle de la brigade. En effet, elle avait téléphoné à l'avance pour envoyer Randall Feller chercher à Brooklyn le médecin garagiste expatrié. Si Zach Hamner voulait couvrir ses arrières avec une déclaration sous serment du Dr Ivan, elle serait ravie de la lui fournir.

— L'ouragan arrive. Combien de fois dans votre vie aurez-vous l'opportunité de changer vos essuie-glaces en allant chercher un médecin ? avait-elle dit à Feller, connaissant son amour pour les ponts et les tunnels.

Il avait même ri en raccrochant.

Elle commença le briefing par la bonne nouvelle.

— Je vais obtenir le mandat de perquisition pour l'arme que Keith Gilbert a déclarée à son adresse secondaire, à Southampton. J'y fonce dès que le papier arrive. Ça va prendre des heures parce qu'il doit passer entre les mains de tous les juristes du bureau du procureur qui veulent en vérifier la formulation afin que la *dream team* ne trouve rien à y redire.

Alors que la perspective du mandat la réjouissait, la brigade était d'une humeur mitigée. Rhymer semblait en forme, mais Raley et Ochoa boudaient toujours. Nikki tenta de détendre l'atmosphère.

— Les Gars, je crois que je vous ai épargné une perte de temps.

Ils l'écoutèrent attentivement, mais de manière passive lorsqu'elle raconta sa visite à l'appartement vide de Chelsea, et ce fut Rhymer qui leva la main.

— Vous avez identifié le locataire ?

— Elle s'appelle Opal Onishi. Sur son bail, il est indiqué qu'elle est styliste culinaire, mais le document remonte à quatre ans, et son employeur de l'époque a cessé toute activité. La crise économique est encore passée par là.

— Un numéro de mobile ? s'enquit Ochoa en sortant de son silence.

— On tombe directement sur la messagerie ; alors, il doit être coupé. Vous voulez bien continuer d'essayer ?

— Si vous l'autorisez, répondit-il.

Son équipier tendit la main vers lui pour lui faire signe de calmer le jeu.

Nikki laissa passer et poursuivit :

— Pendant ce temps, inspecteur Raley, pourriez-vous vérifier les antécédents d'Opal Onishi et demander une photo aux Immatriculations ?

— Ça vaudrait le coup aussi de regarder si elle est sur Facebook, suggéra Rhymer, avec son accent du Sud. Ça pourrait vous donner des tuyaux.

— Très bien, monsieur Rhymer. Vous voulez vous en charger ?

— Non, je vais le faire, dit Raley en se portant volontaire, mais avec une pointe d'agressivité.

Nikki se tourna vers le tableau blanc et afficha des agrandissements de photos d'identité judiciaire sous les portraits-robots des gorilles du motel.

— Nous avons maintenant des noms pour ces tristes sires, annonça-t-elle en les inscrivant au marqueur. D'abord, Stan Victor. Hier soir, monsieur Victor a quitté Chelsea avec le nez cassé et quelques clous de huit centimètres dans le poignet. Son équipier, Roderick Floyd, est parti dans le fourgon de la morgue.

Au marqueur rouge, elle inscrivit *DÉCÉDÉ* en lettres majuscules.

— Ce sont les deux hommes que Rook, l'inspecteur Feller et moi avons croisés au motel où logeait Fabian Beauvais. Un troisième, également mort sur les lieux, s'appelait Nicholas Bjorklund.

Elle accrocha une troisième photo à côté des autres : l'homme dont elle avait harponné le crâne au marteau.

Elle inscrivit aussi *DÉCÉDÉ* en lettres majuscules rouges sous son portrait, avant de remonter sur l'estrade pour se référer à ses notes.

Tous les regards la suivirent, attentifs – malgré l'irritation de certains –, tous emplis de respect pour l'épreuve qu'elle avait traversée en se confrontant à ces adversaires redoutables.

— Les trois ont des profils similaires, expliqua-t-elle en feuilletant son calepin. Tous d'anciens militaires proches de la quarantaine. Victor a été renvoyé d'Irak pour manquement à l'honneur, sadisme et cruauté envers un membre de la Garde républicaine fait prisonnier. Tous les trois sont retournés combattre en Afghanistan et, peut-être, au Pakistan pour le compte d'une société privée, autrement dit comme mercenaires, jusqu'à ce que, d'après leurs passeports, ils soient revenus à peu près en même temps aux États-Unis, il y a un an environ. Inspecteur Rhymer, j'aimerais que vous vous rendiez aux dernières adresses connues de Victor, Floyd et Bjorklund.

La scientifique a déjà procédé à tous les relevés aux trois endroits. Allez jouer les mouches du coche.

— Comptez sur moi.

Elle retira une nouvelle photo en gros plan de son dossier pour l'afficher.

— On n'a toujours rien sur le chauffeur de la camionnette. En revanche, sur une vidéo de surveillance, on a une démonstration des capacités d'un fusil d'assaut Heckler & Koch en milieu urbain par le conducteur de l'Impala.

Quelqu'un derrière elle, sans doute Opossum, siffla lorsqu'elle accrocha la photo. On y voyait la mine diabolique de l'homme, qu'elle avait surnommé le « Culotté », illuminé par les flammes irradiant du canon tandis qu'il vidait son chargeur sur elle.

— Ce type n'a pas l'air humain ! fit Rhymer. Il mitraille aussi tranquillement que s'il savourait une partie de pêche. Culotté, en effet.

— On ne l'a pas encore identifié, mais cette photo est en cours de diffusion dans tous les services de la maison, à la Sécurité intérieure, au FBI, à la Défense et à Interpol.

Son regard s'attarda sur le portrait, puis elle s'adressa au groupe.

— Pendant qu'on cherche ces types, j'aimerais avoir quelques petites réponses. Que fait une bande de mercenaires aussi entraînés à New York ? Pourquoi en ont-ils après moi ? Et Fabian Beauvais ? Et Jeanne Capois ? Si, comme je le suspecte, ils les ont aussi tués. Et pour qui travaillent-ils ?

Le portrait de Keith Gilbert se dressait derrière son épaule.

— J'en ai bien une idée, mais je veux des preuves. Je veux du solide.

Ochoa leva le doigt.

— Miguel ?

— Ce n'est pourtant pas votre façon de faire habituelle. Avachi sur sa chaise, l'enquêteur croisa le regard de Nikki, puis le baissa de nouveau sur le bout de ses chaussures. Vous qui nous dites tout le temps de garder l'esprit ouvert...

— Les yeux d'un bleu, ajouta son équipier.

— Voilà que vous insistez pour qu'on réunisse des preuves contre Keith Gilbert alors qu'il y a d'autres pistes. C'est tout ce que je voulais dire.

Toutefois, cela en disait long. Notamment que sa manière de diriger l'affaire avait été remise en question. Au sein de la brigade, qui plus est. Sans chahut, peut-être, mais tout de même. Sa réprimande avait-elle vexé ses deux enquêteurs au point qu'ils en arrivent à un tel désaccord ?

— Parlons-en.

— D'accord.

L'inspecteur Raley se dirigea vers le tableau. L'espace commençait à manquer, mais il trouva la place pour accrocher deux photos : une de chacun des deux voleurs de DAB qui avaient pourchassé Beauvais et tiré sur lui sur la vidéo de Queensboro Plaza.

— Parlons de ces voyous. D'abord : Mayshon Franklin. Vingt-huit ans, trois séjours en prison, sans compter un passage en établissement pour mineurs. Condamné pour agression, possession d'armes et vol de carte bancaire.

Il passa au second individu, un autre numéro, l'air beaucoup plus coriace.

— Earl Sliney : c'est notre tireur sur la vidéo. Trente-sept ans. Plus âgé que son complice, mais apparemment pas plus sage. Également délinquant juvénile, puis aussi hôte de l'État à diverses reprises aux quatre coins du pays.

Il a pris deux ans au Colorado pour fraude par chèque et usurpation d'identité, fait un petit séjour à Florence, en Arizona, pour vol avec effraction et à main armée, et, plus près de nous, cinq ans à Dannemora, dans le nord de l'État, pour avoir brisé les rotules à un dealer qui avait réduit sa part.

Notre homme est actuellement en cavale, recherché pour meurtre à Mount Vernon, dans l'État de New York. Il a abattu une vieille dame qui tentait d'appeler les secours, cachée dans sa baignoire, pendant un cambriolage.

Raley retourna s'asseoir à sa place. Sa démarche rappela à Nikki celle d'un comique, lors d'un spectacle d'improvisation qu'elle avait vu avec Rook.

Heat s'assit sur la table du premier rang et prit un moment pour considérer la situation avec les Gars. Comme la pression sur ses épaules pouvait être néfaste, parfois là où elle le souhaitait le moins, et envers ceux qui le méritaient le moins ! Cela lui avait trotté dans la tête tout le long du chemin à son retour au poste. C'est elle qui avait confié l'effraction à Raley et Ochoa. Et, grâce à leur travail, le reçu dans le sac à main de Jeanne Capois les avait conduits à Chelsea. Or, dans son irritation, elle avait inconsidérément repris les rênes et les avait congédiés sur le trottoir. Des excuses suffiraient-elles ? Mais peut-être cela n'avait-il rien à voir avec son attitude. Peut-être avaient-ils vraiment des doutes. Peut-être sentaient-ils quelque chose dans cette affaire qui lui échappait.

— Vous pensez que ces types pourraient être responsables, résuma-t-elle sans rejeter l'idée, mais sans y adhérer non plus.

— On garde cette possibilité ouverte, dit Ochoa.

Raley acquiesça de la tête.

— On a l'impression qu'on s'est un peu précipités dans une seule direction.

— Beaucoup précipités, renchérit son équipier. C'est juste ce qu'on a remarqué, patron.

Les Gars, ses meilleurs enquêteurs, lui renvoyaient la balle en lui rappelant ses propres principes.

— Bien, alors, écoutez : on va explorer cette piste. Voyez si vous pouvez retrouver la trace de ces deux affreux. Parents, associés connus, comme d'habitude. De toute évidence, ils donnent dans le piratage de cartes bancaires ; je commencerais donc par là. Peut-être obtiendrez-vous d'autres éléments auprès de la source qui vous a fourni l'arrêt sur image de la vidéo du DAB. D'ailleurs, d'où vient cette photo ?

Personne ne pipa mot. Puis Rhymer se racla la gorge.

— Hum, j'ai reçu un appel de Rook hier après ce tuyau que lui a refilé la femme à l'abattoir.

— Hattie, vous voulez dire ? demanda-t-elle en y repensant.

Rhymer acquiesça de la tête.

— Exactement, c'est ce nom-là. Bref, Rook m'a demandé d'appeler un de mes vieux potes à la brigade des cambriolages pour qu'il fasse une recherche sur Beauvais dans le fichier des DAB.

— Une minute... Rook ? s'exclama Nikki, abasourdie. Rook a appelé pour vous demander de faire ça ?...

D'abord, les Gars, maintenant, lui ? Toi aussi, Opossum ? songea-t-elle.

L'inspecteur haussa les épaules.

— Ça m'a paru le genre de choses que vous auriez demandées, si vous aviez été là.

Heat renvoya chacun à sa mission. De nouveau, en retournant à son bureau, elle sentit les épines s'enfoncer dans son cœur.

Elle faillit appeler Rook. Non pas pour l'informer de l'identité des deux malfrats, mais pour reparler du fait qu'il débauchait sa brigade pour ses recherches personnelles de journaliste. Elle n'appela pas parce qu'elle savait où cela la mènerait : dans la zone interdite qu'elle avait décidé d'éviter le matin dans sa cuisine. Alors, elle se plongea dans le suivi de l'affaire en attendant que le mandat de perquisition arrive du bureau du procureur.

Toujours aucune trace d'Alicia Delamater. Soit la maîtresse de Gilbert avait échappé à la vigilance des Douanes, soit son avocat avait menti, et elle n'avait jamais quitté le pays. Un avocat déloyal ? Pensez-vous !...

Elle localisa l'adresse de Hattie Pate, la copine de Fabian Beauvais qui avait renseigné Rook sur la bande du DAB et la fusillade de Queensboro Plaza, puis l'envoya dans un texto groupé à Raley et Ochoa afin qu'ils s'y rendent. Bien qu'elle n'ajoutât pas de smiley, elle espéra par ce geste réchauffer l'atmosphère entre eux.

Dans cet effort renouvelé d'ouverture d'esprit, Nikki adressa un e-mail à la base de données centrale pour solliciter une recherche sur Fidel « FiFi » Figueroa et Charley Tosh.

D'après Rook, les deux fouilleurs de poubelles qui s'étaient fait arrêter avec Beauvais n'avaient cessé de jouer de sales tours à Keith Gilbert pour le harceler pendant sa campagne. Elle ne savait pas exactement ce qu'ils pourraient lui apprendre, mais autant boucler la boucle.

Le sergent Aguinaldo de la police de Southampton rappela. Elle confirma qu'elle retrouverait Nikki chez Gilbert, à *Cosmo*, pour l'aider à procéder à la perquisition.

Par ailleurs, comme le médecin russe avait désigné le directeur comme le responsable de la blessure de Beauvais, Heat avait demandé à sa collègue de vérifier si des coups de feu avaient été signalés à cette date.

— Désolée, dit Aguinaldo, j'ai bien peur de n'avoir rien qui concorde. Ce qui ne me surprend pas, car on le saurait déjà. Ça aurait fait grand bruit dans tout le village.

Ces nouvelles ne rassurèrent pas Heat, inquiète de bétonner son dossier. L'Haïtien aurait-il été blessé non par son principal suspect, mais par Earl Sliney ?

— Merci d'avoir vérifié, en tout cas. Puis, comme elle n'était pas du genre à baisser les bras, Heat reprit :

— Sans vouloir abuser, pourrais-je vous demander une autre faveur ?

— Allez-y.

— Cet agent de patrouille dont vous m'avez parlé…

Inez Aguinaldo comprit aussitôt de quoi il était question.

— Celui qui a croisé l'homme titubant vers la gare ?

— Oui, qu'il a interpellé et aussitôt relâché.

— Quand je lui en ai parlé, l'agent Matthews n'était pas certain qu'il s'agisse de monsieur Beauvais, mais apparemment l'homme avait un accent et semblait malade. Vous pensez qu'il ne s'agissait peut-être pas de ça ?

— Il avait peut-être été blessé par balle, confirma Heat. Pourriez-vous… ?

— … lui parler de nouveau ? Bien sûr. Je vais même voir s'il peut nous rejoindre à Beckett's Neck.

Si on avait tiré sur Fabian Beauvais dans les Hamptons, cela mettait un terme aux suppositions concernant les coups de feu enregistrés sur la vidéo de Queensboro Plaza. Cela pourrait peut-être aussi apaiser les querelles internes soulevées par cette affaire. Avec Rook comme avec ses meilleurs éléments, auxquels le doute ou l'exaspération montaient à la tête. Comme l'arme de Gilbert constituait un maillon-clé dans la chaîne de preuves, lorsqu'on lui apprit que le mandat de perquisition n'allait pas tarder, Nikki se prépara afin d'être prête à partir dès son arrivée. Alors qu'elle passait une dernière fois à son bureau, son téléphone sonna. L'institut médicolégal. Elle marqua une pause pour répondre.

— Je viens de finir les autopsies sur tes deux morts à Chelsea, annonça Lauren Parry. D'abord, la cause : Nikki Heat.

Heureusement, la légiste, qui connaissait son amie, comprit aussitôt à son manque de réaction que Nikki était concentrée sur sa mission. Aussi se passa-t-elle de boutades pour aller droit au but :

— Roderick Floyd, celui que tu as abattu. Il a des égratignures sur le cou et les joues. Or, dans ton rapport d'hier, tu ne mentionnes pas l'avoir griffé.

— En effet. Mon seul contact physique a été une balayette derrière les genoux pour le faire tomber.

— De toute façon, ces excoriations ont l'air de remonter à plusieurs jours.

— Lauren, tu penses à Jeanne Capois ?

— Ça coïnciderait avec l'aspect et l'âge des marques. Le labo va comparer son ADN avec les résidus qu'elle avait sous les ongles des mains, d'où mon appel. Tu ne m'as jamais entendue me mouiller comme ça, mais je sais ce qu'on va trouver : ma main à couper que Roderick Floyd fait partie de ses agresseurs.

Après avoir raccroché, Nikki se posta devant le tableau blanc et laissa son regard naviguer du portrait de Roderick Floyd, le tueur paramilitaire de Jeanne Capois, à celui d'Earl Sliney, le malfrat qu'on voyait tirer sur Fabian Beauvais en vidéo.

Ce qu'elle essayait de comprendre, c'était quels pouvaient être leurs points communs, s'ils en avaient. Ils avaient des parcours et des profils si différents : l'un était un professionnel, l'autre, une petite frappe.

Le seul fil rouge apparent était l'effraction. L'information que la légiste venait de fournir à Heat corroborait pratiquement la participation de Floyd au cambriolage de West End Avenue, dans lequel le propriétaire de l'appartement avait trouvé la mort en tentant d'arrêter les voleurs avec une batte de base-ball. Il avait aussi poursuivi Jeanne Capois pour la torturer derrière les poubelles d'une école. Sliney, quant à lui, était sous mandat de recherche pour meurtre lors d'un cambriolage.

Fallait-il en tirer une conclusion ? Cette bande de professionnels travaillait-elle avec de simples voyous ? Ou ne se connaissaient-ils même pas les uns les autres ? Heat ne distinguait rien de systématique… pour l'instant.

Elle flairait bien quelque chose, mais, chaque fois qu'elle se rapprochait pour voir, une sorte de tourbillon de nuages noirs venait lui boucher l'horizon.

Au poste, la moindre assistante savait l'importance de ce fameux mandat de perquisition. Au point que, lorsqu'il arriva, l'une tint la porte à l'autre pour lui permettre de remettre le document plus vite en mains propres à Heat. Alors que l'enquêtrice en inspectait la date, les signatures et les tampons, l'inspecteur Feller l'interpella de l'autre bout de la salle.

— Je dois partir dans les Hamptons, dit-elle en brandissant le mandat.

— Je crois que ça va vous plaire.

Lorsqu'il lui eut indiqué de quoi il retournait, Heat se détourna pour le suivre dans la salle de conférences.

Son estomac se noua dès qu'elle franchit le seuil. Le Russe était assis, les coudes sur la table de conférences. Le menton dans les mains, les coins de la bouche tombant, il regardait fixement un bloc de papier blanc devant lui, sur lequel était posé de biais un stylo non débouché.

— Je ne peux pas écrire déclaration, décida Ivan Gogol.

— Monsieur Gogol, commença-t-elle avec douceur, que peut-on faire pour vous aider ? Voulez-vous un traducteur ? demanda-t-elle gentiment, pleine d'espoir.

— *Niet*, je ne peux pas faire déclaration parce que c'est mensonge.

Heat se sentit rougir. L'inspecteur Feller murmura un juron et, de dépit, se détourna. Nikki tenta de voir ce qu'elle pouvait sauver. Peut-être qu'en décomposant...

— Écoutez, nous ne voulons rien officialiser qui vous mette mal à l'aise.

Elle lui posa la main sur la manche et l'y laissa, bien qu'elle atterrît sur un archipel de verrues. Commençons par ce que vous voulez bien attester.

— Rien. Je ne jurerai rien.

Il repoussa le bloc comme un plat décevant.

— Procédons par étapes, insista-t-elle, déterminée. Vous nous avez bien dit que vous aviez soigné Fabian Beauvais pour une plaie par balle ? C'est la vérité, ça, non ?

Elle poussa le bloc vers lui.

Il haussa les épaules et demeura ainsi, la tête rentrée.

— Je ne suis pas sûr. Il faisait noir. Ce nom, je ne sais plus exactement.

Heat arracha la photo de Beauvais des mains de Feller et la brandit, mais, avant qu'elle puisse lui poser la question, Ivan poursuivit :

— C'est lui ? Pas lui ? Je ne suis plus sûr maintenant. Soirée très traumatisante. Je dormais, vous savez. Je me suis réveillé en sursaut.

Cela n'avait pas de sens de prolonger ce martyre.

— Monsieur Gogol ? S'il vous plaît, monsieur Gogol, regardez-moi. Merci. J'ai besoin que vous réfléchissiez avant de répondre. Hier encore, vous nous disiez que cet homme, là…

Elle tapota la photo de Beauvais.

— … avait reçu un coup de feu, que vous l'aviez soigné et qu'il vous avait dit que la personne qui lui avait tiré dessus s'appelait Keith Gilbert. N'est-ce pas la vérité ?

— Me souviens pas.

— Monsieur Gogol.

— Cet homme a dit beaucoup de choses. Peut-être qu'il délirait ou qu'il était ivre, qu'il s'est battu dans un bar et s'est fait tirer dessus. Oui, c'est ça, je crois. Il avait bu.

Nikki regarda Ivan Gogol avec insistance. Il n'avait pas le visage d'un menteur. Ce qu'elle lisait, c'était la peur. La panique, presque. Quelqu'un avait dit, ou fait, quelque chose pour le briser. À l'inquiétude qu'éprouvait l'inspecteur Heat pour son témoin se mêla celle que suscitait le fait de voir la pièce maîtresse de son dossier, sa preuve en béton, fondre comme neige au soleil.

— Ivan, si quelque chose vous effraie, sachez que la police de New York vous…

— Ça suffit. Je dirai pas plus.

Il repoussa le bloc de nouveau avec une telle force que le stylo tomba de la table et claqua quelque part sur le lino.

Personne ne chercha à le ramasser puisqu'il ne servirait à rien.

DIX

Les vieux loups de mer de l'Atlantique qui travaillaient au large de Long Island n'avaient pas de Doppler, de modèles informatiques ni d'images satellites pour prédire l'arrivée d'une tempête. Ils reniflaient l'air, observaient les oiseaux ou consultaient l'almanach – s'ils n'en avaient pas déchiré les pages aux toilettes. Évidemment, eux aussi se laissaient souvent surprendre. En 1938, le grand ouragan de Nouvelle-Angleterre avait fait huit cents morts dans le Nord-Est sans prévenir. Comme quoi, ciel rouge le matin...

Quoi qu'il en soit, il faisait grand beau et 17 °C lorsque l'inspecteur Heat dépassa la sortie vers les plages du parc national de Fire Island. Au lieu de réfléchir aux signes avant-coureurs d'une tornade, son attention se porta sur ses rétroviseurs, au cas où une certaine Impala ou un autre véhicule semblerait la suivre. Comme elle savait qu'après l'attaque à Chelsea, le capitaine Irons insisterait pour qu'un agent la conduise à Southampton ou même tenterait de la forcer à s'y rendre avec une voiture de patrouille, Nikki s'était esquivée pour prendre sa Taurus banalisée, juste après l'interrogatoire raté d'Ivan Gogol, et pour s'assurer ainsi de la solitude dont elle avait besoin.

Était-il possible qu'il ne se soit écoulé que deux jours depuis qu'elle avait fait ce même trajet avec Rook ? Tant de choses avaient changé en si peu de temps, et pas vraiment pour le mieux. L'absence de Rook, surtout, la frappait. Quelle que fût son occupation du moment, elle espérait en tout cas que cela n'entraînerait pas d'autres perturbations. Nikki s'efforçait de rester positive. Certes, le médecin russe s'était défilé, néanmoins elle détenait son mandat. Pourtant, la situation lui paraissait beaucoup trop incertaine pour qu'elle puisse se détendre.

Pendant le trajet, elle s'informa de l'avancée de l'ouragan à la radio. Selon le dernier bulletin, Sandy était passé en catégorie 2 à Cuba, qu'il avait traversé avec des vents à 180 km/h, faisant onze victimes non confirmées.

L'œil n'avait pas touché l'île, mais, en poursuivant sa route vers le nord, le puissant cyclone avait déversé cinquante centimètres de pluie et tué une cinquantaine de personnes à Haïti. Dès 8 heures le matin même, l'agence responsable de l'observation de l'océan et de l'atmosphère avait émis des alertes pour le sud-est de la Floride, et toute la côte est des États-Unis avait commencé à se préparer à la tempête tropicale.

En entendant le présentateur du journal déclarer : « Nous allons maintenant assister en direct à une conférence de presse avec le maire, le gouverneur et un directeur de l'Autorité portuaire », Nikki monta le son. Avec sa décontraction habituelle, le maire de New York annonça qu'il avait déjà mis en place sa salle de crise et que toutes les agences de la ville agissaient en synergie pour répondre à l'arrivée de Sandy. Le gouverneur déclara s'entretenir régulièrement avec la FEMA et le président, qui surveillaient la situation de près.

La MTA déplacerait tous les bus et les trains vers des lieux surélevés au cours des vingt-quatre prochaines heures. Le maire intervint pour indiquer à ses concitoyens qu'ils devaient s'attendre à voir des ouvriers installer des sacs de sable aux entrées de métro et boucher les grilles de ventilation sur les trottoirs pour éviter les inondations. À cette vision, Nikki sentit viscéralement l'imminence de la tempête qui lui semblait jusque-là tout à fait abstraite. Ce n'était pas tant la perspective des conséquences de ce phénomène naturel, mais son caractère inéluctable qui la prenait aux tripes.

Un journaliste demanda au gouverneur si les charges contre le directeur Gilbert auraient un impact négatif sur les préparatifs. La question souleva une vague de murmures dans la salle.

— Je vais répondre, déclara Keith Gilbert.

Heat le regarda s'avancer vers le microphone pour sauver le gouverneur d'une situation délicate.

— Peu après ma nomination, en juillet dernier, bien avant qu'on ait eu connaissance de cette tempête, j'ai organisé des manœuvres à l'Autorité portuaire, afin de répéter la procédure d'urgence à suivre en pareil cas. Nous nous sommes livrés à un exercice grandeur nature, comparable à des manœuvres militaires, en utilisant les aéroports JFK et Newark ainsi que le pont de Bayonne. C'était il y a trois mois. « Prévoyance, préparation et exécution », telle est notre devise. Je suis sur le point d'activer notre cellule de crise, poursuivit-il. Notre personnel hautement expérimenté continue d'inspecter toutes les installations. Les ports et les aéroports intensifient les mesures de précaution. On est en train de fermer le chantier du nouveau World Trade Center. Par ailleurs, comme l'arrivée de l'ouragan est prévue pour le début de la semaine prochaine, j'ai exigé que le personnel stratégique – ce qui inclut le Service des opérations et la police portuaire – travaille ce week-end.

Les questions jaillirent de la salle, les journalistes criant tous en même temps. Il ne donna la parole à personne. Au lieu de cela, il débita des phrases toutes faites.

— Encore un commentaire pour répondre plus directement à la question posée. Il y a vingt et un ans, il s'est produit ce qu'on appelle la « tempête parfaite » dans l'Atlantique Nord. Or, nous constatons actuellement que tous les ingrédients sont réunis pour que Sandy dégénère et provoque une catastrophe similaire. Je suis un marin, vous savez. C'est vrai. Un marin qui a affronté toutes sortes de mers. Tous ceux qui ont navigué avec moi vous le diront : je sais garder l'œil sur ce qui est important. Et reconnaître une vraie tempête d'un simple grain.

Pendant qu'il marquait une pause afin de rendre son discours plus théâtral, Nikki secoua la tête.

— Les politiciens ! marmonna-t-elle.

Tout comme deux jours auparavant, Heat appuya sur l'interphone au portail de la vaste résidence de Keith Gilbert surplombant Beckett's Neck, à Southampton.

— Je peux vous aider ? s'enquit une voix connue quelques instants plus tard.

— Bonjour, Danny, c'est l'inspecteur Heat, de la police de New York. On s'est rencontrés mardi…

— Oui ?

À son ton détaché, elle n'aurait su dire si cela signifiait « Et alors ? » ou « Oui, je me souviens ».

— Vous pouvez m'ouvrir, s'il vous plaît ? J'ai un mandat de perquisition.

Quand il sortit, Danny jeta un œil au document comme s'il était radioactif. Il releva les yeux vers Nikki, puis tourna son regard vers le sergent Aguinaldo, dont le 4 x 4 banalisé était stationné à côté de la Taurus de Heat.

— Je ne suis pas vraiment habilité. Vous permettez que j'appelle monsieur Gilbert ?

Nikki réfléchit à la question.

— Bien sûr, allez-y. Mais d'ici, si vous le voulez bien.

Il n'était pas question de laisser Danny se cacher derrière le lourd portail pour qu'il interfère éventuellement avec sa perquisition. Il opina du chef avec affabilité, souleva le rabat de son mobile et s'écarta de quelques mètres pour plus d'intimité.

— Je ne pense pas que ce type pose de problème, dit Aguinaldo à voix basse. Ce papier vous ouvre toutes les portes. Si jamais il y a un os, j'appellerai quelqu'un pour le surveiller pendant qu'on procédera à la perquisition.

Heat appréciait le calme de sa collègue. Au lieu de jouer l'intimidation, comme Heat l'avait souvent vu faire dans les petites villes, Inez Aguinaldo agissait avec pondération et professionnalisme. Ce genre de chose ne s'apprenait pas en formation. C'était inné chez elle.

— Il y a un chien, aussi.

— On sait s'occuper des chiens, assura Aguinaldo avec le

sourire. Écoutez, c'est un peu tôt pour le déjeuner, mais j'ai apporté deux paninis de chez Sean, dans Hampton Road.

— Merci, c'est très gentil à vous.

— Vous avez le choix : jambon blanc et fromage ou jambon blanc et fromage.

— Vous recommandez quoi ?

— Le premier, je dirais.

Juste à ce moment-là, le mobile de Heat sonna. Elle montra l'identité de l'appelant au sergent.

— L'avocat de Gilbert. Ça promet d'être intéressant.

— Il paraît que vous avez un mandat, souffla la voix.

Frederic Lohman donnait toujours envie de lui coller un masque à oxygène sur le nez pour l'aider à respirer.

— Absolument, monsieur Lohman. Votre client possède un port d'arme délivré par le shérif du comté de Suffolk pour un Ruger .38 Special limité à sa seule adresse de Southampton. Il m'a informée en personne de l'existence de cette arme le jour où il s'est présenté de lui-même au poste. J'ai le document. Je vais récupérer l'arme.

— C'est une sacrée grande propriété, n'est-ce pas ?

Alors que Nikki allait le couper pour entrave, il la surprit.

— C'est pourquoi nous allons vous dire où le trouver exactement. Vous noterez que j'ai dit « nous ».

Il toussa sans prendre la peine de couvrir le combiné.

— J'ai parlé avec monsieur Gilbert, et son gardien a reçu pour instruction de vous mener droit à l'arme, en témoignage de l'entière coopération de mon client.

Légèrement prise de court, Heat le remercia à contrecœur.

— Avec plaisir. Essuyez-vous les pieds avant d'entrer, gloussa-t-il. Vous n'oublierez pas cette preuve de bonne volonté, inspecteur ? ajouta-t-il.

Puis il raccrocha.

De fait, les deux policières s'essuyèrent les pieds. Cela semblait la moindre des choses avant de pénétrer dans une demeure à vingt millions de dollars. Nikki fut d'abord frappée par le silence. Malgré la hauteur de plafond dans la vaste entrée et le salon non moins spacieux, il n'y avait pas le moindre écho. L'épaisseur des tapis absorbait tous les sons de l'intérieur, et le double vitrage isolait parfaitement les bruits extérieurs. Même le ressac de l'océan sur la plage était atténué, sauf, bien sûr, lorsque les baies vitrées motorisées du patio étaient ouvertes. En saison, évidemment.

La fortune ne posait aucun problème à Heat. Simplement, elle ne se laissait jamais impressionner par quiconque uniquement parce qu'il ou elle était nanti. Sa mère qui, après ses études, avait donné des cours particuliers de piano dans certaines des plus grandes familles d'Europe, avait coutume de dire que « l'argent amplifie », autrement dit qu'il ne fait qu'accentuer votre vraie nature. Donnez un million à un accro à la méthadone et, en un an, vous ne verrez plus chez lui qu'un édenté au jardin envahi par les herbes folles.

Derrière l'escalier en colimaçon, Danny leur fit traverser une cuisine tout droit sortie d'un magazine de décoration. Outre un comptoir réfrigéré professionnel rempli de charcuterie et de fromages dignes d'un traiteur, on y trouvait des étagères bordées de bocaux remplis de pâtes aux couleurs coordonnées et tout un ensemble de moulins à poivre collectionnés au fil des années. Une marche plus bas, elles débouchèrent dans un salon peint de couleurs plus sombres et plus masculines que les grandes pièces blanches et écrues qu'elles venaient de traverser. Sans être ostensiblement précieux, le bureau du magnat était aménagé et décoré à la manière des quartiers d'un commandant de bord d'un paquebot de luxe du début du XXᵉ siècle. Des hublots bordés de laiton donnaient sur la piscine à débordement et, derrière, la mer. On s'y sentait enveloppé grâce au plafond lambrissé et surbaissé. Un bureau debout, tourné vers la vue, occupait un coin de la pièce tandis que l'imposant bureau en bois qui surplombait la cheminée était flanqué de fauteuils club en cuir clouté vert bouteille. Ils virent le gardien se diriger vers le placard intégré du bar. Il ouvrit une porte vitrée et fouilla d'un côté, puis, comme il ne trouvait pas ce qu'il cherchait, de l'autre.

— Euh… Il a pourtant dit que la clé était là.

— Vous ne l'avez pas eue avant ?

Il la regarda comme si elle était folle.

— Personne n'entre dans cette pièce à part monsieur Gilbert.

Il referma la porte du placard pour vérifier dans celui d'à côté. Heat perçut un léger tintement métallique contre une coupe en verre.

— Ah ! te voilà !

Danny sortit une petite clé accrochée à un lacet de cuir.

Tandis qu'il s'agenouillait à côté d'un des grands tiroirs à dossiers suspendus près du grand bureau, Nikki réfléchit au choix d'arme de son patron. En matière d'autodéfense, le revolver était une bonne option pour un amateur. Le mécanisme n'en était pas compliqué, contrairement au pistolet qui se coinçait, et le Sturm Ruger .38 Spl +P était plus facile à dégainer et à ranger grâce à son chien caché. Au déclic de la serrure, Heat vint rejoindre Danny à côté du bureau.

— Je prends la relève, merci.

Avec son habituel haussement d'épaules, il s'écarta pour la laisser passer. Nikki tira sur la poignée en laiton et regarda à l'intérieur. Puis elle se tourna vers le gardien.

— On va se débrouiller maintenant. Je vous remettrai la clé en partant.

Il fallut quelques secondes à Danny pour comprendre qu'on le congédiait, mais ensuite il quitta la pièce. Lorsque Nikki lui fit signe des yeux, Aguinaldo fit le tour du bureau pour regarder à son tour à l'intérieur du tiroir.

Il ne contenait rien d'autre qu'un étui vide.

Lorsqu'elles furent de nouveau dehors, Inez Aguinaldo répondit par un petit signe de la main à l'agent qui faisait demi-tour dans la voiture de patrouille noir et gris métallisé de la police de Southampton pour se garer derrière elles.

— Je dois dire que vous vous êtes montrée plutôt cool, là-dedans, dit-elle à Nikki.

Malgré son apparente impassibilité, à l'instant où elle avait vu le holster vide, Heat avait senti comme une bille de flipper lui parcourir le cerveau en déclenchant des lumières clignotantes et des tintements à chaque rebond. Où était l'arme ? Ding. Pourquoi Gilbert avait-il coopéré pour le mandat s'il savait qu'elle n'était plus là ? Dong. Avait-il la moindre idée où elle était passée ? Ding. Le savait-il et avait-il simplement feint de coopérer pour paraître innocent ? Dong. Était-elle quelque part dans la maison ou dans la mer ? Ding-ding.

— Cool si on veut, inspecteur Aguinaldo.

— Je ne crois pas une seconde que Gilbert ait égaré son arme, affirma le sergent. Enfin, vous avez vu ce bureau. Tout y est rangé comme dans un musée. Chaque chose à sa place. Un ordre parfait.

« Parfait ». Encore ce mot. Cela évoquait quand même une certaine tempête. La demeure était trop vaste pour que l'enquêtrice mène seule la fouille, mais son appel au capitaine Irons fut accueilli par un bon gros rire.

— Vous voulez que j'envoie des hommes hors de la ville alors que c'est le branle-bas de combat à cause de l'ouragan ? Peut-être la semaine prochaine, inspecteur. Après le massacre.

Nikki raccrocha et se demanda s'il faisait référence à la tempête ou à ce qu'il était en train de faire à son enquête.

Elle se tourna et considéra *Cosmo*, non pas juste le tentaculaire bâti, mais aussi le vaste terrain autour, parsemé de dépendances représentant autant de cachettes possibles. Heat ignorait où l'arme avait disparu, mais elle savait une chose : le « pourquoi » était aussi important que le « où ».

Il existe deux services de police distincts à Southampton, car, pour d'obscures raisons administratives, les juridictions de la ville et du village de Southampton sont séparées. L'agent Matthews, de la police de la ville et non du village de Southampton, serra la main à l'inspecteur Heat. Dans son regard, elle vit briller cette bonne humeur spontanée qu'elle rencontrait plus souvent chez les pompiers que chez les policiers. Woody Matthews faisait partie de ces vétérans qui ont bien vieilli, qui vous donnent l'impression d'être le genre à vous aider à changer un pneu crevé sur le parking du supermarché ou qu'on verrait bien faire sauter des crêpes sous une tente à la fête locale pendant son jour de congé. Il regarda le portrait que lui avait déjà soumis l'inspecteur Aguinaldo, mais ce fut la deuxième photo que les Gars avaient trouvée par terre dans la chambre de Jeanne Capois qui lui fit hocher la tête.

— Oui, je peux maintenant l'affirmer, c'est bien l'homme que j'ai vu.

Le patrouilleur confirma également la date de leur rencontre. Un peu plus tôt le soir où Beauvais était allé se faire recoudre chez Ivan Gogol, si le Russe avait dit vrai dans sa première version, comme Heat en était convaincue.

— L'inspecteur Aguinaldo a dit qu'il avait reçu une balle ?

— C'est possible. Avez-vous vu des traces de sang sur lui ?

— Négatif. J'en suis sûr, sinon j'aurais réagi. Mais il était recroquevillé sur lui-même, les bras en travers comme ça.

Lorsque l'agent se pencha en avant pour lui en faire la démonstration, sa ceinture en cuir craqua comme une selle.

— Il a dit qu'il était malade, et je ne suis pas là pour emmerder le monde, en fait. Je voulais juste m'assurer qu'il allait bien. Je lui ai même proposé de le déposer à la gare, mais il a refusé. Comme un des bars sur la nationale m'a appelé pour ivresse publique et manifeste, je l'ai laissé partir.

Remise à l'eau, songea Nikki.

— Avait-il l'air effrayé, comme s'il était suivi ?

L'agent Matthews se passa les doigts dans les cheveux, qu'il avait poivre et sel et qu'il portait courts.

— Là encore, si tel était le cas, je l'aurais signalé.

Heat le croyait volontiers. C'était quelqu'un qui enfilait son uniforme tous les jours pour venir en aide aux autres, pas pour les harceler. Heat lui demanda de lui montrer où il avait croisé Beauvais. Il étala un plan sur le capot de sa voiture et tapota sur la North Sea Road, près du cimetière.

— C'est littéralement à l'autre bout d'ici, observa-t-elle.

— En effet. Il venait du nord pour rejoindre la gare.

Ce qui était curieux. Assez, songea Heat, pour que cela ressemble à une chaussette dépareillée. Si Fabian Beauvais était venu soit de chez Keith Gilbert ou de chez Alicia Delamater, il serait allé du sud au nord, et non l'inverse.

— Qu'y a-t-il dans North Sea Road ?

— C'est très résidentiel, répondit l'inspecteur Aguinaldo.

— Absolument, poursuivit l'agent. Il y a de belles maisons dans ce coin. Pas comme ici, plutôt classe moyenne à moyenne supérieure. Des parcelles boisées avec garage pour deux voitures. Voyons, un marchand de vin, d'où j'ai d'abord pensé qu'il devait venir. Mais il pouvait aussi travailler dans les cuisines du restaurant de fruits de mer. Tout le reste devait être fermé là-haut à cette heure tardive. La pépinière, Conscience Point, l'alimentation générale...

— Attendez, fit Heat.

Pendant une seconde, le nom avait failli lui échapper. Mais, alors qu'il commençait à s'éloigner, il lui revint subitement avec la force d'un boomerang pour lui frapper l'esprit.

— Conscience Point, vous avez dit ?

Un quart d'heure plus tard, Nikki s'engageait dans le parking de la marina de Southampton, à Conscience Point, et se garait à côté d'un camion de travaux publics qui déchargeait des sacs de sable en vue de la tempête. Inez Aguinaldo descendit de son 4 x 4 banalisé et guida sa collègue à travers la zone de mouillage, qui se résumait à une humble zone de verdure néanmoins parfaitement entretenue entre la rue et North Sea Harbor. Trois quais en « T » s'avançaient de la digue, et une rangée de cales s'alignaient à la perpendiculaire du sentier du littoral. Deux mois après la fin de l'été, la plupart des emplacements étaient vides. Les quelques voiliers et bateaux à moteur de plaisance restants qui appartenaient aux irréductibles désireux de prolonger la saison étaient maintenant en train d'être hissés en cale sèche. À l'aide d'une grue diesel munie d'un harnais, une équipe s'activait à mettre les bateaux à sec avant que Sandy ne frappe. Repliée sur elle-même, Heat considéra la cascade d'eau qui ruisselait d'un Ensign 22 maintenu par le treuil ; elle observa l'aménagement alentour, regarda les deux petits immeubles dressés au bord de la chaussée, remarqua les poubelles et les réservoirs blancs de deux mille trois cents litres de carburant, de l'autre côté du parking. Les oreilles et les yeux grands ouverts, l'enquêtrice tentait de s'imbiber de l'endroit. Les deux femmes s'installèrent à la table de pique-nique pour manger leur panini en observant la grue balancer le voilier de plus d'une tonne pour le déposer sur le plateau d'un transporteur.

— Comment puis-je vous aider ? finit par demander Aguinaldo. Cherchez-vous de quelque chose en particulier ?

— C'est comme si je jouais à *Jeopardy*, répondit Heat. J'ai la réponse, il me faut juste deviner la bonne question.

La réponse était « conscience », expliqua Nikki.

— Ce mot me trotte dans la tête depuis qu'on l'a trouvé. Il était écrit sur un bout de papier glissé au milieu d'une épaisse liasse de billets cachée dans un placard chez Fabian Beauvais. Or, l'adresse et le numéro de téléphone de Keith Gilbert y figuraient également. Mais le mot « conscience » était au crayon, comme s'il avait été ajouté plus tard.

— Vous ne me dites pas tout, inspecteur Heat. Je crois que vous avez déjà votre question : « À quel endroit se donnerait-on rendez-vous pour la remise d'un dessous de table ? »

Nikki regarda la coque du bateau se poser doucement sur les supports rembourrés.

— Ça m'a traversé l'esprit.

Plus encore, Heat avait passé ces dernières minutes de silence à envisager la viabilité de cette possibilité.

— Alors, voici une supposition : et si Fabian Beauvais avait un moyen de faire chanter Keith Gilbert ou de lui extorquer de l'argent ? Je ne sais pas... Peut-être avait-il, en travaillant pour Alicia Delamater, découvert leur liaison et menacé de tout révéler.

Tout en parlant, Nikki se rendit compte qu'elle fondait son scénario sur l'une des théories de Rook et qu'il lui faudrait, sans aucun doute, faire amende honorable et accepter de payer en nature. Cela devra attendre ce soir, songea-t-elle avec délectation.

— Ça expliquerait les appels téléphoniques entre Beauvais et notre directeur. Et les dix mille dollars en liquide.

— Des appels pour négocier le prix et l'endroit du versement. Ici.

— À Conscience, confirma Heat.

En parfaite harmonie avec son raisonnement, le sergent Aguinaldo reprit l'hypothèse à son compte.

— Donc, ils se retrouvent ce soir-là. L'argent est versé. Mais ça tourne au vinaigre.

Heat saisit la balle au bond :

— Ce n'est pas le montant convenu ou Beauvais dit quelque chose qui énerve Gilbert ou l'inverse, ou Gilbert n'a jamais eu l'intention de payer… ou de lui laisser la vie sauve. Il peut arriver des tas de choses quand une affaire tourne mal. Quoi qu'il en soit, Gilbert a apporté son arme, mais n'a pas été jusqu'au bout. Beauvais s'est enfui, blessé. Gilbert a déguerpi.

— Mais si les dix mille dollars étaient liés à un chantage, pourquoi Beauvais n'a-t-il pas révélé ce qu'il savait sur Gilbert après qu'il lui a tiré dessus ? s'interrogea Aguinaldo.

— Je ne sais pas. À moins que…

Nikki se sentait suffisamment en confiance avec sa collègue pour émettre ses suppositions à voix haute.

— C'est un immigrant clandestin, d'accord ? Il n'est pas reconnu dans la société. Il a obtenu son argent par le biais d'un chantage. Il se dit qu'il survivra à sa blessure. Pourquoi aller se frotter au système judiciaire contre un homme de pouvoir ?…

— … qui a déjà tenté de le tuer…

— … et risque d'avoir toutes les raisons de terminer le travail, enchaîna Heat.

— Ça expliquerait en tout cas ce coup de feu dans les Hamptons, suivi d'une chute fatale au planétarium de New York.

— À condition que le coup de feu ait bien eu lieu ici.

Une brise se leva, et Nikki se retourna pour contempler les rides qu'elle provoqua à la surface de l'eau dans le port. Elle se demanda si le Ruger n'avait pas sombré dans la vase quelque part.

— Ça fait beaucoup d'eau, fit remarquer Aguinaldo.

— Gilbert avait-il un bateau ici ? demanda Heat tandis qu'elles repartaient vers leurs voitures.

— J'en doute, mais je peux vérifier.

— Je vous ai déjà beaucoup sollicitée. Mais il faut que je retourne en ville. Je peux encore vous demander un service ? demanda l'enquêtrice.

D'un geste, elle indiqua les habitations éparpillées derrière les conifères et les clôtures en bois le long de la route de campagne autour de la marina.

— Si vous pouvez libérer quelqu'un, pourriez-vous l'envoyer frapper aux portes par ici, inspecteur Aguinaldo ?

— Appelez-moi Inez, répondit le sergent en ouvrant son calepin.

Pendant qu'elle s'achetait un café à emporter à la Hampton Coffee Company, Nikki reçut un SMS de Rook. Un pincement de mélancolie lui serra le cœur à l'idée qu'ils étaient passés des échanges en personne aux messages vocaux et maintenant aux textos. Il aurait aussi bien pu se trouver en Suisse. Néanmoins, elle retrouva le sourire en lisant son invitation : *Toujours d'humeur pour ce dîner romantique sur le toit ?* À chaud, elle répondit oui. Aussitôt, il lui renvoya un message pour lui demander s'ils pouvaient se retrouver chez elle. Il avait ses raisons, et elle possédait un toit, elle aussi.

Nikki s'engagea sur l'autoroute avec le sourire aux lèvres. Elle avait hâte de voir la tête qu'il ferait lorsqu'elle lui annoncerait, à la lueur des chandelles, qu'elle lui avait piqué une de ses théories à la noix. Un frisson la parcourut à la perspective de ce que la soirée pouvait lui réserver d'autre. Pour l'instant, elle se réjouissait de voir que les choses allaient peut-être retrouver leur cours normal entre eux. En quittant les Hamptons, elle se mit à compter les panneaux ronds et bleus qui longeaient la route à intervalles réguliers. Itinéraire d'évacuation du littoral, indiquaient-ils. Cela faisait des années que ces alertes existaient, mais elle n'y avait jamais vraiment prêté attention. Comme à tant d'autres choses.

À côté de quoi était-elle passée dans cette affaire ? Se poser cette question, comme elle le faisait à un moment donné pour chaque enquête, c'était succomber au mal de l'enquêteur. Toujours avoir l'impression d'avoir loupé quelque chose à cause de la complexité des éléments imbriqués et des mensonges. L'expérience lui avait appris à insister. Car, même si la situation était toujours plus compliquée qu'on ne le pensait, la réponse était souvent plus simple qu'il n'y paraissait.

Alors qu'elle dépassait un autre panneau indiquant qu'elle se trouvait toujours sur l'itinéraire d'évacuation, Nikki se demanda si elle quittait la zone à risque ou se dirigeait vers elle.

La réponse lui fut fournie pendant que l'inspecteur Rhymer lui présentait son rapport, peu après son retour au poste, en fin d'après-midi. Opossum avait passé la journée avec la scientifique à fouiller minutieusement les appartements des membres connus du commando de tueurs qui avait attaqué Heat. Jusquelà, ils n'avaient rien trouvé reliant Bjorklund, Victor ou Floyd au directeur de l'Autorité portuaire. Tandis qu'ils bavardaient, le mobile de Heat s'anima sous l'arrivée de SMS et d'e-mails de la part d'amis et de collègues. Le contenu de ces brefs messages se limitait à des allusions, du genre : *Quel coup bas !* ou *Un vrai tour de cochon !* Lauren Parry, de la morgue, se contentait d'un *CQD ?!* accompagné d'un lien vers l'un des pires webloïds, le *city's-edge.com*, qui se situait un cran en dessous du *Ledger*, si tant est que ce fût possible. Nikki cliqua et ouvrit la page d'accueil du blog. « CQD ! » en effet. Le gros titre, en majuscules et en gras, hurlait : *Heat craque ?* Dessous, une photo de Nikki confrontant Keith Gilbert devant l'hôtel Widmark avant son arrestation occupait la moitié de l'écran. La légende disait : *La célèbre Nikki Heat, habituée des couvertures de magazine, s'attaque verbalement à Keith Gilbert, directeur de l'Autorité portuaire, juste avant de l'humilier alors qu'il se montrait jusque-là coopératif, en procédant à une arrestation publique gênante en pleine rue. Son obsession est-elle fondée ou la troublante enquêtrice est-elle victime d'un trouble pathologique ?* La suite était pire.

L'article, qui ne citait que des sources internes préférant conserver leur anonymat, la décrivait comme une ancienne étoile montante de la police de New York tombée en proie à une véritable monomanie : *Les initiés parlent de la ténacité névrotique de Nikki. Ainsi n'a-t-elle de cesse de revenir sur l'affaire du meurtre de sa mère, qui remonte à plus de dix ans, toujours aux dépens de ses enquêtes. « N'allez pas vous mettre dans ses pattes lorsqu'elle a le vent en poupe », déclare un ancien policier. Côté cœur, en revanche, Heat n'a apparemment aucun mal à suivre plusieurs lièvres à la fois. Il n'y a pas si longtemps, alors qu'elle fréquentait le super journaliste Jameson Rook, un de ses copains du gymnase a été retrouvé mort, tué par balle, dans son appartement chic de Gramercy. À l'arrivée des secours, le bel athlète gisait nu dans son entrée. « Je crois qu'elle a craqué, a déclaré une autre source préférant conserver son anonymat, par peur des représailles. Mais il ne faut pas trop lui en vouloir. Sa mère s'est fait poignarder, et son père est devenu alcoolo. »*

Était-ce ce dont Keith Gilbert voulait parler lorsqu'il avait invoqué Steinbrenner pour déguiser ses menaces ? Calomnier sa famille ? Elle interrompit sa lecture et décrocha aussitôt son téléphone pour appeler son père. La triste réalité était que Nikki dut consulter l'heure pour voir s'il était assez tôt pour le joindre sobre.

— Salut, papa, c'est moi, Nikki. Écoute, je pensais juste à toi. J'espère que tu vas bien.

Elle marqua une pause. Que faire en pareille situation : laisser un message pour dire de ne pas lire le journal ou ses e-mails ni de répondre au téléphone ?

— Appelle-moi dès que tu auras ce message, OK ? Je t'aime.

Alors qu'elle raccrochait, un petit coup sec frappé à la vitre du bureau du capitaine la fit sursauter. En se retournant, elle vit Wally Irons debout à l'intérieur de son aquarium, le stylo-bille dont il venait de se servir pour l'interpeller dans une main, le téléphone dans l'autre contre son oreille.

De la pointe du stylo, il la désigna, puis lui fit signe de venir le rejoindre. À son expression, on sentait qu'il commençait à payer le prix de sa mauvaise hygiène alimentaire.

— Elle arrive justement, je vous mets sur haut-parleur, dit Irons qui raccrocha bêtement au nez de son interlocuteur en coinçant le combiné par l'épaule. Merde !

Puis il se tourna vers Nikki :

— C'est Zach Hamner du One Police Plaza. Prenez un siège.

La ligne sonna de nouveau, et il enfonça son doigt sur la touche du haut-parleur.

— Heat ? fit la voix du Hamster.

— Je vous écoute.

Nikki tenta de prendre un ton désinvolte, mais elle se tenait sur ses gardes, car Irons et Hamner se méprisaient l'un l'autre ; alors, pour qu'ils se téléphonent, c'est qu'il s'agissait d'un niveau d'alerte jaune, sans compter la mine dyspeptique d'Iron Man. Sa première pensée fut pour l'article sordide, mais elle n'eut pas cette chance.

— Il paraît que vous n'avez pas l'arme, fit Zach, en allant droit au but, au soulagement de l'enquêtrice qui s'était préparée à cela.

— C'était d'ailleurs une surprise puisque son avocat nous avait spécifiquement appelés pour nous aider à la localiser dans la maison. Mais ce sont des choses qui arrivent.

Le capitaine Irons poussa un gros soupir et grimaça un peu plus. Sans lui prêter la moindre attention, elle poursuivit :

— Je ne m'en fais pas pour cela.

— Vous devriez ! C'est une preuve tangible dans votre affaire.

— Qui a disparu, dit-elle en hochant la tête à l'adresse

du haut-parleur sur le téléphone gris, ou a été dissimulée. Ou perdue. Je ne m'en réjouis pas, mais il suffit de la récupérer. Quoi qu'il en soit, pour moi, tout cela montre bien la duplicité de Gilbert : adhérer aux recherches et donner l'impression de coopérer pour mieux paraître innocent tout en sachant pertinemment que je passerai une demi-journée à tourner en rond avant de finalement mettre la main sur un étui vide.

— Vous avez bien de la chance d'être aussi blasée.

— Je ne le suis certes pas, Zachary. Écoutez, c'est simplement ce qu'on a l'habitude de voir quand on travaille sur le terrain. C'est un revers, c'est tout. Je continue de débusquer de nouvelles pistes prometteuses sur ce suspect.

Elle faillit mentionner Conscience Point, mais il s'agissait d'un élément encore si théorique que son enquête n'en aurait paru que moins solide. À quand remontait la dernière fois où elle avait eu autant de mal à défendre ses arguments ? Peu importait, elle s'y employa :

— L'arme disparue n'est qu'un détail que nous contournerons.

Elle n'aima pas le temps que prit son interlocuteur pour digérer son exposé. Ce qu'il dit lorsqu'il reprit la parole lui plut encore moins :

— Pour les gens d'ici, cette arme est plus qu'un détail. Tout comme votre médecin russe qui n'est même pas médecin. Et le fait qu'il ait désigné Gilbert...

— Il a eu la trouille. On lui a mis la pression.

— Décidément. Pas d'arme, un témoin qui se rétracte... Vous n'avez toujours pas établi de lien entre Gilbert et le moindre avion.

— Il possède un hélicoptère.

— À bord duquel il ne pouvait pas se trouver puisqu'il tenait un discours à l'heure où votre Haïtien effectuait son plongeon.

— D'après l'un des gorilles qu'il a envoyés m'attaquer.

— Oh ! vous ne m'aviez pas dit que vous aviez la preuve qu'ils travaillaient pour lui.

Devant son sarcasme, elle regrettait que cette fouine ne soit pas là face à elle. Si Zach avait eu des couilles, elle les lui aurait brisées.

— Gilbert est derrière tout ça, j'en mettrais ma main au feu.

— Heat, je sais que cela frise la passion chez vous, dit le Hamster, mais la mienne est de tenir cette maison à l'abri de poursuites gênantes et coûteuses.

— Eh bien, la mienne est de mettre les tueurs en prison.

Quelque chose se brisa en elle, et elle se pencha vers le téléphone.

— Même s'ils jouent au golf avec vos patrons, ajouta-t-elle.

Irons vacilla dans son fauteuil.

— Inspecteur, vous dépassez les bornes.

— On a le droit de tout faire quand on a de l'argent et des relations ?

— C'est de l'insubordination.

Wally vérifia que le voyant du téléphone était toujours allumé afin de s'assurer que ses objections étaient prises en compte.

— Attention, vous allez donner raison aux tabloïdes, ajouta-t-il.

Heat lui décocha un regard noir, mais décida qu'elle avait déjà assez fait d'éclats. Si l'adjoint principal du commissaire adjoint aux Affaires juridiques de la police de New York en prit ombrage, il n'en laissa toutefois rien paraître. À la vérité, lorsqu'il reprit enfin la parole, il semblait plutôt décontracté.

— Je crois qu'il vaudrait mieux pour tout le monde que nous reprenions notre souffle.

Nikki, qui avait bondi sur ses pieds pendant l'échange, se rassit. Le ton calme de Zach lui donna le sentiment que le pire était passé. Du moins, jusqu'à ce qu'il reprenne :

— Je vais donc réduire la pression. Voilà, avec le consentement de la hiérarchie, j'ai parlé au procureur : nous levons toutes les charges retenues contre Keith Gilbert.

ONZE

Dans la salle de briefing, entourée de sa brigade, Heat tendait le cou pour regarder l'écran de télévision au mur et suivre en direct la déclaration de Keith Gilbert aux médias concernant l'abandon des charges contre lui. Toute cette histoire, malgré son côté improvisé, sentait la mise en scène à plein nez. Nikki en était écœurée. La cravate dénouée, les manches de chemise relevées à la hauteur idéale pour donner l'impression d'être au beau milieu d'une tâche ardue, le directeur s'était posté devant le tableau magique de la salle de crise de l'Autorité portuaire mise en place en prévision de l'ouragan Sandy. Pourquoi ne pas s'envelopper dans le drapeau derrière lui, à côté des lumières vertes clignotantes indiquant le statut des ponts et des tunnels ? Comme Rook appelait sur son mobile, l'enquêtrice s'écarta du groupe aggluttiné près du téléviseur pour répondre.

— Tu as vu ? demanda-t-il.

— C'est comme un accident de la route. J'ai essayé de ne pas regarder, mais je n'ai pas pu m'en empêcher.

— Merci de m'avoir appelé pour me prévenir.

— Je l'aurais fait, assura Nikki, si Gilbert ne l'avait pas su avant moi. Attends un peu, qu'est-ce que qu'il dit ?

Gilbert s'adressait à un reporter que l'on ne voyait pas à l'écran.

— Rien de tout cela n'a jamais eu aucun fondement. Cela ne m'a donc pas inquiété, ce qui ne m'a pas empêché de prier pour la victime de ce crime, expliquait-il. J'espère que la police de New York pourra maintenant se concentrer sur l'arrestation du véritable meurtrier de Fabian Beauvais tandis que je me concentrerai sur la tempête qui s'annonce.

— Il ne manque plus que la musique patriotique ! s'esclaffa Rook à l'oreille de Nikki. Une bonne bande originale de film, voilà ce qu'il lui faudrait.

Ce cynisme était le bienvenu, mais il apportait peu de réconfort à Heat, car non seulement Rook ne croyait pas à la culpabilité du directeur, mais sa propre enquête était peut-être responsable de la première fissure qui risquait de voir la sienne s'effondrer. Pour son propre équilibre, elle tenta de mettre son mouchoir par-dessus pour l'instant. Mais Gilbert lui rendait la tâche difficile.

— Directeur, l'interpella un autre journaliste. Selon une autre source, vous auriez eu l'intention de poursuivre la police de New York pour arrestation arbitraire. Est-ce toujours d'actualité ?

Keith Gilbert sourit tristement et secoua lentement la tête.

— Laissez-moi vous dire ceci : voici venu le moment de se concentrer à la fois sur le présent et l'avenir. Au final, la police de New York et le procureur ont fait ce qu'il fallait. Cela ne collait pas et ils le savaient. Même un grand journaliste d'investigation, Jameson Rook – qui, par une certaine ironie du sort, fréquente l'enquêtrice chargée de cette affaire –, émettait encore de sérieux doutes aujourd'hui sur le blog de *First Press.com*.

Comme un seul homme ou presque, la brigade se retourna vers Nikki. Elle se détourna et murmura au téléphone :

— Quoi ?

Rook se racla la gorge.

— Euh, il vaudrait peut-être mieux que je raccroche.

— N'y pense même pas !

— Nikki, il n'y a rien dans ce post dont nous n'ayons déjà discuté. Et, juste pour ta gouverne, ce n'est pas moi qui l'ai publié. C'est le magazine, sans me le dire, juste pour générer du trafic, parce que l'affaire est un sujet brûlant. Tu me crois, non ?

Que pouvait-elle dire ? Déclencher une nouvelle dispute ? Non, il lui fallait une formule à la fois sincère et neutre.

— Je vois ce qui a pu se produire.

— Je te ferai oublier tout ça au dîner, promis.

— Ce serait bien, pour changer. En tout cas, pas de couleuvres, d'accord ? ajouta-t-elle.

Lorsqu'elle était descendue de voiture une heure avant, à son retour des Hamptons, comme elle s'était sentie percluse de courbatures, à cause de sa bagarre de la veille, Nikki avait prévu de finir tôt. Les événements survenus dans l'intervalle changeaient tout ; aussi convoqua-t-elle son équipe.

— Nous voici revenus à la case départ, sans toucher le pactole, fit-elle observer, très sérieuse.

Les quatre inspecteurs assis autour d'elle ne souriaient pas non plus.

— Avant que nous ne levions le camp, voyons ce dont nous disposons.

D'abord, elle les mit au courant pour l'arme disparue et sa théorie sur Conscience Point. Puis elle indiqua qu'elle partageait la certitude de la légiste concernant les marques de griffe sur le corps de Roderick Floyd. Selon toute vraisemblance, le commando faisait partie des meurtriers de Jeanne Capois.

L'enquêtrice évoqua également sa frustration de n'être pas parvenue à établir le lien entre la bande qui s'en était prise à elle et à Jeanne Capois, et les deux gangsters qui avaient tiré sur Fabian Beauvais. Lorsqu'elle admit être ouverte à l'idée que n'importe lequel pouvait avoir tué Beauvais, les Gars échangèrent un regard sans croiser le sien. Oh ! tant pis.

L'inspecteur Raley récapitula ses recherches concernant Opal Onishi, dont Heat avait trouvé l'appartement vide à Chelsea le matin.

— J'ai obtenu une photo d'elle auprès des services d'immatriculation, annonça-t-il en tendant à Nikki le portrait de la jeune Américano-Japonaise à ajouter au tableau blanc. Vingt-six ans. Pas de casier. Je suis retourné chez elle, et les voisins m'ont dit qu'elle avait plié bagage lundi en fin de soirée.

— Le jour où Fabian Beauvais a fait le grand plongeon. Le soir où Jeanne Capois nous a quittés, ajouta Ochoa.

— C'est exact, mon cher, confirma son équipier. Comme les voisins ignoraient où elle est partie, j'ai passé la journée à retracer ses divers emplois au cours de ces dernières années. Il s'avère qu'Opal Onishi est diplômée de la fac de cinéma de l'Université de New York. Elle a commencé comme accessoiriste dans l'émission *Iron Chef,* sur la chaîne de la cuisine ; ensuite, elle a gravi les échelons jusqu'au poste qu'elle occupe actuellement : elle transporte de l'équipement chez Extérieur Location. C'est une société d'Astoria qui loue du matériel audiovisuel pour les tournages dans la Grande Pomme et ses environs.

— Pourquoi, selon vous, Jeanne Capois trimbalait-elle l'adresse d'Onishi ? demanda Heat.

— Parce qu'elle cherchait une femme de ménage, peut-être ?

— Avec ses revenus ? fit Feller. J'en doute.

Raley haussa les épaules.

— J'en sais rien. Le mieux serait de poser la question à l'intéressée. Mais j'ai appelé son patron. Il ne l'a pas vue de la semaine.

— Allez voir ses collègues et amis demain à la première heure, suggéra Heat. Et, Sean ? Beau boulot.

C'est à peine s'il la remercia pour le compliment. À leur attitude, elle comprit que les Gars lui en voulaient toujours.

— Miguel, à vous.

— J'ai essayé de mettre la main sur les deux gus du DAB qui ont abattu…, pardon…, tiré sur Beauvais.

Cela ne semblait pas fait exprès, mais le lapsus d'Ochoa trouvait un écho fort désagréable à la lumière des derniers développements de l'affaire. Nikki se demanda combien de coups il lui faudrait encore encaisser. Elle n'avait qu'une envie : rentrer retrouver Rook et reprendre tout à zéro le lendemain. Son enquêteur poursuivit :

— Les deux courent toujours. Le premier, Mayshon Franklin, ne fait l'objet d'aucun mandat ; il n'est donc pas très aimé. Le deuxième, en revanche, Earl Sliney, est toujours recherché pour meurtre dans le cadre d'un cambriolage. Le dossier a été transmis au Bureau d'enquête criminelle de l'État. J'ai eu le nom de l'inspecteur responsable. On a fini par échanger des coups de fil et des e-mails.

Ochoa releva sa manche pour consulter sa montre.

— On doit se rappeler ce soir ; je ne devrais donc pas tarder à en savoir un peu plus.

L'inspecteur Rhymer raconta sa journée passée dans le Bronx chez les trois agresseurs de Heat.

— Comme ils habitaient tous plus ou moins dans le même quartier, à Bathgate, j'ai pu facilement couvrir les trois appartements.

— J'y crois pas, fit Feller. Quand je pense que j'ai passé la moitié de ma vie entre des ponts et des tunnels. Opossum, lui, se fait les trois scènes de crime d'un seul coup d'un seul.

Les autres gloussèrent, mais Rhymer avait l'air préoccupé.

— Qu'avez-vous récolté, inspecteur ? demanda Heat.

— J'ai fait un point avec la scientifique pendant que vous étiez dans le bureau du capitaine pour votre..., euh..., appel. D'abord, chez Stan Victor – c'est celui qui a eu la chance de tâter de votre pistolet à clous –, ils ont trouvé une carte avec l'adresse de l'effraction dans West End Avenue.

Il marqua une pause sans lever le nez de ses notes.

— Ils ont aussi trouvé les vôtres, ici et chez vous à Gramercy Park. Ainsi qu'une liste de tous les endroits que vous fréquentez habituellement : le loft de Rook, le gymnase, le Starbucks.

Dans le silence qui s'ensuivit, ils réfléchirent tous aux implications que cela représentait. Puis Heat reprit la parole :

— Eh bien, on peut dire qu'ils se sont donné du mal. Je suis ravie de leur en avoir donné pour leur argent.

Nikki se rapprocha du tableau blanc, désormais si rempli de photos et de notes au marqueur de toutes les couleurs et dans tous les sens qu'il ressemblait à un immeuble de cité couvert de tags.

— Vous savez quoi ? Ce n'est pas terminé, déclara-t-elle. Les Affaires juridiques se sont peut-être dégonflées, mais je ne vais pas laisser passer ça. Au contraire, je vais continuer de creuser. Gilbert est mouillé jusqu'au cou, et qu'il soit revenu sur sa version des faits ne change rien. À cause de la tempête, il ne peut aller nulle part. Demain ou un autre jour, on finira par trouver ce qui nous manque encore...

Elle marqua une pause et parcourut des yeux le tableau blanc, puis reprit :

— Et on fera exactement ce qu'il a déclaré espérer, lors de sa conférence de presse : on arrêtera le véritable meurtrier de Fabian Beauvais. Et je sais qui c'est.

Lorsqu'elle se retourna vers sa brigade, elle devina que la moitié seulement la suivait. C'était un début.

En ouvrant la porte de chez elle, Nikki faillit lancer « Chéri, je suis rentrée » pour partir sur une note plus légère avec Rook, mais quelque chose la fit se raviser. Heat connaissait son intérieur – les bruits, les odeurs, l'ambiance –, car elle y vivait depuis des années et y avait passé d'innombrables moments. Elle y avait travaillé, fait la fête, connu l'amour et la mort et toutes les nuances d'émotion entre les deux. Qu'est-ce qui clochait ?

Le silence ? Non, ce n'était pas cela, parce que ce n'était pas vraiment silencieux. Les bruits de la ville, les coups de klaxon et les sirènes au loin semblaient trop présents, comme si une fenêtre était ouverte.

Heat renonça à descendre trouver les agents dans la voiture de patrouille postée de l'autre côté de la 20e Rue, mais, se souvenant du rapport de l'inspecteur Rhymer, elle ferma doucement la porte et avança la main posée sur son étui de revolver. À pas de loup, Nikki atteignit la fin du tapis, à l'endroit où son entrée tournait vers la cuisine, et aperçut une petite serviette en papier blanc par terre. Elle risqua un coup d'œil plus loin et en vit une autre à une cinquantaine de centimètres. Le sifflement d'un portier hélant un taxi lui parvint de l'hôtel du Gramercy Park, de l'autre côté de la place, puis la brise souleva une feuille de la serviette en papier, comme pour la saluer avant de retomber en place. La chaleur d'un doux souvenir envahit Nikki, et elle retira la main de son arme. Puis elle s'avança dans la pièce, le sourire aux lèvres.

Une ligne de serviettes en papier sur le sol formait comme des pas japonais le long du couloir, puis traversait le salon jusqu'à la fenêtre ouverte. Lorsqu'elle passa la tête dehors, l'escalier de secours menant sur le toit était éclairé par de petits photophores. La journée allait peut-être prendre un autre tour, songea Nikki qui entama son ascension.

Lorsqu'elle arriva au dernier barreau, Rook lui prit galamment la main, par jeu pour commencer, puis avec sincérité lorsqu'elle mit le pied sur le toit.

— Je vois que tu n'as pas eu trop de mal à me trouver. Ça, c'était une piste, hein ?

— Il me semble que ce n'est pas la première fois que tu as recours à cette méthode.

— Retiens-la bien. C'est le thème de la soirée, annonça-t-il.

— On est jeudi. Depuis quand il y a un thème le jeudi ?

— C'est toi la super enquêtrice. À toi de trouver.

Il s'écarta pour qu'elle puisse savourer la vue sur la table qu'il avait dressée pour deux à la belle étoile.

Au milieu du toit étaient groupées deux chaises autour d'une table recouverte d'une nappe blanche sur laquelle dansaient les flammes des bougies. Sur le côté, une desserte, elle aussi éclairée par des photophores, présentait divers plats sous cloche et tous les ingrédients d'un bar.

— Je ne sais pas trop.

Elle se lança.

— Un dîner romantique en plein air ?

— Félicitations.

Il la prit dans ses bras et lui caressa les cheveux.

— Tu as gagné. Tu es la pire enquêtrice jamais vue. Pour notre thème de ce soir, il faut avoir « les yeux d'un bleu ». Car, continua Rook en la guidant vers les tables, nous remontons le temps jusqu'à nos débuts, Nikki Heat. Te souviens-tu de notre première fois ? Évidemment, magnifique étalon que j'étais. Mais je digresse.

D'un geste, il indiqua le bar, qui se résumait à une bouteille de tequila, un verre à shooter, un citron vert coupé en quartiers et une salière.

— Notre premier verre ce soir-là ?

— Oh là là, oui. On a bu de la tequila.

— À l'américaine, pour être précis. La vague de chaleur avait provoqué une panne de courant, et on s'est saoulés en règle à la lueur des bougies, un peu comme ici.

— J'en avais vraiment besoin, s'esclaffa-t-elle.

— De l'alcool, aussi.

Il haussa brièvement les sourcils. Mais cette soirée de pèlerinage ne serait pas complète sans le premier repas que nous avons partagé sur ce même toit. C'est un peu la raison pour laquelle je voulais qu'on dîne ici ce soir.

Nikki posa une main sur les cloches en inox.

— Quesadillas et saumon fumé, devina-t-elle.

Elle souleva les couvercles et rit de nouveau en constatant qu'elle ne s'était pas trompée.

— Rook, quelle bonne idée !

— Oh ! j'en ai tout un stock. En voici une autre.

Il l'attira contre lui pour l'embrasser. Mais Nikki, qui commençait elle aussi à avoir des idées, se jeta sur sa bouche avec un appétit qui le prit par surprise. Rook ne sembla toutefois pas objecter, et ils s'enlacèrent, ignorant la nourriture, la boisson et les chandelles, pour reprendre l'exploration l'un de l'autre sous la voûte étoilée. Ils échangèrent des baisers enflammés par une passion que les années passées ensemble ne pouvaient entamer.

— Mmm. La bouche d'un bleu, observa-t-il avec un large sourire lorsqu'ils se séparèrent enfin, ce qui la fit rire une fois de plus.

Exactement ce qui lui avait manqué, ce dont elle avait besoin. Elle le dévisagea (oui, ce « visage au charme voyou », comme il aimait à le souligner lui-même) et songea à son art de la faire rire. C'était sans doute le plus beau cadeau que Rook lui ait fait, car sa manière de bannir le sérieux lui permettait de garder son équilibre et lui remontait le moral lorsqu'elle en avait le plus besoin. Autrement dit, tout le temps ou presque.

Il lui avança sa chaise, et elle prit place. Tandis qu'il s'affairait à préparer les tequilas, elle aperçut le renflement carré dans la poche de sa veste, dont les dimensions et la forme correspondaient à celles d'un coffret à bijou, et l'agitation qu'elle ne s'était pas autorisée à ressentir depuis plusieurs jours la fit frissonner. Rook s'assit à côté d'elle, lui prit la main et, avec une familiarité naturelle, lui lécha la chair entre le pouce et l'index avant d'y verser du sel. Il lui servit une dose de Patrón, qu'elle leva à sa santé, puis elle lécha le sel, vida sa tequila et mordit dans le quartier de citron vert qu'il lui tendait.

— À ton tour ! lança-t-elle avant d'entreprendre le même rituel.

Elle lui lécha la main, y déposa du sel, lui versa un verre et lui agita le citron vert sous le nez avant de le lui fourrer dans la bouche pour qu'il en aspire le jus.

Après deux tournées, Rook reprit la parole :

— Vas-tu enfin me raconter ce qui s'est passé avec Gilbert ou comptes-tu prolonger la torture ?

— Je n'avais pas prévu de mélanger plaisir et boulot.

— Balivernes. C'est dans notre ADN, Nikki. Plus vite on en sera débarrassés, plus vite on passera aux choses plus agréables.

— Bon, d'accord, mais j'en aimerais encore un autre dans ce cas.

Tandis qu'il la servait, Nikki lui déballa tous ses soucis. Nul doute que la *reposado* l'aida à s'épancher. Par-dessous tout, il sembla très intéressé par le Ruger disparu du bureau de Gilbert.

— C'est carrément étrange, commenta-t-il. Surtout si son avocat a proposé de coopérer pour le trouver... Pourquoi, s'il savait que le .38 n'était pas dans ce tiroir ?

— Pour jouer les innocents. Allô, Rook, tu n'es pas né de la dernière pluie !

Son intérêt s'accrut lorsqu'elle lui parla de Conscience Point. Elle marqua alors une pause pour laisser les rouages de son esprit conspirationniste se mettre en branle et tourner sans l'interrompre. Qui sait ? Peut-être laisserait-il la part obscure de côté, finalement, pour la soutenir dans son enquête. Il fallait lui donner un petit coup de pouce, songea Nikki.

— On a officiellement établi le lien entre les types qui m'ont attaquée hier soir et Jeanne Capois.

— L'analyse ADN ?

— Toujours en cours.

Elle l'informa des adresses trouvées chez le commando. Devant sa réaction, elle ajouta les détails qu'ils avaient réunis sur elle.

— Ça te pose un problème ? s'enquit-elle en le voyant jeter des regards derrière lui.

— Comment ça, une bande d'affreuses crapules déguisées en ninjas qui nous tournent autour ? Bien sûr que non ! C'est tout ce que j'aime. Tant qu'ils n'utilisent pas la torture par l'eau. J'ai de toutes petites cavités nasales.

— Pas d'inquiétude. Il y a une voiture de patrouille en bas.

— Et s'ils ont un sniper ?

— Allons, Rook. Où voudrais-tu qu'il y ait un sniper ?

Il vérifia malgré tout les toits situés plus haut.

— Je ne vais pas me laisser effrayer ni baisser les bras face à Gilbert, affirma-t-elle.

— Tu as toujours aimé la difficulté.

— Ce n'est pas parce qu'une chose est difficile qu'elle est impossible.

— C'est vrai, concéda-t-il. Tu savais, par exemple, qu'un écrivain français a écrit tout un roman, soit deux cent trente-trois pages exactement, sans utiliser un seul verbe ?

— Le paquet de céréales ?

— Il a encore frappé. C'est fou ce qu'on peut apprendre au petit-déjeuner… Encore une tequila ?

— On devrait peut-être ralentir un peu, suggéra-t-elle.

— À propos de choses difficiles, mais pas impossibles, vas-tu cesser un jour de me pourrir la vie avec tes articles et tes posts ?

— Tu veux dire que je suis difficile ?

— Mais pas impossible.

Elle se pencha pour l'embrasser.

— OK, encore un.

— Baiser ou verre ?

— Je veux bien me laisser surprendre.

Rook l'embrassa, puis lui servit un shot. Avant qu'elle ne puisse le boire, son mobile sonna.

— Ochoa, annonça-t-elle. Je ferais mieux de…

Il acquiesça et siffla son verre tandis qu'elle répondait.

— Désolé de vous appeler si tard, dit Ochoa.

— Vous plaisantez ? Vous savez bien que vous pouvez me joindre à toute heure.

Malgré ses efforts pour avoir l'air enjouée et, oui, conciliante, elle n'obtint aucune réaction.

— Où est votre équipier ?

— Ici, aussi, intervint Raley.

— Salut, Sean. Bien. Les Gars sont là, au complet.

Nikki sentit qu'elle en faisait trop, peut-être à cause de la tequila ou de ses efforts pour renouer avec l'esprit d'équipe.

— Je vous mets sur haut-parleur parce que je suis avec Rook, annonça-t-elle en décidant de revenir à un ton plus professionnel. Que se passe-t-il ?

— L'inspecteur qui s'occupe du mandat de recherche pour Earl Sliney vient de m'appeler.

Par réflexe, Heat chercha de la main son calepin, tel un ex-fumeur son paquet de cigarettes disparu, mais elle l'avait laissé en bas. Rook sortit le sien et le lui tendit avec un stylo.

— Sliney avait disparu de la circulation, mais ils ont eu un coup de chance, apparemment, à cause de l'autre type sur la vidéo de Queensboro Plaza.

— Mayshon Franklin ?

— Exactement. En fait, Mayshon a merdé avant-hier. Il a volé une bière chez un marchand de vin à Rhinebeck, au bord de l'Hudson.

— Il s'est fait prendre par la caméra à la caisse, ajouta Raley.

— Et ils ont relevé ses empreintes sur la canette, glissa Ochoa.

— Il était fiché comme complice de Sliney, dont un frère habite dans le coin, à Pine Plains, une petite ville du comté de Dutchess. Les collègues de l'État et du comté y sont allés faire une descente. Ils ont loupé ces deux ordures de six heures.

— Le frère a-t-il dit où ils étaient partis ? demanda Nikki.

— Non, soit il n'en savait rien, soit il a voulu faire barrage. Mais on n'appelait pas pour ça.

— C'est à cause de ce qu'on a appris sur le frangin, dit Raley en pesant ses mots.

— Oui ?...

— Le frère d'Earl Sliney bosse dans une ferme, expliqua Ochoa. Il pilote l'avion d'épandage.

Après une très brève pause, il reprit :

— Donc il a accès à un avion.

Même ralentie par la tequila, Heat fit rapidement le calcul : Fabian Beauvais faisait équipe avec Franklin et Sliney pour braquer les DAB. Or Sliney était déjà connu et recherché pour meurtre ; sur la vidéo, on le voyait tirer trois coups sur Beauvais, qui le fuyait en courant. Beauvais avait été blessé par balle, le frère de Sliney disposait d'un avion ; Beauvais était tombé du ciel. Nikki éprouva une sensation familière à l'estomac. Elle n'aimait pas du tout la tournure que prenaient les choses, car, selon toute probabilité, le tueur n'était pas Keith Gilbert, mais bel et bien Earl Sliney.

— Ça donne matière à réfléchir, dit-elle.

Elle découvrit à quoi ressemblait un soupir des Gars lors d'un appel en conférence.

— Je ne dis pas que ce n'est pas envisageable. C'est juste...

— ... énorme, bondit Ochoa.

Heat agita la tête.

— D'accord. On va tout mettre ensemble et voir si ça colle avec le reste.

— Comment ça, si ça colle ?

La question de Raley était aussi légitime que laconique.

— Écoutez, je ne rejette pas votre théorie, les Gars, mais vous comprenez, non ?

— Qu'est-ce qu'on fait, alors ? demanda Ochoa après un trou dans la conversation que remplirent les bruits de la rue.

Il s'efforçait de réprimer la consternation que partageait son équipier.

— Voilà ce que vous allez faire, se lança-t-elle parce qu'il lui fallait laisser la porte ouverte à la possibilité qu'ils tenaient une piste solide et parce qu'elle voulait renouer avec ses enquêteurs qu'elle appréciait et admirait. Vous allez régler vos réveils à l'aube pour être à Pine Plains à la première heure et me titiller le frère de Sliney comme vous savez si bien le faire. Vérifiez son alibi pour le matin de la chute au planétarium. Prenez sa déposition et trouvez quelqu'un pour la corroborer. Voyez l'avion. Dans quel état il est, combien de sièges il possède et vérifiez s'il y a un journal de bord ou un plan de vol. Je ne connais pas la réglementation en rase campagne, mais vous aurez peut-être de la chance. Ce que je veux dire, messieurs, c'est qu'il faut foncer. Battez le fer quand il est chaud, d'accord ?

Très légèrement amadoués, ils répondirent que c'était tout ce qu'ils voulaient entendre et prirent congé.

— Alors, dit Rook lorsque Nikki eut reposé son téléphone sur la table. On dirait qu'elle leur est restée en travers de la gorge, la claque que tu leur as mise ce matin sur le trottoir, à Chelsea.

À sa réaction, il voulut aussitôt se rattraper avant de mordre dans son quartier de citron vert.

— Je m'explique. Alors que je leur parlais d'autre chose aujourd'hui, Raley et Ochoa ont évoqué cet incident. Mais de manière tout à fait informelle. Quand je dis que tu leur as mis une claque, c'est moi qui interprète.

Mettant de côté le fait qu'elle n'aimait pas qu'on parle dans son dos, Nikki alla droit au but :

— De quoi d'autre parlais-tu avec mes inspecteurs ?

— Tu vois, on ne devrait jamais boire de tequila et discuter meurtre en même temps. Ça ne fait pas bon ménage.

— Inutile d'essayer de t'en sortir par une pirouette, Rook. Dis-moi.

Il croisa les bras et se cala contre le dossier de sa chaise pour réfléchir.

— D'accord. Je ne voulais pas aborder le sujet avant demain, pour ne pas mettre de l'huile sur le feu, mais j'ai entendu dire que Keith Gilbert avait demandé une mesure d'éloignement le mois dernier à l'encontre…, tiens-toi bien…, d'Alicia Delamater.

— Et tu tiens ça d'une source digne de foi ?

— Oui, mais je tiens toujours à vérifier. D'où l'appel que j'ai passé aux Gars. Et ils me l'ont confirmé. Donc les choses ne sont peut-être pas si roses à Beckett's Neck. En tout cas, pas comme voudrait nous le faire croire cet écrivaillon de romans policiers suffisant.

— Tu lui en veux parce qu'il t'a dit que tu devrais t'en tenir à tes magazines.

— Je ne crois pas qu'il soit ignoble de trouver son jugement sévère.

Nikki n'entendit pas cette remarque, car elle s'était avachie sur sa chaise et, le nez levé au ciel, elle menait une sorte de dialogue secret avec elle-même.

— Nikki, je sais que ce ne sont pas de bonnes nouvelles. Ça fait exploser en plein vol la thèse de la maîtresse… sans vouloir manquer de respect à feu monsieur Beauvais.

Il se pencha en avant et lui posa la main sur le genou.

— Hé ?

Elle baissa le menton et le regarda fixement.

— Si on oubliait un peu toute cette affaire pour profiter de notre soirée ensemble ?

Nikki frissonna, regrettant de ne pas avoir pris un pull. Ou d'être montée tout court.

— Tu veux qu'on continue de parler de cette journée ?

— Veux-tu manger quelque chose ?

Il saisit une fourchette.

— Le saumon fumé vient de chez Citarella.

— Peut-être qu'on pourrait parler de mon enquête qui s'effiloche sous mes yeux ?

Il reposa la fourchette et lui accorda toute son attention. Ou de ma brigade qui murmure dans mon dos et me dévisage dès que je mets un pied dans la pièce ? Ou de la galère dans laquelle je me suis mise en haut lieu ?

— Ils s'en remettront. Zach Hamner n'éprouve pas de sentiments. Il n'est même pas humain. La nuit, il doit suspendre son costume de peau humaine au pommeau de la douche.

Comme elle ne souriait même pas, il poursuivit :

— Tu as peur qu'il te coupe l'herbe sous le pied pour l'unité opérationnelle ?

Et voilà, on y était. D'une petite voix, l'autruche sortit enfin la tête du sable.

— Je crois que je peux dire adieu à toutes mes chances de rejoindre cette unité.

Il haussa les épaules.

— C'est peut-être un mal pour un bien.

Nikki sentit un déclic dans son cerveau.

— Rook. Crois-tu que foutre en l'air une promotion

soit une bonne chose ? Ou serait-ce juste une bonne chose pour toi ?

— Non, pour nous. Eh ! Je ne dis pas que c'est ce que je veux.

Il haussa les sourcils en faisant mine de réfléchir.

— Quoique...

— Quoi ?

— Ce poste engendrerait des changements « giga-los-saux » dans nos modes de vie. Mais on peut en discuter, non ?

D'un geste qu'il voulut décontracté, il lui versa un verre.

— Je crois que j'ai bu le tien.

Nikki n'avait plus envie de boire. L'adrénaline et la rage l'avaient subitement dégrisée.

— Je n'ai pas du tout l'impression qu'il s'agisse simplement d'un changement de mode de vie..., plus maintenant.

— Je sais ce que tu vas dire. Je suis d'accord avec toi, je voyage aussi beaucoup.

— On s'en fout, de la logistique !

— Euh, ce n'était pas tout à fait ce à quoi je m'attendais.

Heat tapa de la paume sur la table.

— Tu vas arrêter, oui ? Sois sérieux pour une fois et parle-moi.

Il reboucha la bouteille. Elle avait toute son attention.

— Dis-moi comment on parle de tout ça ? On n'en a pas encore eu l'occasion. Tu as tout fait pour l'éviter.

Voilà. C'était sorti. Cela faisait des jours qu'elle se retenait. Qu'elle niait l'évidence. Faisait l'autruche. Ne pipait mot. Enfin, Nikki lâchait le fauve, et il n'était plus question de le mettre au pas.

— Il va falloir que tu m'expliques.

— Rook, je t'en prie. Dès que tu as su pour cette offre, tu as commencé à critiquer mes preuves.

— Pas du tout.

— Comment tu appelles ça, alors ?

— Du journalisme d'investigation. C'est un peu mon métier.

— Tu veux savoir comment j'appelle ça, moi ? Du sabotage. Soit parce que tu n'es pas content que je ne t'ai pas parlé de ma promotion…

— C'est ridicule…

— … soit pour m'empêcher de l'obtenir. Ou les deux.

— Tu sais que je ne suis pas comme ça, Nikki.

— Et que devrais-je en conclure d'autre ? C'est là que ça a commencé. Tu ne t'es pas contenté d'être contrariant. Ça encore, je peux faire avec. Non, il a fallu que tu insistes. Tu es devenu destructeur.

— En étudiant les autres possibilités dans l'affaire ?

— En me déstabilisant. D'abord en faisant ami-ami avec l'assistant de Gilbert, puis en piquant dans mes effectifs pourtant limités – Raley, Ochoa et même Rhymer – pour tes recherches personnelles. Ce qui a semé le doute dans leur esprit, et maintenant…, tu as entendu : les Gars font dans la contradiction à cause de toi.

Nikki avait perdu toute retenue. Elle savait pourtant qu'elle ferait mieux de tourner sept fois sa langue dans sa bouche ou de s'en aller, mais elle pétait les plombs.

— Même ce soir, tu continues d'enfoncer le clou avec cette histoire de mesure d'éloignement contre sa maîtresse.

— Je te faisais part de ma découverte. Je collaborais.

— Comment as-tu dit déjà ? « De l'huile sur le feu » ?

— Je t'apportais une preuve. Que tu as choisi d'ignorer. Comme l'avion que les Gars viennent de signaler.

— Tu veux peut-être me faire croire qu'un avion d'épandage aurait pu survoler Manhattan et laisser tomber Beauvais au-dessus de l'Upper West Side sans se faire repérer ?

— Les radars ne sont pas parfaits.

— Je préfère croire à la perfection des radars.

— Supposons qu'on élimine le frère de Sliney et son avion, proposa Rook. Comment Keith Gilbert aurait-il pu s'y prendre pour laisser tomber l'Haïtien du ciel sans se faire repérer ?

Si le fauve de Nikki se nourrissait de colère, celui de Rook se nourrissait de sarcasme.

— Oh ! je sais. Gilbert fait de la voile avec sir Richard Branson. Peut-être qu'il a demandé à son copain Richard d'emmener Fabian Beauvais jusqu'à la ligne de Karman à bord de son engin intergalactique pour le larguer depuis l'espace.

La main de Heat saisit le verre à shooter posé devant elle et lui jeta la tequila à la figure.

— Va-t'en.

L'alcool lui dégoulina du nez et du menton sur la chemise. Rook ne fit pas le moindre geste pour l'essuyer. Il la regarda fixement, sans voix, étonné, blessé. Nikki était déjà envahie par un sentiment de honte, mais sa colère demeurait plus forte. Avant que la balance ne penche de l'autre côté, elle répéta plus calmement, mais toujours aussi fermement :

— Va-t'en.

Toujours stoïque, Rook ne bougea pas. Il hésitait, peut-être se demandait-il s'il devait dire quelque chose pour l'apaiser ou se défendre. Dans l'intervalle, Heat aperçut le contour de la petite boîte carrée dans sa poche de veste. À la colère se mêla alors une nouvelle vague de honte. Le tourbillon créa une sorte de lame de fond qui entraîna Nikki. Incapable de faire quoi que ce soit pour ne pas sombrer, elle regarda Rook tourner les talons et s'en aller. Il lui vint l'envie de le rappeler, mais elle ne parvint pas à formuler les mots.

Elle était allée trop loin.

Jamais la soirée ne serait, ne pourrait être ce qu'elle aurait dû être. Telle fut la sombre pensée qui occupa son esprit tandis qu'elle le regardait descendre l'escalier de secours et disparaître barreau après barreau du toit et peut-être, songeat-elle, de sa vie.

DOUZE

Arrivée de bonne heure, Heat faisait les cent pas dans le couloir. À 7 heures, la plupart des bureaux de cet immeuble peuplé de cabinets médicaux et autres n'étaient pas encore ouverts ; aussi, lorsque le tintement de l'ascenseur résonna enfin au bout du couloir, le silence sembla-t-il être rompu par une sonnerie à réveiller les morts. Lon King, le psychologue à la disposition des services de police de New York, ne recevait d'ordinaire pas avant 9 heures ; aussi Nikki le remercia-t-elle d'accepter de la voir. Après l'avoir fait entrer, il lui demanda de patienter dans la salle d'attente, puis il s'éclipsa derrière sa porte fermée pour se préparer comme si un peu de la magie risquait de disparaître s'il allumait, suspendait sa veste et réglait les stores en présence de quelqu'un.

— Cela faisait un petit moment, fit remarquer le médecin lorsqu'elle prit place sur le divan, tandis qu'il s'installait dans son fauteuil de l'autre côté de la table basse.

— Près de deux ans, je pense.

Cependant qu'elle réfléchissait par où commencer, Heat perçut les bruits de la rue assourdis par les douze étages qui les séparaient de York Avenue. Elle ne se sentait jamais à l'aise dans ce cabinet. Pas à cause du Dr King, qu'elle appréciait, mais plutôt de l'idée d'avoir à le consulter. À l'origine, elle était venue contre son gré, lorsque le capitaine Irons lui avait imposé une évaluation psychologique afin d'éviter la paperasserie qu'aurait nécessitée une simple suspension.

Aussi pénible que ce fût, Nikki s'était rendu compte que cela l'avait aidée, et elle était revenue chaque fois qu'elle avait senti qu'elle perdait la boussole et avait besoin qu'on la guide. Ou qu'on la réconforte. Comme à son habitude, le Dr King attendait patiemment qu'elle se lance. Nikki finit par débiter ce qu'elle avait préparé dans le taxi.

— Je suis confrontée à certaines difficultés.

— Je m'en serais douté. Si un flic comme vous demande à me voir au beau milieu d'une enquête, alors que se prépare un ouragan, c'est qu'il s'agit de grosses difficultés.

— C'est pourquoi j'espérais vous voir de bonne heure.

— Pour trouver le temps de caser cette consultation.

Il sourit.

— Nikki, vous savez pourtant que je ne peux pas résoudre votre vie en cinquante-cinq minutes.

— Accordez-m'en soixante. Je suis un sujet facile.

— Pourquoi ne pas commencer par me raconter ce qui a déclenché cette séance ?

La honte l'assaillit de nouveau. La honte qui la hantait et la faisait se retourner dans son lit jusqu'à ce qu'elle l'enveloppe et s'insinue en elle tel un serpent dont les écailles brûlaient son âme abîmée.

— J'ai jeté mon verre à la figure de mon petit ami, hier soir.

King ne pipa mot. Un psychologue écoutait avant tout. Son attitude était assortie à l'atmosphère qui régnait dans son bureau : une lumière tamisée, des tonalités et des textures unies. Une neutralité conçue pour libérer la parole. Lui-même se situait quelque part entre le taciturne et le contemplatif. Toutefois, il mesurait le poids de son geste, car il la connaissait.

— Ce n'est pas rien. Vous avez déjà mentionné ici l'importance pour vous de la maîtrise de soi.

— Je me suis emportée.

Elle tira un mouchoir de la boîte qu'elle considérait depuis un moment.

— Essayons de comprendre pourquoi.

— Par où commencer ?

— Je crois que vous le savez.

En effet. Du moins le pensait-elle. C'est donc par là qu'elle commença, par la découverte de la facturette pour la bague de fiançailles et le poste à l'unité opérationnelle internationale.

— Je lui ai caché ma promotion à cause, j'imagine, de la demande en mariage que je croyais qu'il allait me faire, et je savais que mes déplacements poseraient problème.

— Vous n'en avez pas parlé à Rook.

— Je n'ai pas réussi.

— Mais vous n'avez pas non plus refusé la promotion.

Le voyant réfléchir à cela, Nikki commença à regretter d'être venue. Peu lui importait qu'il faille en passer par l'inconfort et que le meilleur moyen de voir le bout du tunnel était de le traverser et bla-bla-bla. Ce qu'elle cherchait, c'était à se soulager, pas à souffrir davantage.

— Ce n'est pas tout, ajouta-t-elle.

Malgré l'empressement désespéré qu'elle entendait dans sa voix, elle avait un besoin encore plus pressant d'être comprise.

Heat exposa l'affaire. Pas tous les détails, évidemment, mais, à la mention de Keith Gilbert, le psychologue opina du chef pour signifier qu'il était au courant. Le pire, expliqua-t-elle, était que Rook semblait être avec elle l'équipier qu'il avait toujours été, jusqu'à ce que le capitaine Irons ait vendu la mèche au sujet de l'unité opérationnelle.

— Ça a marqué un tournant. À partir de là, il s'est comporté en adversaire. Non seulement il a réfuté les preuves que j'étais en train de rassembler, mais il a activement œuvré à développer des pistes contraires pour son article.

— Il était en mission ?

— Oui.

— Sur l'affaire que vous dirigez ?

Comme elle acquiesçait de la tête, il poursuivit :

— N'est-ce pas différent pour chacun de vous ? Hormis les profils qu'il a établis ?

— Oui, mais ça dépasse le cadre du journalisme. Non seulement il semblait travailler contre moi, mais il a semé le doute dans ma brigade et, du coup, j'ai des problèmes avec certains de mes inspecteurs.

Comme le médecin lui demandait d'être plus explicite, elle en vint à décrire son conflit avec Raley et Ochoa.

— Tout ça fait que mon arrestation est maintenant fichue. Jamais je n'avais été remise en question de cette manière.

— Quantité d'excellents policiers me parlent ici de leurs premières. Les revers figurent au sommet de la liste.

— Ils ont tout faux.

— Je ne vous connaissais pas cette défensive. Auriez-vous la sensation de vous être trompée quelque part ?

— Non.

— D'accord. Et si quelque chose vous avait, peut-être, échappé en cours de route ?

Elle allait répondre que non, mais se retint.

— Eh bien. D'accord, honnêtement ?

Il l'observa, la laissant patiemment y venir d'elle-même.

— J'admets avoir poussé le bouchon. Sans lésiner. Je suis comme ça. À certains égards, j'ai peut-être manqué de jugement ou fait preuve d'une trop grande précipitation parce que je voulais que les choses aillent dans mon sens, sans attendre qu'elles se produisent ou que j'aie bouclé la boucle.

— Pourquoi, à votre avis ?

Au bout d'une éternité, comblée par le ronflement du climatiseur, elle reprit :

— Peut-être que cela m'affectait sur le plan personnel.

— Comment cela ?

— Je ne sais pas. L'affaire. Je n'arrive pas à l'expliquer, c'est juste un sentiment.

— C'est bien des sentiments que nous traitons ici, Nikki.

Il sourit pour l'encourager.

— On m'a un peu poussée à bout.

— Rook ?

— Ça, c'est sûr.

— Et sinon ?

— Je ne sais pas.

Nikki se pencha en avant, puis recula un peu afin d'essayer de se placer au centre du divan.

— Je me sens un peu comme un punching-ball ces derniers temps. De partout, il m'arrive des trucs qui me mettent en rogne : Rook, la hiérarchie, ma propre brigade. Je voulais juste diriger cette affaire.

— À votre guise ?

Les implications demeurèrent en suspens.

— J'ai toujours collaboré, docteur King. Et abordé mes enquêtes et les idées qu'on me soumet avec un esprit ouvert.

— Vous parlez au passé. Et maintenant, alors ?

Elle ne répondit pas, mais, à son expression, il sut que tous deux connaissaient la réponse.

— Deux petites observations.

Il posa son calepin Circa sur la desserte et croisa les jambes, signalant un changement de mode.

— L'un des problèmes que nous avons abordés lors de nos précédentes séances concernait le meurtre de votre mère.

— Certes, mais il a été résolu il y a environ deux ans.

— Clore une affaire ne règle pas tout ce qui se passe en vous. À vrai dire, ce pourrait être en partie la cause du problème.

Il reprit son calepin pour y jeter un coup d'œil.

— En revoyant mes notes après votre coup de fil hier soir, je me suis rappelé vous avoir déjà posé la question – et ce, avant que vous n'ayez résolu son meurtre –, à savoir comment vous envisageriez la vie sans le but d'avoir à retrouver l'assassin de votre mère. Avez-vous eu des difficultés à vous adapter après ?

— Je n'y ai jamais vraiment réfléchi.

— Eh bien, faites-le. Cette mission que vous vous étiez donnée représentait un moyen commode de transcender. Il n'est pas rare de remplacer la colère par un but à accomplir. Or, que se passe-t-il lorsque le but disparaît ? La colère chez les victimes de traumatisme n'est pas soulagée par des éléments extérieurs tels que le classement d'une affaire. Elle se reporte. Comme un ballon qu'on écrase, la pression se déplace ailleurs. Cette affaire était vraiment différente d'une autre ? Peut-être travaillez-vous simplement encore dessus.

— Je ne suis pas en colère.

— Vous avez jeté un verre à la figure de Rook.

Le serpent de la honte remua de nouveau en elle, et elle baissa le regard.

— Ne vous sentez pas jugée. Le bon côté de la chose, c'est que cela fait plaisir de voir quelqu'un qui se maîtrise autant que vous faire preuve de spontanéité. Et puis, la colère est humaine. On a tous une colère quelque part au fond de nous. Je suis sûr que cela nous a aidés à survivre de l'époque préhistorique à maintenant. Mais nous ne sommes plus des hommes des cavernes. Au quotidien, la colère peut être nuisible à la vie civilisée. Et gâcher un bon scotch.

— De la tequila.

Il se laissa aller à sa version d'un petit rire, puis son regard se porta sur la pendule qu'elle savait accrochée derrière elle.

— Avant que nous ne nous trouvions à court de temps, je voudrais aborder la question de vous et Rook.

À ce nom, Nikki se sentit gagnée par la chair de poule.

— Vous disiez qu'il s'apprêtait à vous faire sa demande hier soir ?

— C'est ce que je croyais. J'avais trouvé le reçu et il m'avait envoyé tous les signaux avec l'organisation de cette soirée romantique. Je crois même avoir vu la boîte dans sa poche.

— Et quel sentiment éprouvez-vous à cet égard ? De la possibilité de vous marier avec lui ?

— Attendez… Seriez-vous en train de suggérer que j'ai fait une scène pour éviter sa demande ?

— Qui sait ? Le subconscient vous joue parfois des tours. Mais, ce qui m'intéresse davantage, ce sont vos sentiments à l'égard de votre relation.

Elle qui était venue chercher un peu de réconfort, voilà qu'elle se retrouvait en proie à une angoisse encore plus grande. Comme s'il lisait dans ses pensées, le psychologue insista :

— Je sais que ce n'est pas facile pour vous, mais vous êtes venue ici à cause de cet incident avec Rook. Si nous parlions de lui.

Heat se ressaisit et acquiesça de la tête. Il consulta de nouveau ses notes.

— Cela fait, quoi, trois ans que vous êtes ensemble maintenant ? Dans l'ensemble, trouvez-vous que cette relation vous a fait du bien ?

— Oui, évidemment.

— Mais j'imagine qu'il est difficile pour deux personnes douées et volontaires comme vous de mener de front leur vie de couple et leur carrière. À dire vrai, en prenant votre récente affaire de meurtre comme sujet d'investigation, cela vous a mis en conflit, n'est-ce pas ?

— C'est ce que je comprends maintenant. Quand il en a parlé, j'ai juste pensé qu'il m'accompagnerait.

— Et que vous lui dicteriez son article ?

Il la laissa digérer.

— Cela vous aiderait peut-être si vous reconnaissiez que vous traversez ce que vivent tous les couples modernes, Nikki Heat. L'amour et la carrière font un mélange explosif. Cette querelle concernant votre enquête n'est sans doute que la partie émergée de l'iceberg. Surtout si vos besoins et vos ambitions sont contraires aux siens.

— L'unité opérationnelle ?

— Ce n'est pas rien à envisager. Mais il faut l'envisager, c'est impératif. Et ne contournez pas l'obstacle. Pensez-vous aborder le sujet avec lui ?

— S'il accepte encore de me parler.

— Rendez-vous service avant. Posez-vous la question suivante : compte tenu de ce que vous venez de traverser, pouvez-vous envisager l'avenir avec Rook, alors que cette vie à deux vous imposera toujours plus de contraintes ?

Il se leva.

— Moi, je n'ai pas la réponse. Je ne peux que poser des questions.

On en revient toujours à *Jeopardy*, songea-t-elle.

Wally Irons l'attrapa au vol à son retour à la brigade, alors qu'elle passait devant sa porte.

— Où sont passés Starsky et Hutch ?

— Je suppose que vous parlez des inspecteurs Raley et Ochoa. Là, tout de suite, ils sont partis suivre une piste dans le comté de Dutchess.

Le capitaine brandit un mémo et allongea la lèvre inférieure en une moue inconsciente.

— J'allais faire une annonce à la brigade, mais, puisque vous n'êtes pas au complet, tenez. C'est vous qui vous en chargerez.

Il lui tendit le document.

— Tous les congés sont annulés pour cause d'ouragan.

— Tant pis pour mon week-end à Hawaï.

— Ni absences ni congés, pas même pour le week-end, rétorqua-t-il, totalement aveugle à l'ironie. Et, Heat ! lança-t-il alors qu'elle pénétrait dans la salle de briefing. Plus question de laisser personne quitter la ville un vendredi pour aller s'envoyer en l'air sans mon aval.

Ce n'est pas son ton brusque qui l'échauffa. Ni le fait qu'il lui crie après devant tout le monde. Mais le fait qu'une fois de plus, le rond-de-cuir cherchait à faire la pluie et le beau temps. Nikki lui dit son fait en face :

— Je crois qu'il vaudrait mieux tirer les choses au clair, monsieur.

Tous les regards s'écarquillèrent sous l'effet de cet affrontement inattendu. Derrière elle, les inspecteurs Rhymer et Feller pivotèrent sur leur chaise de bureau pour observer la scène.

— Sean Raley et Miguel Ochoa sont des enquêteurs expérimentés. Ils ont travaillé tard hier soir et ont pris l'initiative de m'appeler pour solliciter la permission d'explorer une piste qui leur semblait prometteuse au nord de l'État. Je soutiens la persévérance de ces inspecteurs qui m'ont par ailleurs prévenue. Certes, je respecterai et ferai appliquer votre demande d'approbation. Mais je ne vous laisserai pas dire de mes hommes qu'ils s'envoient en l'air le vendredi au lieu de travailler.

Elle le planta là pour rejoindre son bureau et lire le mémo concernant l'état d'urgence.

Sandy avait traversé les Bahamas et entamé une trajectoire nord-nord-ouest. Même s'il était revenu à un ouragan de catégorie 1 et avait diminué d'intensité après avoir frôlé la catégorie 3 d'à peine plus de 1 km/h, il n'avait rien perdu de sa puissance et de sa dangerosité. Avec des vents à 130 km/h, le long de la côte est, la Caroline du Nord, le Maryland, l'État de Washington, la Pennsylvanie et l'État de New York avaient déjà déclaré l'état d'urgence ; le New Jersey et le Connecticut allaient suivre. Anticipant une arrivée possible entre lundi et mardi, le maire de New York avait officiellement annoncé la mise en place d'une cellule de crise.

Non seulement les absences et les congés étaient annulés, mais police, pompiers et services d'hygiène devaient se tenir prêts, conformément aux ordres, à intervenir pour assurer la sécurité publique et le maintien de l'ordre.

Heat fit part du mémo à Feller et Rhymer qui, de retour à leur téléphone, battaient la campagne à la recherche de tout ce qui pourrait ressusciter l'affaire de meurtre Beauvais-Capois. À son avis, il n'était pas trop tôt pour essayer d'appeler Rook, aussi sortit-elle dans la 82ᵉ Rue pour plus d'intimité.

Comme elle ne tomba pas directement sur la boîte vocale, le téléphone devait être allumé. Et il sonna jusqu'au bout avant de basculer sur le message : au moins, il n'avait pas rejeté l'appel. Au son de sa voix, Nikki sentit sa bouche s'assécher. Après le bip, elle laissa un court message, qu'elle tenta de rendre aussi agréable que possible compte tenu de son niveau de stress : « Salut, c'est moi. Comme la tempête arrive, je venais aux nouvelles. Appelle-moi pour qu'on parle, d'accord ? Je suis là », ajouta-t-elle avant de raccrocher.

Elle leva les yeux vers le ciel, dont le bleu brillant n'était peuplé que de quelques nuages vaporeux que le soleil matinal n'avait pas encore dissipés. Pas la moindre trace du tourbillon cyclonique qui se nourrissait de l'humidité de l'eau à des milliers de kilomètres au sud-est.

La tempête lui faisait penser au poème d'Emily Dickinson, dont Rook s'était moqué en des jours plus heureux… à l'abattoir. Celui qui dit que l'espoir porte un costume de plumes et chante un air sans paroles. Et, de tête, elle en récita sa strophe préférée : … *mais c'est dans la tempête que son chant est le plus doux ; et rude devrait-elle être pour abattre le petit oiseau qui en a réchauffé tant et tant.*

Alors, son iPhone annonça l'arrivée d'un texto de la part de Rook. À son avis, disait-il, il valait mieux qu'ils fassent une pause pour reprendre leur souffle. Il rappellerait. Il ne disait pas quand.

Pas la moindre plume en vue.

Lorsqu'ils appelèrent un peu plus tard dans la matinée, Raley et Ochoa étaient sur le trajet du retour, sur la Taconic en direction du sud.

— Qu'avez-vous appris à la ferme ? demanda-t-elle.

— Pas grand-chose de Walter Sliney, en tout cas.

— Un vrai crétin, renchérit Ochoa, qu'elle visualisa au volant.

— Ça se comprend, nuança Raley. Il protégeait son frère.

— Qui assassine les vieilles dames, ajouta de nouveau Ochoa.

— Donc, aucune piste sur Earl Sliney ou Mayshon Franklin ?

— En effet. Mais la police d'État a relevé des empreintes qui confirment que nos deux lascars ont logé là ; au moins, on tient quelque chose, et ils sont dessus, à fond.

— Ça tient la route par rapport à la piste du BCI, ajouta Raley. Alors, ils nous feront signe s'ils trouvent quelque chose.

Comme ils n'en parlaient pas, Heat mit le sujet sur le tapis.

— Et l'avion d'épandage ?

— Je ne suis pas pilote, dit Ochoa, mais cet avion avait l'air en état.

Raley, manifestement d'accord, compléta :

— Je m'attendais un peu à trouver un vieux coucou rouillant sous une botte de foin, mais l'avion est en excellente condition. C'est un Piper Pawnee agricole transformé en biplace en tandem, ce qui laisse assez de place pour le pilote et le corps de Beauvais, si le plan était de lui faire survoler l'Atlantique pour le balancer dans l'océan.

— C'est votre théorie ?

Sensible aux récentes tensions, sa question ne comportait aucun jugement. Elle la posait uniquement pour information.

— C'en est une. Ça évoque un peu le broyeur à bois dans *Fargo*, j'en conviens, mais ça correspond au profil, vu le QI du gars.

— Non seulement il y a la place dans l'avion, intervint Ochoa, mais l'appareil a une autonomie d'environ six cent cinquante kilomètres.

— Et il peut aller et venir comme il veut de cette ferme, ajouta Raley, sur la même cadence que son équipier. Ni tour de contrôle, ni plan de vol à déposer, ni journal de bord à remplir. Il charge et il décolle.

Heat avait encore des doutes, mais, après sa visite chez le psy, elle prit soin de faire preuve d'ouverture d'esprit.

— Bien, on va rentrer ça dans l'équation, dans ce cas. Et beau boulot, les gars. Merci d'avoir pris cette initiative.

Elle se retrouva encore une fois face à un blanc, dans l'attente de leur réponse.

— Chef ? finit par relancer Ochoa. Rhymer et Feller ont appelé. Ils nous ont dit pour votre coup de gueule face à Iron Man.

— On voulait juste vous dire que tout est oublié.

L'inspecteur Raley avait repris son ton détaché. Il était redevenu lui-même.

— Sans rancune aucune, surenchérit Ochoa.

Nikki raccrocha. Les choses allaient rentrer dans l'ordre.

Dans le sujet de son e-mail, Lauren Parry s'exclamait : *Qu'est-ce que j'avais dit ?!* Nikki l'ouvrit d'un clic et lut le résumé des résultats du labo pour l'analyse des résidus sous les ongles de Jeanne Capois et l'ADN de Roderick Floyd. Correspondance quasi totale. Heat répondit à son amie par un pan sur le bec : *Le coroner ne devrait pas avoir droit aux émoticônes.*

Après avoir gagné le tableau blanc sur lequel elle voulait afficher ces éléments, elle perdit son sourire en constatant qu'ils y figuraient déjà. L'e-mail de la légiste apportait une confirmation, mais ne changeait pas la donne. Pire, il ne faisait que rappeler à Heat que l'une des pièces du puzzle dont elle disposait pourtant depuis longtemps ne s'intégrait nulle part. Le tableau débordait d'éléments orphelins, de chaussettes dépareillées, de coïncidences, de contradictions et de noms de personnes décédées qui prouvaient tous que cette affaire allait bien plus loin qu'un simple corps jeté du ciel.

Même si son raisonnement lui semblait plus digne de Rook que d'elle-même, Heat était convaincue que, lorsque toutes ces pièces disparates et éparpillées formeraient un tout, un complot serait mis en évidence. De quelle sorte ? Elle l'ignorait encore. Une fois qu'elle eut retrouvé la note *Roderick Floyd – ADN ongle*, l'enquêtrice la cocha au marqueur et décida finalement qu'il s'agissait d'un progrès.

De retour de la salle de pause où elle était partie se chercher un yaourt, Nikki plongea vers son bureau pour répondre à son iPhone qu'elle entendait sonner. Elle avait eu peur de rater Rook, mais l'indicatif 631 indiquait que l'appel provenait des Hamptons.

— Inspecteur Heat, c'est le sergent Aguinaldo. Désolée

d'avoir loupé votre appel, mais je crois que vous me pardonnerez quand vous en connaîtrez la raison.

— Mais pas de problème, Inez.

Heat posa son pot de yaourt et fit de la place pour prendre des notes.

— Je ne voulais pas vous embêter. Je venais juste aux nouvelles, vous savez ce que c'est.

— Oui, mais on est un peu plus lents, ici, à Southampton. Quand vous avez appelé, j'étais retournée à Conscience Point. Je voulais frapper moi-même à quelques portes ce matin, après notre petite visite là-bas hier, car je n'avais aucun agent disponible.

— Inutile de vous justifier. Je vous en remercie sincèrement.

— Il y avait pas mal de portes closes. Compte tenu de notre lenteur et de notre situation sur la côte, les gens suivent les avertissements et préfèrent se rapatrier à l'intérieur des terres. Le bac vient juste d'annoncer que le service sera annulé lundi à cause de Sandy, alors, vous imaginez la file de véhicules qui attendait pour prendre le bateau à Orient Point.

Étant donné le nombre de voitures qu'elle avait déjà vu partir la veille, Heat visualisa quelque chose comme l'exode à la chute de Saigon.

— Mais je vous ai obtenu un renseignement intéressant. Vous voyez l'embranchement de gauche sur la route de Scallop Pond ? Évidemment que non, mais je peux vous dire qu'il est juste à côté de la marina. Or, l'un des riverains à cet endroit déclare avoir entendu, le soir qui nous intéresse, des enfants s'amuser avec des pétards, du moins, c'est ce qu'il a cru.

— Combien de détonations ?

— Deux. Assez proche l'une de l'autre. Bang ! Puis bang ! Je lui ai demandé de m'imiter l'intervalle.

Nikki nota les deux détonations.

— Et pour l'heure, ça correspond ?

— En plein dans le mille.

— Votre témoin, c'est quelqu'un de fiable ?

— Du solide. Un type intelligent. Il s'occupe des relations publiques de l'un des domaines viticoles de North Fork.

— Et il n'a rien signalé parce qu'il a cru qu'il s'agissait de pétards ?

— Exactement. C'est courant ici, avec les enfants. Il est sorti pour voir et a entendu deux voitures décamper à vive allure ; alors, il s'est dit que ça ne valait pas la peine de s'en faire, puisqu'ils étaient partis.

Heat se tapota les lèvres avec son stylo.

— Il a dit deux voitures ?

— Je lui ai fait confirmer. Deux, c'est sûr.

— Il a dit s'il avait entendu autre chose ? Des voix ? Des cris ? Un cri ?

— J'ai posé la question. Il a dit qu'il l'aurait signalé.

— Inez, ça nous aide beaucoup.

— Et ce n'est pas fini, dit la policière de Southampton. Je vais continuer, même si je dois enfiler mes cuissardes.

— Ne me dites pas que vous portez des cuissardes, fit Nikki.

Elle entendait Inez Aguinaldo rire encore lorsqu'elle raccrocha.

Heat passa les dix minutes suivantes assise sur une chaise face au tableau blanc, dans un état proche de la méditation. L'exercice, auquel elle se livrait chaque fois qu'elle sentait la solution toute proche et en même temps très éloignée, l'aidait à faire disparaître les bruits parasites de l'affaire pour laisser parler les éléments graphiques sous ses yeux. En tout cas, c'est ce qu'elle espérait. Cela n'arrivait pas toujours. À vrai dire, parfois, ils se moquaient bien d'elle.

— Inspecteur Rhymer, dit-elle lorsqu'elle en eut assez et se leva pour se dégourdir les jambes.

— Oui ? fit Opossum en quittant son bureau pour se joindre à elle.

Elle tapota un espace libre parmi la foule de photos et de notes.

— Il y a trop de blanc sur mon tableau.

Un nom dominait l'espace libre.

— Vous cherchiez Alicia Delamater, n'est-ce pas ?

— Hélas. On en est toujours au même point. Rien de la part des Douanes. Elle ne s'est pas servie de ses cartes bancaires, ni de son mobile, rien.

Nikki lui fit signe de l'accompagner à son bureau, et il lui emboîta le pas, puis patienta tandis qu'elle parcourait ses notes. Lorsqu'elle eut trouvé ce qu'elle cherchait, elle le copia sur une feuille de bloc et la lui tendit.

— Qu'est-ce que c'est ?

— Le numéro d'Alicia Delamater à Southampton. Appelez et laissez un message.

— D'accord..., dit-il avec hésitation avant de tourner et de retourner le morceau de papier entre le pouce et l'index. Pourquoi elle me rappellerait ?

— Parce que vous n'êtes pas l'inspecteur Rhymer de la police de New York. Vous êtes le nouveau directeur du cabinet de marketing qui vient de récupérer Puff Daddy comme client et vous êtes chargé de sa soirée blanche au Surf Lodge de Montauk… Alors, vous souhaitez étudier l'offre d'Alicia si elle est intéressée par l'organisation de l'événement.

Il sourit de toutes ses dents.

— J'ai toujours su que je ferais un excellent créatif.

— Je n'en doute pas une seconde, dit-elle. Rendez-nous fiers de vous.

Rhymer venait à peine de partir passer (ou plus vraisemblablement répéter) son coup de fil, que l'inspecteur Feller se présenta au bureau de Heat avec une énergie redoublée.

— Je viens de dégoter quelque chose sur votre copain au fusil d'assaut. Je vous ai transféré le communiqué d'Interpol.

Il attendit tandis que Heat balayait du regard le CV de l'homme qu'elle avait surnommé le « Culotté ». Un élément à la toute fin la stoppa net. Elle parcourut de nouveau le tout pour vérifier qu'elle avait bien lu, puis se leva et ramassa ses clés et son téléphone.

— Venez avec moi. On va rendre visite à un vieil ami.

En sortant, l'enquêtrice posa la paume sur son arme pour s'assurer qu'elle était bien sur sa hanche.

Cela faisait près de trois ans que Heat n'avait pas emprunté l'ascenseur menant aux derniers étages de la haute tour de verre noire près de Grand Central. De Vanderbilt Avenue, elle ressemblait à n'importe quel autre immeuble de Midtown ; elle était occupée par des commerces sur la rue et un mélange de cabinets et de bureaux jusqu'aux deux derniers étages. Ceux-là appartenaient à une société dont le nom ne figurait pas sur le tableau du rez-de-chaussée. Cette touche clandestine était typique pour Lancer Standard, qui se qualifiait de « cabinet de conseil ». Mais ce n'était qu'une couche supplémentaire de camouflage, car les principaux services qu'offrait Lancer Standard étaient ceux de ses mercenaires.

Pendant des années, le soi-disant cabinet avait prospéré en qualité – souvent controversée – de sous-traitant de la CIA en Irak, en Afghanistan et au Pakistan. Disposant de camps d'entraînement secrets, autrement dit dont l'existence était publiquement niée, au fin fond du désert du Nevada et qui sait où ailleurs, Lancer Standard fournissait commandos, assassins, saboteurs et personnel de sécurité indépendants aux chefs d'État et aux magnats des affaires dans les zones sensibles du monde entier.

Après leur refus de déposer leur arme de service, bras de fer auquel Heat avait déjà été soumise lors de sa première visite, et qu'elle avait remporté, Heat et Randall Feller furent escortés par trois beaux ténébreux de la réception à l'escalier intérieur menant au penthouse du PDG, sécurisé par un sas blindé et activé par empreinte digitale.

Cette fois, Lawrence Hays accueillit Heat dans son bureau d'angle avec une chaleureuse poignée de main et le sourire aux lèvres. Contrairement à la dernière visite de l'enquêtrice, suite au meurtre d'un prêtre, Hays n'était pas le principal suspect dans son affaire. Ce genre de choses avait tendance à peser sur une entrevue. Il congédia ses gardes du corps et ferma la porte d'une pression sur un bouton, tandis qu'ils prenaient place dans le coin salon de son vaste bureau aux larges baies vitrées.

— C'est drôle, la nature humaine, fit-il remarquer. Vous êtes assise exactement au même endroit que la dernière fois.

— Sacrée mémoire.

— Vous pouvez compter dessus.

Il pencha la tête vers elle et balança la jambe par-dessus l'un des accoudoirs du fauteuil, exactement comme la fois précédente. Heat se souvenait, elle aussi.

Avec son jean et ses heures de musculation, Hays jouait toujours les Steve McQueen vieillissants, jusqu'à la blondeur de ses cheveux coupés court.

— Que me vaut l'honneur, inspecteur ? J'imagine que vous n'êtes pas là pour m'intimider et me contraindre à de faux aveux, cette fois.

— Non, en fait, ce qui m'intéresse, c'est cette mémoire dont vous êtes si fier.

Hays brandit une des bouteilles d'eau posées sur la table basse – un stabilisateur de queue d'hélicoptère Black Hawk. Il était difficile de ne pas remarquer les impacts de balles dont il était criblé. Comme les deux inspecteurs déclinaient son offre, il dévissa le bouchon, but une gorgée et se tint prêt à écouter.

— Je dois retrouver un homme qui a travaillé pour vous, expliqua-t-elle, notant aussitôt un léger changement d'attitude chez son interlocuteur.

— Nous ne divulguons aucune information concernant notre personnel. Pas même pour confirmer leur emploi.

— Cet homme est un meurtrier.

— Je vois ça sur quantité de CV, vous savez. C'est même parfois considéré comme un plus.

Il esquissa un bref sourire prétentieux, à la manière des initiés qui aiment faire étalage de leur science devant des tiers.

— Désolé de vous arrêter, inspecteur, mais il faudrait me faire auditionner à huis clos par une sous-commission mixte du Congrès, et encore, je ne suis pas du genre à aller déballer mon linge sale à la télé.

— Il opère ici, en ville.

— On ne fait pas ça, chez nous.

Feller s'en mêla.

— Oh ! pas plus que vous ne franchissez la frontière du Texas pour démanteler les cartels de drogue ?

Hays dévisagea l'homme de terrain comme pour décider s'il serait à la hauteur pour un job.

— Je me rends à Juárez pour les spécialités culinaires. Vous devriez essayer El Tragadero dans la calle Constitución. Le meilleur faux-filet que vous ayez mangé.

— Monsieur Hays, vous avez pourtant bien une entité dans ce pays, dit Heat. Firewall Security ?

— Expulsion des indésirables et protection rapprochée. Rien de plus.

Il reboucha sa Fiji et se leva.

— Tout le monde est content maintenant ?

— Vous n'avez donc jamais entendu parler de Zarek Braun ? fit Nikki sur un ton très différent.

Pour la toute première fois, elle le vit fléchir. Peut-être n'était-ce pas de la peur qu'elle vit se peindre sur son visage, mais cela s'en approchait.

En tout cas, il la mit en veilleuse.

— C'est après Braun que vous en avez ?

— Vous le connaissez donc ?

— Il est ici ?

Heat lui tendit l'image de la vidéo sur laquelle on voyait Zarek Braun vider son chargeur sur elle. Il se cala au fond de son siège pour l'étudier.

— Un G36. Je vois que le grand Zed est toujours autant amateur de joujoux.

— Là, c'est avec moi qu'il jouait.

— Et vous êtes toujours là. Je suis impressionné.

Hays était sincère. Comme il avait baissé sa garde, Heat décida d'en profiter :

— D'après Interpol, c'est un ancien militaire de l'armée polonaise. Après, il y a un trou dans son parcours. Ensuite, on le retrouve chez Lancer Standard, et, maintenant, plus rien. Vous voulez bien remplir les blancs pour moi ?

Il agita la photo au-dessus du stabilisateur de Black Hawk.

— J'ai repéré Zarek Braun après son départ de l'armée polonaise. C'était un sacré soldat. Il a dirigé une section du premier régiment spécial de commandos polonais pendant l'opération d'aide humanitaire de l'OTAN en 2005 au Pakistan. Il les a ensuite accompagnés en Bosnie, puis en Irak, avant d'aller au Tchad avec les Casques bleus en 2007. Mais il avait la gâchette trop facile – ce qui ne me posait aucun problème – alors, quand il s'est fait virer, on l'a pris chez nous. Essentiellement pour des missions de sabotage, au début, puis pour nos équipes d'extraction dans des endroits que je ne nommerai pas, mais vous les connaissez pour les avoir vus aux nouvelles du soir. Il avait beaucoup de talent, mais surtout un tempérament incroyable. Bon sang ce qu'il pouvait être cool, ce type. Ce n'était pas du sang qui lui coulait dans les veines, mais du fréon.

Heat repensa au surnom qu'elle lui avait donné et visualisa la démarche décontractée et le pas nonchalant de Braun dans la 16e Rue Ouest. Un peu mal à l'aise, elle se demanda si cela se voyait autant que l'inquiétude qui se peignait sur le visage de Hays.

— Allez-vous me dire s'il travaille toujours pour vous ou me laisser deviner ?

— Dans mon métier, on croise plus d'un fou. C'est la vie. Au combat, il se passe des choses qu'on ne peut pas juger en sirotant de l'eau minérale dans le confort d'un bureau climatisé. Mais, bon, avec Zarek Braun, il y a de la marge. Lui, il forme une catégorie à part à lui tout seul. Je ne vais pas entrer dans les détails, mais, lors d'une action clandestine qu'on nous avait sous-traitée, une opération nommée « Attrape-rêve », on a commencé à nous rapporter que de terribles atrocités et autres horreurs étaient commises sur le terrain.

Alors, je me suis rendu dans ce fichu hameau, dont je tairai la situation géographique, pour avoir une petite discussion avec lui. Hays tapota la photo de Braun sur la table. C'est exactement l'expression qu'il a eue pendant tout l'entretien. Pour faire court, je l'ai viré. Ce soir-là, Zarek Braun a fait exploser un EEI dans mon camp de base. Mes meilleurs gardes du corps y sont passés.

Le PDG se leva et souleva son polo noir pour montrer une vilaine cicatrice faite de chairs décolorées, déchiquetées et déformées par de profondes brûlures. Il laissa retomber son tee-shirt.

— J'ignore où il est en ce moment.

— Vous pouvez vous renseigner ?

Malgré l'absence d'expression de Hays, elle savait maintenant qu'il y avait quelque chose de personnel entre lui et cet homme, aussi insista-t-elle.

— Non seulement ce type se croit à Kandahar et se sert de son fusil d'assaut contre les flics dans nos rues, monsieur Hays, mais il est recherché pour diverses affaires de meurtre dont je m'occupe. Vous voulez le faire payer ? Je l'aurai. Dites-moi seulement que je peux compter sur votre aide.

Comme Lawrence Hays réfléchissait, Nikki pensa l'avoir atteint.

— Je mets un point d'honneur à ne jamais rien divulguer, déclara-t-il cependant.

Il appuya sur un bouton, et la porte automatique s'ouvrit pour faire entrer leur escorte.

Feller descendit de voiture et replia le rétroviseur latéral afin de permettre à sa supérieure de se glisser en double file à côté du véhicule des Gars, devant le poste, dans la 82ᵉ Rue Ouest. Heat s'assurait que les autres voitures avaient la place pour passer lorsque son téléphone sonna.

— Salut, fit Rook. Tu peux me rejoindre ? Je veux dire maintenant.

TREIZE

Son compagnon l'attendait à l'endroit exact qu'il lui avait indiqué, sur la balançoire de l'aire de jeux dans Amsterdam Avenue. Lorsque Nikki le repéra, après un court trajet à pied depuis le poste, il avait l'air d'un gamin de douze ans avec sa jambe tendue, le talon planté dans le sol, pour faire tourner les chaînes. Il ne manquait plus qu'il joue à *Bombardier* en crachant sur les fourmis.

De l'autre côté de l'avenue, le bruit des semelles d'un groupe de marathoniens qui sortait en courant de la boutique de chaussures de sport attira l'attention de Nikki.

En cette fin octobre, le square Tecumseh était désert, car le soleil était déjà couché, et les gosses, rentrés chez eux. La gêne qu'ils éprouvaient suite aux événements de la veille rafraîchit quelque peu leurs retrouvailles. Il resta assis sur sa balançoire ; elle prit place dans celle d'à côté, mais face à la direction opposée.

— J'espère que tu ne te sens pas trop exposée ici, mais je préférais qu'on se voie en terrain neutre, ni au travail ni chez toi ou chez moi, ajouta-t-il. Et loin de toute source liquide. Si tu as l'intention de m'arroser, il faudra me plonger la tête dans la fontaine.

Nikki aurait aimé pouvoir en rire, mais elle était morte de honte.

— Je ne suis pas très fière de moi, à ce sujet.

Après lui avoir tendu ce rameau d'olivier, elle le scruta

240

pour se faire une idée de sa disposition d'esprit. Il avait l'air maussade et ne souriait pas.

— Tu sais que ça m'a vraiment fait mal que tu m'accuses de te saborder.

Nikki aurait voulu se défendre, prendre les devants, faire part à Rook de tout ce à quoi elle avait réfléchi, pas uniquement à cause de sa conduite de la veille, mais de tout ce qui l'avait amenée à ce geste. Si seulement elle pouvait trouver les mots, tout réparer et leur permettre d'en revenir là où ils en étaient avant. Mais c'était lui qui avait provoqué cette rencontre, et lui aussi avait besoin de se soulager le cœur.

— Ce n'est pas facile de trouver l'équilibre dans notre relation, affirma-t-il en écho à l'observation du Dr Lon King le matin même. Le stress du boulot, les horaires de dingue, les déplacements, les désaccords...

Il marqua une pause et regarda une autre vague de marathoniens partir s'entraîner dans Central Park après le travail. Sans mot dire, Nikki se contenta de se plier à l'exercice, même s'il lui semblait être le prélude à une fin – comme un grand tournant après trois ans passés ensemble, chacun faisant la promesse civilisée de rester amis sur Facebook. Ce sentiment ne fit que s'accroître lorsqu'il finit par reprendre :

— ... mais j'ai toujours compté sur la valeur qu'on partage pour cimenter notre couple. Autrement dit, la confiance. En remettant en cause mes actes et mes motivations dans cette affaire, tu ne t'en es pas juste pris à mon intégrité de journaliste, Nikki. Tu as sabré notre relation à coups de laser.

Des picotements dans les yeux, elle se demanda si elle éprouverait le même déchirement chaque fois qu'elle passerait devant cette aire de jeux, dorénavant. Mais le discours de Rook prit alors un tour inattendu :

— C'est pour cette raison que je voulais te remettre quelque chose qui symbolise notre confiance et la cimente à tout jamais.

En le voyant plonger la main dans sa poche de veste, elle sentit son cœur faire des bonds dans sa poitrine.

— Rook. Qu'est-ce que tu fais ?

— Quelque chose qui ne peut plus attendre. C'est pour ça que je t'ai pressée de me rejoindre.

Il sortit la main de la poche. Ce n'était pas une boîte à bijoux qu'il tenait, mais un petit sachet à fermeture zip.

— Et voilà ! s'exclama-t-il, triomphal, en le brandissant devant elle.

À l'intérieur de la cellophane, Nikki n'aperçut aucune bague de fiançailles.

— Tu ne vois pas ce que c'est ? Tiens, regarde à la lumière.

Il agita la pochette devant l'enseigne au néon d'un fast-food qui venait de s'allumer.

Elle l'examina, confondue.

— C'est... ?

Il hocha le menton.

— Exactement. Une balle. Mais pas n'importe laquelle. Une balle de .38.

Chassant ses pensées à la fois de rupture et de demande en mariage, Heat lui arracha le sachet des mains pour étudier de près la balle écrasée à l'intérieur.

— Où as-tu trouvé ça ?

— Après notre petit – comment dirais-je ? – accrochage sur le toit, je n'arrivais pas à dormir.

— Moi non plus, je n'arrêtais pas de penser à toi.

— Oui. Euh, j'ai aussi pas mal réfléchi à l'affaire. Et plus particulièrement à ta thèse sur un éventuel pot-de-vin versé à Conscience Point. Alors, voilà. Je me suis dit : « Autant me lever et aller voir sur place. » Arrivé vers 4 heures du matin, armé de ma lampe de poche, j'ai pensé que, si Fabian Beauvais avait juste été éraflé par le coup de feu tiré sur lui, peut-être, mais peut-être seulement, la balle pouvait s'être logée quelque part.

— Tu l'as donc trouvée ? Combien de temps ça t'a pris ?

— Près de neuf heures. Je l'ai sortie de la rampe de l'escalier qui mène à la capitainerie. L'inspecteur Aguinaldo en a trouvé une seconde une heure environ après son arrivée.

242

— Quoi ? Rook, je lui ai parlé ; elle ne m'en a rien dit.

— Parce que je lui ai fait promettre de me laisser te l'annoncer. Celle qu'elle a trouvée s'était nichée dans le bardage sur le côté du bâtiment. Comme le bois était tendre, la balle est intacte. Elle l'a conservée pour l'envoyer au labo de la balistique de New York. Ils te feront parvenir les résultats.

— Aucune trace de l'arme ?

— Dis donc, tu veux tout, toi !

— Non, c'est bon. À dire vrai, c'est l'un des plus beaux cadeaux que tu m'aies jamais faits.

L'un d'eux, songea-t-elle.

— Mais il a un prix.

— Ah oui ?

— Je veux que tu me fasses confiance. C'est ce qui m'a tiré du lit et fait faire cent cinquante kilomètres de voiture jusqu'à Conscience Point. Pour faire ce que tu aurais fait. Suivre la piste là où elle se trouvait, pour faire jaillir la vérité.

Il fit sautiller la balle dans le sac.

— Et, même si je n'avais pas trouvé ceci, tu sais que tu peux toujours me faire confiance, n'est-ce pas ?

— Oui, évidemment.

Nikki respira enfin pour la première fois de la journée.

— Je suis si contente que tout cela soit derrière nous.

Elle lui posa une main sur la cuisse et remarqua qu'il ne répondait pas...

— C'est bien derrière nous ?

— Je veux revenir au poste. Diviser pour mieux régner, c'est une chose, mais bannir... C'est de là que tout est parti.

— Dis donc, tu veux tout, toi ! lui renvoya-t-elle à la figure.

Elle fut la seule à en rire. Il ne lui prenait toujours pas la main.

— J'en parlerai au capitaine.

— Bien, fit Rook en se levant. Tiens-moi au courant ; on se retrouve là-bas.

— Tu n'es pas sérieux ?! Tu ne veux pas qu'on dîne ensemble ce soir ?

Il se mordait les lèvres, hésitant.

— Rook, je croyais qu'on tournait la page.

— Absolument. C'est juste que je n'en suis pas encore là, pour être tout à fait franc.

Même si cela était difficile à entendre, elle comprenait. Penser le contraire aurait minimisé l'impact de ce qu'elle avait fait. Heat le remercia et repartit au poste avec la balle. En remontant Amsterdam Avenue, elle se retourna et s'arrêta pour le regarder s'éloigner. Ce qu'elle en avait assez de le voir de dos !

Le lendemain matin, Heat se réveilla seule, une solitude qu'elle éprouva dans toutes les fibres de son être. Comme il restait dix minutes avant que la sonnerie du réveil ne retentisse sur son téléphone, elle ouvrit l'application pour la supprimer et sursauta lorsque l'appareil lui sonna entre les mains. D'après l'écran, il s'agissait de l'inspecteur Raley.

— Tiens. Vous faites aussi réveille-matin, maintenant ?

— Voilà qui devrait vous sortir du lit : on a retrouvé Opal Onishi.

La femme assise sur le canapé face à Nikki, à Greenwich Village, avait encore des marques d'oreiller sur la joue. Opal Onishi les fit disparaître avec la mine perplexe qu'elle afficha à la vue de l'insigne de Heat.

— Vous avez dit la criminelle, c'est ça ?

— C'est bien ma brigade, oui.

Nikki préférait ne pas lui parler immédiatement du fait qu'elle avait trouvé son ancienne adresse dans le sac à main de la victime d'un meurtre. Comme elle voulait d'abord obtenir certaines réponses sans risquer de fausser les choses, elle changea de sujet.

— J'ai juste quelques petites questions à vous poser et je m'en vais. Désolée de vous avoir réveillée un samedi matin.

244

— Ce n'est pas grave. Comme ma colocataire est chez son petit ami, il fallait de toute façon que je me lève pour nourrir son chat.

— Votre colocataire, Erika ?

Comme toujours, Nikki avait fait ses recherches.

— Ouais, Erika. Elle a des ennuis ? Ce n'est quand même pas une folle meurtrière, comme dans *JF partagerait appartement* ?

— Non, la rassura Heat. En fait, nous ne connaissons Erika que parce qu'elle travaille avec vous chez Extérieur Location. C'est ce qui nous a permis de vous trouver ici chez elle.

Opal, tout juste sortie du lit dans son pyjama Gap dépareillé, se racla la gorge et croisa les jambes, puis remonta ses genoux vers sa poitrine.

— Vous me cherchiez ?

— On est d'abord allés à votre ancien appartement.

— Ouais, j'ai déménagé.

— Assez subitement.

— Euh, oui, c'est vrai.

Elle alluma une cigarette et attendit que Nikki poursuive, mais, comme elle ne disait rien, Opal meubla le silence.

— Ben, en fait, j'ai rompu avec ma copine et ça s'est mal passé. Elle déboulait à n'importe quelle heure, juste pour me faire chier, vous voyez, alors, je...

Au lieu d'aller au bout de sa pensée, Opal glissa une paume sur l'autre en imitant un avion de chasse au décollage d'un porte-avions.

— Je sais ce que c'est.

Heat posa son stylo sur son calepin. Si je peux me permettre, comment s'appelle votre petite amie ?

— Ex. Faut-il vraiment l'impliquer là-dedans ? Elle joue en ce moment dans un film qui se tourne en ville.

De nouveau, Heat laissa un blanc. Opal Onishi le remplit en lui donnant le nom de la femme en question, dont l'enquêtrice n'avait probablement pas besoin, car, ce qu'elle voulait vraiment savoir, c'était pourquoi Jeanne Capois tenait son adresse et si cela avait un rapport avec les meurtres. Et pourquoi ce soudain déménagement ? Nikki ne croyait pas un instant à l'histoire de harcèlement, aussi revint-elle dessus :

— Avez-vous porté plainte contre votre petite amie ? s'enquit-elle après un regard circulaire sur ce studio de l'East Village et son salon rempli de cartons et de meubles entassés.

— La police ? Non. J'ai juste déménagé.

— À minuit.

Opal semblait futée ; elle avait réponse à tout. Sans doute sans même mentir parfois.

— C'est plus facile pour se garer en double file avec une fourgonnette. Moins de circulation.

Nikki décida d'aborder les choses sous un autre angle :

— J'aimerais vous montrer une photo et que vous me disiez si vous reconnaissez la personne.

Elle posa un agrandissement du portrait de Jeanne Capois sur la table basse. Opal écrasa sa cigarette et ramassa la photo. Nikki n'aurait su dire si c'était par hésitation ou simplement pour prendre le temps de se ressaisir, mais il lui fallut quelques secondes pour répondre.

— Jeanne…

Elle lui tendit la photo pour la lui rendre.

— Jeanne, répéta Heat sans s'en saisir. Vous ne connaissez pas son nom de famille ?

Opal plissa la bouche et haussa les épaules.

— Désolée, mais, pour moi, c'est juste Jeanne.

— Et comment la connaissez-vous ?

De nouveau, un instant de flottement retint l'attention de l'inspecteur.

— Je l'ai engagée pour faire le ménage, déclara Opal. C'est son boulot.

Heat nota l'utilisation du présent. Dans ce cas, pourquoi autant de réflexion pour de simples réponses ?

— Si je peux me permettre, quand a-t-elle fait le ménage chez vous ?

— Oh là là, laissez-moi réfléchir. J'sais pas, il y a peut-être trois semaines, la dernière fois.

— Comment avez-vous entendu parler d'elle ?

Silence.

— Par le biais d'une agence, ou quelque chose comme ça. Je ne me souviens plus du nom.

— Happy Hazels ? suggéra Nikki.

Cette fois, Opal rebondit aussitôt :

— Oui, Happy Hazels. C'est ça.

Comme elle semblait totalement improviser, Heat continua :

— Et vous la payez en liquide ou par chèque ?

Ce n'était pas gagné, mais une trace papier pourrait s'avérer utile.

— En liquide.

— Combien ?

— Vous alors, vous ne lâchez rien.

Puis son regard erra sur le plafond.

— Dans les cinquante dollars, je crois ?

— À vous de me dire.

— Cinquante. Pourquoi toutes ces questions sur Jeanne ?

— Elle a été victime d'un meurtre sur lequel j'enquête.

L'inspecteur Heat observa la réaction de son interlocutrice, un réflexe crucial, surtout quand on avait un mauvais pressentiment. Le visage d'Opal Onishi se relâcha, et elle se mit à regarder fixement dans le vague : une réaction plutôt forte, si on tenait compte de l'hésitation dont elle avait fait preuve pour se souvenir du nom de la jeune femme.

— Putain... Qu'est-ce qui lui est arrivé ?

Enfin, elle baissait la garde. Nikki décida, dans un premier temps, de s'en tenir aux faits.

— Jeanne Capois a été retrouvée battue et étranglée dans la rue. Quand Jeanne est venue chez vous, poursuivit-elle en profitant du choc qu'elle venait de provoquer, a-t-elle évoqué une menace dont elle aurait fait l'objet ?

— Non, prononça Opal à voix basse, hébétée.

À la question de savoir si Jeanne Capois semblait agitée, inquiète ou se disait suivie, elle fournit la même réponse. Puis Nikki sortit les photos et les portraits-robots pour les soumettre l'un après l'autre à la jeune femme, qui lui avait fait une place à côté d'elle sur le canapé. Chaque fois, elle fit non de la tête : non pour Fabian Beauvais, non pour les quatre mercenaires qui avaient attaqué Heat à deux rues de son ancien appartement à Chelsea, non pour les gangsters du DAB ; pour Keith Gilbert, en revanche..., elle hésita.

— Opal, le reconnaissez-vous ?

— Évidemment, c'est un homme politique. Un bel enfoiré, si vous voulez mon avis.

— Vous n'avez pas d'autres raisons de le connaître ?

— Non, pourquoi ?

Heat flaira quelque chose. Au lieu de la coincer, elle lui offrit une échappatoire :

— Opal, je parle à des tas de gens dans mon métier. Et je sens bien quand on n'est pas totalement franc avec moi.

— Vous m'accusez de mentir ?

— Je dis que, si vous me cachez quelque chose, quelle qu'en soit la raison, c'est le moment d'en parler.

Elle scruta la jeune femme, de nouveau assise dos à l'accoudoir du canapé, les genoux repliés en position fœtale.

Si vous avez peur de quelqu'un, je peux vous offrir une protection.

Opal Onishi digéra l'information.

— J'ai répondu à toutes vos questions, non ?

À la porte, Heat lui remit sa carte de visite.

— Au cas où quelque chose vous reviendrait.

Ou au cas où vous décideriez de me dire pourquoi votre main tremble, songea-t-elle en la regardant la prendre.

Rook retrouva Heat sur le trottoir devant le poste à 9 heures.

— Qu'a dit Wally ?

— Ne t'en fais pas pour Wally, entre.

— Tu l'as menacé ? Tu lui as dit que je pouvais le pourrir dans la presse ?

— Si tu veux savoir, je ne lui ai même pas parlé. Il n'est pas encore arrivé. Écoute, ne fais pas cette tête, il n'y aura pas de problème. Crois-moi, je sais gérer Wally Irons.

Il n'en fallut pas davantage à Rook. Il lui tint la porte, mais, comme elle ne bougeait pas, il la referma.

— Quoi ?

— Irons n'est pas ton seul obstacle. J'ai aussi une condition.

— Vas-y...

— Tu as un article à écrire et j'honorerai mon engagement : tu continueras à m'accompagner, mais... je suis assez stressée comme ça sans que tu fasses la tête ou que tu te donnes des airs.

— C'est compris. Tu vas voir. Je peux jouer collectif. Je peux même continuer à faire le pitre.

— Bien. Maintenant, on verra pour nos affaires personnelles quand tout ceci sera réglé. Mais, d'abord, Rook, j'ai besoin de savoir qu'on peut avancer sans qu'il y ait plus d'histoires.

— Tu es donc en train de me demander de bien me tenir ? Elle sourit.

— Tu vois ? Retour à la normale.

Heat tira la porte et entra. Il haussa les épaules, puis lui emboîta le pas.

Pour un samedi, il régnait une sacrée animation au poste de la vingtième circonscription. Certes, il n'était pas rare que Nikki et ses hommes travaillent le week-end quand une enquête le nécessitait, mais, ce jour-là, le poste entier était de service, pas uniquement sa brigade. Dans la salle de la criminelle, le grand téléviseur au mur était allumé, le son coupé. Raley, Ochoa et Rhymer étaient au téléphone ou devant leur ordinateur. De temps à autre, l'un d'eux jetait un œil aux progrès de la tempête ou secouait la tête en voyant le pauvre correspondant sur place qui se faisait malmener par le sable et le vent ou tentait d'esquiver les feuilles de palmier.

Tandis que Heat mettait à jour le tableau blanc, Rook regardait défiler les informations au bas de l'écran, sous l'image silencieuse du membre du Bureau de gestion d'urgence répondant aux questions de la presse depuis son QG à Brooklyn. D'après le ruban de texte, les gouverneurs du Connecticut et du New Jersey venaient à leur tour de déclarer l'état d'urgence. Le deuxième avait même été jusqu'à ordonner l'évacuation des îles-barrières de Cape May à Sandy Hook, tandis que les casinos d'Atlantic City étaient priés de fermer leurs portes dès 16 heures le dimanche après-midi. Amtrak avait annulé tous ses trains sur la plupart des lignes de la côte est.

S'il était encore trop tôt pour dire où l'ouragan allait frapper, le Delaware, le Maryland et le New Jersey semblaient néanmoins les cibles les plus probables. Le maire de New York attendait d'autres données pour évacuer, mais le bas de Manhattan était le plus vulnérable, surtout Battery Park.

— On ne va pas s'arrêter pour une réunion formelle, annonça Heat à son groupe. Vous êtes tous occupés et je ne voudrais pas vous retarder. Juste quelques petites choses en vitesse.

Elle résuma sa visite chez Opal Onishi. Heat avait le sentiment que la demoiselle cachait quelque chose ; il fallait donc étudier son cas de plus près.

L'annonce que Rook et le sergent Aguinaldo de la police de Southampton avaient récupéré deux balles dans le bâtiment de la capitainerie, à la marina de Conscience Point, suscita une forte réaction, surtout de la part de Raley et d'Ochoa.

— Earl Sliney n'est peut-être finalement pas celui qui a tiré sur Beauvais, fit Raley.

— En effet, renchérit son équipier. J'avoue que j'ai un peu de mal à m'y résoudre, mais on dirait bien qu'il n'a rien fait.

Heat et les Gars se réaffirmèrent muettement leur entente, et tous trois parurent soulagés de voir les tensions s'apaiser. Puis Nikki demanda à ses enquêteurs de prendre rendez-vous pour elle avec la balistique.

— Je veux leur mettre la pression pour la balle qu'Inez

Aguinaldo leur a fait parvenir et leur déposer celle retrouvée par Rook.

— Jameson Rook dans..., proclama Ochoa d'une voix de présentateur de télévision, *L'Homme qui murmurait à l'oreille des balles.*

Rook enchaîna aussitôt :

— Je vois des gens avec du plomb dans la tête...

La réaction de Rook face à leurs sifflets et leurs dénigrements – il savourait en fait toutes les bêtises qu'ils lui envoyaient – fit plaisir à Heat, ravie de voir que son compagnon n'avait aucun mal à tenir sa promesse de ne pas nourrir de ressentiment.

Elle ramena l'attention sur l'affaire et interrogea Opossum sur ses tentatives pour faire sortir du bois Alicia Delamater. Rhymer déclara que la biche n'avait toujours pas rappelé depuis le message qu'il lui avait laissé la veille, dans l'après-midi, pour la soirée au Surf Lodge.

Feller se faufila dans la pièce.

— J'ai quelque chose qui pourrait vous intéresser. Vous vous souvenez du casier de Fabian Beauvais ?

— Oui, dit Heat. Ça date un peu. Un délit mineur au sujet duquel j'essaie en vain de reprendre contact avec son soi-disant avocat, Reese Cristóbal, pour qu'il me mette en rapport avec ses complices.

— Eh bien, votre inspecteur préféré s'est débrouillé à l'ancienne pour ça. Comme le central nous a fourni les dernières adresses connues que vous vouliez, je suis allé frapper à ces portes, plutôt sordides au demeurant.

Il se reporta à ses notes.

— Bon, l'un de ces acolytes... est reparti à la Jamaïque il y a dix jours.

— Oh ! dommage, fit Rook. Juste au moment de l'ouragan.

Feller tapota son calepin.

— L'autre complice, Fidel « FiFi » Figueroa, va aussi tâter de Sandy, puisqu'il est toujours ici.

— On peut aller le voir ? demanda Heat.

— Ce serait dommage de s'en priver.

L'inspecteur Feller fit signe en direction du couloir.

— Quand je disais ici, je voulais dire ici même. Dans la salle d'interrogatoire numéro 2.

— On m'avait parlé d'une récompense, furent les premiers mots de Fidel Figueroa lorsque Heat et Rook pénétrèrent dans la salle d'interrogatoire.

Feller, qui était déjà là, l'épaule appuyée contre le mur derrière l'homme sec et nerveux, se contenta d'adresser un non de la tête à Nikki.

— À vrai dire, bien que nous saluions votre coopération, aucune récompense n'est prévue, monsieur Figueroa.

— « FiFi ». Tout le monde m'appelle comme ça.

De ses deux pouces repliés, il s'indiqua lui-même.

— Fidel Figueroa. FiFi.

— Ça ne fait pas un peu trop penser à « Brindacier » ? s'interrogea Rook.

Devant le reproche muet que lui adressait la pièce entière, il leva les paumes au ciel en signe de reddition.

— Mais qui suis-je pour critiquer le pseudo d'un gangster ?

FiFi n'en démordait pas.

— Alors, pas d'argent ?

À ses débuts dans la police, Heat avait arrêté des dizaines de types comme Figueroa, qui travaillaient d'ordinaire aux carrefours de la 8e Avenue, près de Times Square. Quand cela n'était pas pour vendre des contrefaçons de lunettes de soleil et de sacs à main, c'était pour plumer les badauds en leur proposant des jeux de bonneteau et autres arnaques.

Il en existait de toutes sortes, de ces petits escrocs, de taille, d'âge, de genre et de couleur différents, mais tous avaient les mêmes gestes louches, le même regard vif et les mêmes tics corporels. Et ils étaient toujours dans la surenchère. Même en salle d'interrogatoire.

— Pas pour remplir son devoir de bon citoyen, dit-elle.

Le larron frotta son collier de barbe grisonnant du dos de la main.

— Eh ! ça s'essaye toujours, hein ?

— Pourquoi ne pas simplement nous dire ce que tu sais de Fabian Beauvais ? suggéra Feller en se détachant du mur pour s'imposer au filou.

Heat eut la démonstration du savoir-faire de Randall qui, grâce à son passé de patrouilleur, savait parfaitement doser l'intimidation physique… et avec efficacité. Fidel décala sa chaise d'un centimètre et se recroquevilla.

— Ah oui, l'Haïtien. Un petit malin, ce gars. Il avait la vie dure, mais il avait un don, vous savez ?

— Je n'en sais rien, rétorqua Feller.

— Pourquoi ne pas me raconter ?

Nikki espérait que l'escroc ne se moquait pas d'eux, car c'était pour elle la première vraie occasion de se faire une idée des activités de la victime. Peut-être FiFi lui donnerait-il aussi un os à ronger. Pour cela, il lui fallait cependant tendre l'oreille et lire entre les lignes, car ce bidonneur avait l'art d'enrober les choses.

— Il avait l'*astucia*. Il était rusé. Certains types passent leur vie à se laisser manger la laine sur le dos. Mais il y en a quelques-uns, pas beaucoup, illustra-t-il en rapprochant son pouce et son index en laissant juste un filet de lumière entre les deux, qui deviennent malins. Fabby était nouveau…, peut-être descendu du bateau un ou deux mois après le tremblement de terre à Haïti. C'est là qu'il s'est joint à notre…, hum…, entreprise.

— À faire les poubelles ? s'enquit Feller en reniflant.

Il s'assit sur la table à côté de Figueroa et posa un pied sur sa chaise.

Cette fois FiFi ne recula pas. Au contraire, il lui lança un coup d'œil narquois de biais.

— Vous n'avez pas idée, mon vieux, vous ne savez rien. Vous croyez peut-être qu'on était des clodos ou un truc du genre ? Alors, là, des clous. On faisait de la récup. Mais pas de canettes et de bouteilles.

Flairant une personnalité sensible à la contradiction, Nikki prit le contre-pied.

— Ah ! et comment appelez-vous ça, vous, le fait de grimper dans les bennes à ordures ? Pour moi, c'est loin d'être une entreprise, c'est sûr.

Rook lui emboîta le pas :

— Sans blague. Une entreprise ? D'ordinaire, ça implique un peu plus que de récupérer des boîtes vides pour les recycler.

— Et si on se faisait des centaines de mille ? Des millions. Vous appelleriez ça une entreprise ?

— Certainement, affirma Heat.

Il y avait bien des façons d'amener un témoin à parler. Par l'intimidation, les cajoleries, la provocation, la supplication. Elle avait compris que FiFi était homme à se vanter. Alors, elle jouait la carte de l'ego.

— Et vous en savez personnellement quelque chose ?

— Si je le sais ? Bon sang, je l'ai vu de mes propres yeux.

Il se regarda dans le miroir sans tain.

— Ça me vaudra peut-être une arrestation, mais ce que j'ai vu ? Ouah ! C'est à se prendre le chou.

— Je veux bien me prendre le chou, dit Rook. D'autres amateurs ?

— J'ai travaillé en équipe pour une organisation qui nous envoyait par centaines sur le terrain, jour et nuit, récupérer les bons trucs dans les poubelles.

Nikki haussa les épaules.

— Éclairez-moi un peu, là. Les bons trucs ?

— Des trucs d'identité. De banques. De cartes bancaires. Vous êtes bouchés ou quoi ?

Évidemment pas, mais faire comme si leur permettait de s'assurer qu'il continue.

— Le moindre bout de papier qui part à la poubelle avec un nom, une adresse, une date de naissance, une raison sociale, les cartes d'adhérent, les cartes de Noël avec le nom de jeune fille de maman dessus, les relevés de carte de crédit, les mots de passe d'ordinateur... Je raconte pas des craques : les gens sont assez dingues pour jeter des papiers avec leurs mots de passe dessus.

Il s'esclaffa tout seul.

— Tous les soirs, on ratisse la ville, avec notre petite armée, et on ramasse toutes sortes de trucs.

— Et vous en faites quoi ? demanda Feller.

— On les rapporte, évidemment. Pour de l'argent.

— Où ?

Heat espérait une adresse.

— À des endroits différents chaque fois. Un camion arrive, on fait l'échange, et ils payent.

Il rit de nouveau, trop content de la vie, celui-là.

— Ils emportent tout ailleurs pour le tri, mais je sais pas où. Si, c'est vrai, assura-t-il face à son air sceptique. Tout ce que je sais, c'est qu'une fois trié, ça sert pour faire des faux papiers d'identité, pour la fraude à la carte bancaire, la totale, quoi. Ils nous achètent tout. Même ce qui a été passé à la déchiqueteuse.

— À quoi peuvent bien servir des documents déchiquetés ? demanda Rook.

— Vous voulez rire ? Ces idiots se croient à l'abri juste parce qu'ils ont tout passé à la déchiqueteuse. Mais vous savez quoi ? La plupart de ces machines découpent des bandes. Alors, il suffit de mettre toutes les bandes bien découpées dans un gentil sac en plastique, et par ici la monnaie.

— Mais ils sont déchiquetés, insista Rook.

— En bandes. De belles tranches nettes... Aucune sécurité. Ils disposent de plein de gens, vous savez, des clandestins et tout. Assis dans une grande salle, ils sont payés à l'heure pour assembler tout ça comme des puzzles. Ça vaut le coup, parce que ça ne serait pas déchiqueté si ça n'avait pas de valeur...

Il hocha la tête d'un air entendu et se balança en arrière sur sa chaise, les bras croisés.

Nikki voyait maintenant se dessiner une voie, qu'elle décida d'emprunter :

— Et c'est là que vous avez connu Fabian Beauvais ?

FiFi confirma d'un large sourire qui voulait dire « Et comment ! »

— Et ce truc spécial qu'il avait, la... ?

— ... l'*astucia* ? C'était un génie, ce type. Exemple : un jour, il se pointe avec une glacière à roulettes. « Alors, quoi, tu nous rapportes des bibines fraîches ? » je lui fais. Non. Elle est vide. Il entre dans un immeuble de bureau en prétendant être un livreur. Y en a dans tous les couloirs des immeubles de Manhattan, des types comme ça qui vendent des sandwichs ; alors, qui remarquerait un immigrant de plus ? Personne. Il entre en plein jour avec la glacière vide, fait sauter le cadenas des poubelles bleues de recyclage dans la salle de photocopie ou ailleurs, remplit sa glacière de documents et ressort tranquillement par la porte d'entrée, merci bien, et il n'y a plus qu'à trier.

— C'était hardi, commenta Feller.

— Et ça marchait du feu de Dieu. Jusqu'à ce qu'il se fasse prendre la main dans le sac par les gros bras, parce qu'il se gardait une partie des documents. Ils ont pas rigolé, vous savez. Après, ils lui ont fait gravir les échelons. Ils l'ont fait bosser sur les arnaques au DAB avec eux et tout.

— Comment ça, les gros bras ? demanda Heat.

Elle, Rook et Feller restaient interloqués par cette information.

— Vous savez, les casse-bonbons. Ceux qui étaient chargés par l'entreprise de nous faire pisser dans notre froc si on devenait un peu trop gourmands. Ou bavards.

La porte de la salle s'ouvrit discrètement, et Raley se faufila pour tendre des photos à sa supérieure avant de repartir.

— FiFi, je suis très impressionnée par tout ce que vous m'apprenez. Vraiment éblouie.

Sur la table, elle fit glisser vers lui les portraits des deux voleurs de DAB qui s'en étaient pris à Beauvais.

Il se mit à hocher la tête avant même qu'elles arrivent jusqu'à lui.

— C'est eux.

— Les gros bras ?

— Ouais. Celui-là, c'est Mayshon quelque chose. Et l'autre dingue, c'est Earl. Earl Sliney. Ce type est un malade. Un coup, il rit et, la seconde d'après, bam ! Il change du tout au tout... Ça fait carrément peur.

Il repoussa la photo de Sliney comme si elle était maudite. Quand ça a tourné au vinaigre, ça a été vraiment affreux. Il a dit à Fabby qu'il allait le tuer. Et il le pensait.

— Savez-vous quel genre de documents Fabby..., Fabian Beauvais avait volé ?

Nikki retint son souffle. L'enjeu était de taille.

— Aucune idée.

Elle essaya encore, il le fallait. Mais, de nouveau, il répondit que non.

— Une dernière chose avant de terminer. Savez-vous si Earl Sliney a tué Beauvais ?

— Non, je ne sais pas qui, mais quoi.

Il haussa un sourcil.

— C'est l'*astucia* qui l'a tué.

Décidément, Keith Gilbert aimait faire la une des journaux. Sa photo tout sourire ornait la première page du *Ledger*, comme le découvrit Heat chez Andy alors qu'elle attendait son sandwich à la dinde. Elle acheta donc cette première édition pour la lire en marchant tandis qu'elle retournait au poste. *Future tête couronnée*, indiquait le gros titre, et la feuille de chou annonçait en exclusivité que le *Faiseur de rois*, autrement dit le puissant ex-gouverneur de New York, ancien ambassadeur aux Nations unies, soutenait la candidature de Gilbert aux sénatoriales. Même si ce coup de pouce lui assurait donc sa nomination par le parti, ainsi qu'un trésor de guerre pour financer sa campagne, le futur candidat se lançait dans les grandes manœuvres côté relations publiques :

Cette approbation signifie beaucoup plus pour moi qu'on ne l'imagine, a commenté le directeur de l'Autorité portuaire dans sa déclaration écrite. *Mais la politique devra attendre encore un peu, car, pour l'instant, j'ai une tâche à accomplir. Mon devoir est en effet de veiller à la sécurité des citoyens de cette région face à une tempête de proportions historiques, et cela reste ma priorité.*

En traversant le hall du poste, Heat jeta le tabloïd sur la chaise de visiteur à côté de la prostituée qui attendait qu'on relâche son mac. Peut-être qu'elle goberait cela, elle.

Dans la salle de briefing, les bavardages de la pause déjeuner tournaient autour de la nature des documents qui avaient coûté la vie à Beauvais.

— Peut-être que ça n'a aucune importance, suggéra Rhymer. Peut-être que le fait d'avoir voulu arnaquer la bande a suffi. Enfin, vous savez comme moi que, chez les criminels, on a tendance à prodiguer des punitions pour tenir ses troupes.

— Tu as bien dit « prodiguer » ? fit Ochoa.

— Il est tout à fait légitime d'employer ce mot. Tu n'as qu'à demander à notre écrivain.

À son bureau, Rook raccrocha le téléphone et d'un coup de talon fit rouler sa chaise jusqu'au groupe, non sans effectuer un cercle en chemin.

— « Prodiguer », du latin *prodigere*, « donner avec profusion ». Dix points pour Opossum.

Il se décala pour rejoindre Heat.

— Ça vient de tomber. Tu te souviens de Hattie ? Ma meilleure amie de l'abattoir ?

— Tant pis pour mon sandwich.

Nikki enveloppa le reste et le posa sur son bureau.

— Je viens de lui parler.

— Comment as-tu fait ? demanda Raley. On n'arrête pas d'appeler, de passer chez elle et à son boulot. Or elle manque à l'appel.

— Comment crois-tu qu'on collectionne les Pulitzer ? Tu sais pourtant combien j'en ai reçu !

Raley lui montra ses deux majeurs. Rook enchaîna :

— Comme ils étaient amis, je voulais savoir si Fabian Beauvais avait mentionné l'existence de documents à Hattie. Et devinez quoi ? Il lui a bien demandé si elle pouvait cacher quelque chose pour lui. Hattie a accepté, mais Beauvais ne lui a jamais dit ce que c'était et il ne lui a rien remis non plus. Juste après, il s'est fait tirer dessus à Queensboro Plaza. Point final.

— Attends un peu, fit Nikki. Le gérant de l'abattoir nous a pourtant dit que Beauvais était venu blessé au travail. Donc, après avoir reçu le coup de feu. Où était Hattie ?

— Partie aider sa nièce qui faisait une cure de sevrage à domicile. Elle ne l'a pas revu.

— Alors, on ne sait toujours pas ce qu'il détenait ni où ça se trouve maintenant, conclut Ochoa.

— Sans vouloir souffler sur les braises, intervint Heat, pourrais-je proposer la plus simple des possibilités ? Que Beauvais tenait quelque chose contre Keith Gilbert.

À sa grande surprise, Rook fut le premier à rebondir :

— Ça collerait en tout cas avec l'éventuel scénario d'un pot-de-vin versé à Conscience Point.

— Et Sliney alors ? s'enquit Ochoa, dont la question avait un air de protestation.

— L'un n'empêche pas l'autre, Miguel, répondit son équipier.

Raley tendit les bras devant lui pour imiter les deux rails parallèles d'une voie ferrée.

— Beauvais arnaque les copains de Sliney, Sliney lui court après : rail numéro un. Beauvais secoue Gilbert, Gilbert se retourne contre lui : rail numéro deux.

— Si c'est le cas, dit l'inspecteur Feller, qu'est-ce que l'Haïtien avait sur lui, à votre avis ? Une lettre d'amour de sa maîtresse ? La preuve qu'il avait eu un enfant avec elle ? Un secret médical qui gênerait sa candidature ?

— Un acte de naissance kenyan, déclara Rook. Oh ! allez, ne me dites pas que vous n'étiez pas en train d'y penser, vous aussi.

Tout en marchant récupérer sa voiture pour se rendre à la balistique, Heat fit comme la plupart des New-Yorkais ce jour-là : elle leva les yeux vers le ciel et eut du mal à imaginer que, vingt-quatre heures plus tard, la légère brume qui voilait le soleil allait céder la place à de sombres nuages annonciateurs d'ouragans.

Malgré son attention tournée vers le ciel, le craquement d'un caillou sous la semelle d'une chaussure un peu trop près d'elle sur le trottoir ne lui échappa pas. La main sur la crosse de son arme, elle pivota sur ses talons et se retrouva nez à nez avec son propre reflet dans les Ray-Ban de Lawrence Hays qui se tenait devant elle, un large sourire aux lèvres.

— Vous savez, même si vous avez la main sur ce Sig, je pourrais vous abattre avant que vous n'ayez eu le temps de dégainer, si je le voulais.

— Vous pourriez avoir des surprises.

— Ça reste à voir.

Après un coup d'œil à son interlocuteur, elle ne se jugea pas menacée. Il recula même d'un pas en gardant les mains visibles.

— Que me vaut le plaisir ?

Le PDG de Lancer Standard semblait s'amuser. Il leva les deux premiers doigts de la main droite, pour bien montrer qu'il n'avait aucune intention dangereuse, et les plongea dans la poche avant de sa veste. Il en sortit un morceau de papier qu'il lui tendit. Lorsqu'elle l'ouvrit, elle découvrit une adresse dans le Bronx.

— Ça date de quand ? demanda Nikki.

— Avec plaisir, se contenta-t-il de répondre avant de s'éloigner vers Amsterdam Avenue.

Elle remarqua que Hays boitait légèrement, ce qui lui

confirma que cette affaire avait quelque chose de personnel pour lui.

Heat ne fut pas longue à élaborer le plan d'attaque. D'abord, elle envoya les Gars, Feller et Rhymer dans le Bronx vérifier l'adresse, au cas où Zarek Braun serait parti. Tandis qu'ils se positionnaient en planque, Nikki se coordonna avec l'unité des services d'urgence qui lui confirma l'envoi d'une équipe du SWAT, puis elle prit contact avec le poste de la quarante-huitième circonscription pour la mise en place d'un barrage routier. L'idée consistait à déployer le maximum de monde afin de créer des goulots d'étranglement permettant de contenir le suspect. Rien de nouveau pour elle. Nikki ne comptait plus le nombre de raids de ce genre qu'elle avait organisés. Néanmoins, l'enjeu redoublait d'importance, cette fois.

— On n'a pas le droit à l'erreur, indiqua-t-elle à l'équipe chargée de l'assaut, comme elle tenait à se le répéter à elle-même, tandis que tous enfilaient des gilets pare-balles au point de rassemblement, à deux pas du lieu de l'incursion.

Elle revit la calme expression de Braun vidant son chargeur sur elle. Se remémora les cicatrices et les marques de brûlure sur le torse de Lawrence Hays. « Toujours penser à se mettre à couvert. Toujours bien réfléchir. »

D'abord, pour se familiariser avec les entrées et les zones à risques, l'enquêtrice étala sur le capot de son véhicule d'interception les vues aériennes de la maison prises par l'unité des services d'urgence avant son arrivée.

Ensuite, elle s'agenouilla au carrefour, derrière un réfrigérateur mis au rebut sur un coin de pelouse, pour scruter les environs avec des jumelles. C'était un quartier économiquement défavorisé, mêlant immeubles de deux étages abandonnés et maisons en bois délabrées. Comme la nuit tombait, elle commençait à distinguer des décorations pour Halloween sur certaines portes couvertes de graffitis.

— Les habitations voisines sont évacuées ? s'enquit-elle auprès du commandant de l'unité.

— Affirmatif.

— Je ne veux pas d'enfant dans la mêlée. On y va dans cinq minutes, annonça-t-elle lorsque tout lui sembla prêt.

En se redressant, l'enquêtrice vit le pire qui pouvait lui arriver en pareil instant. Le capitaine Wallace Irons, qui devait avoir acheté son gilet pare-balles au rayon extralarge, remontait la rue en se dandinant. Il serra les bandes velcro et vérifia son arme de poing.

— Qu'est-ce qu'il fait ici, lui ? s'enquit-il arrivé près d'elle.

Rook, qui se tenait à l'écart, vêtu de son propre gilet pare-balles indiquant REPORTER au lieu de POLICE, le salua d'un doigt à la tempe.

— Il observe.

— La zone est réservée à la police.

— Oui, monsieur, je sais, mais j'ai tout en main. Rook va rester en arrière avec vous pendant que j'entre.

— Changement de plan, annonça Wally. C'est moi qui mène la danse.

— Monsieur, avec tout le respect que je vous dois…

— Dans ce cas, respectez un ordre direct, inspecteur.

Il engloba du regard le point de rassemblement comme un gros balourd qui veut faire partie du jeu.

— Vous croyez peut-être que je n'entends pas ce qui se dit de moi ? Que je suis un flic en pantoufles et tout ça ? Eh bien, j'ai décidé d'en finir une fois pour toutes.

Il tourna la tête. Dans son gilet pare-balles, il ressemblait à une tortue tendant le cou hors de sa carapace.

— Où est le commandant de l'opération ?

— Ici, monsieur.

L'intéressé s'avança d'un pas.

— Vous êtes en position ?

— Oui, monsieur.

— C'est la maison ?

— Oui.

— Montrez-moi sur la carte.

Wally écarta Heat du regard, puis, sans poser une seule

question, écouta le chef d'unité reprendre les annotations de l'enquêtrice. Une fois briefé, il se tourna vers elle :

— Vous viendrez en renfort.

— Monsieur, si je peux me permettre, vous devriez revoir...

— Restez ici, coupa le capitaine. Vous interviendrez quand je serai à l'intérieur.

Il se retourna vers le commandant :

— Suivez-moi.

Et aussi rapidement, aussi imprudemment, et aussi narcissiquement, Iron Man se précipita de l'autre côté de la rue pour aller s'accroupir derrière une voiture en stationnement. Il marqua une pause, puis prit la tête de l'équipe pour gagner la porte d'entrée de la maison en bois.

— Qu'est-ce qui lui prend, bon sang ? fit Feller.

— Connaissant Wally, je parie qu'il conservera son gilet pare-balles pour la conférence de presse, commenta Rook.

— Tenez-vous prêts, fit Heat dans son talkie. Il est à la porte.

La voix du capitaine Irons résonna dans la rue déserte.

— Police de New York, ouvrez !

Un instant plus tard, l'unité des services d'urgence défonçait la porte d'un coup de bélier, et Wally donnait la charge. Au petit trot, Heat et ses inspecteurs gagnèrent la voiture garée pour se mettre à couvert, mais ils n'allèrent pas plus loin. Un éclair de lumière illumina toutes les fenêtres de la maison, et il s'ensuivit un bruit de détonation assourdissant.

QUATORZE

Le lendemain matin, tandis qu'elle attendait, assise sur le trottoir le feu vert des démineurs pour entrer dans la maison, Nikki Heat regarda d'un air grave le soleil se lever à travers la fumée du bois qui se consumait lentement et les nuages qui s'épaississaient. Rook se fit une place à côté d'elle et lui tendit un café acheté à l'épicerie qui venait d'ouvrir de l'autre côté de la zone interdite. Bien qu'il fût demeuré sur place toute la nuit, ils ne s'étaient pas parlé depuis l'explosion. Aussitôt, elle avait repris les rênes et réprimé ses sentiments personnels face à ce qui avait failli se produire. Avant l'étape suivante, ils sirotaient leur café en silence, en attendant l'effet magique de la caféine.

— Dis, je suppose que ce n'était pas ce que tu voulais dire quand tu m'as assuré pouvoir t'occuper de Wally Irons, lâcha enfin Rook.

Elle marqua une pause.

— Tu es sinistre.

Puis elle se tourna vers lui :

— Peut-être plus flic que je ne l'imaginais, finalement.

— Eh ! tu m'as dit que je ne pourrais t'accompagner sur le terrain que si j'étais de nouveau moi-même. Eh bien, voilà.

Le capitaine Irons était l'unique victime. Au déclic métallique qu'il avait déclenché en se précipitant pour lire le message rédigé sur la bande de ruban adhésif collé sur le mur, l'équipe qui l'accompagnait, consciente du danger, s'était abritée. Deux membres du SWAT avaient réussi à s'écarter de la porte, l'autre avait plongé à l'intérieur, dans l'âtre vide de la cheminée. Apparemment, il avait crié au capitaine de rester où il était, de ne pas bouger, mais, compte tenu de son manque d'expérience et sous l'effet de la panique, Irons avait aussi essayé de s'enfuir. Son instinct de survie avait scellé son sort. Dès l'instant où il avait enlevé le pied de la plaque reliée à l'engin explosif sous le plancher, il était cuit.

Sans tenir compte de leur propre sécurité, les deux agents qui avaient pris leurs jambes à leur cou avaient héroïquement affronté les flammes pour retourner chercher leur camarade blessé. Grâce au kevlar et à son bond dans la cheminée, il aurait la vie sauve. Les chirurgiens avaient passé une heure à extraire toutes sortes de vilains débris de verre et de bois de ses mollets, mais il serait probablement sorti de l'hôpital Bronx-Lebanon pour le déjeuner.

L'unité antiterroriste s'était jointe au coup de balai dans la petite maison. Le commandant McMains, du Bureau de gestion d'urgence, avait fait le déplacement depuis le QG de l'ouragan à Brooklyn, en compagnie du maire et du chef de la police de New York. Une bombe et la mort d'un capitaine relevaient de la plus haute priorité ; aussi le patron du contre-terrorisme se devait-il de mesurer le degré et l'ampleur de la menace en question. L'unité opérationnelle ne serait pas à l'ordre du jour, ce matin. Une fois le site déclaré sûr, Cooper McMains ressortit et posa la main sur l'épaule de Heat.

— Vous êtes sûre de vouloir entrer ?

À l'intérieur, Nikki avança en marchant sur du verre, du plâtre et des clous, un mouchoir sur le nez et la bouche pour filtrer les émanations, en vain, et elle comprit ce qu'il voulait dire. Le ruban adhésif qui était sur le mur au-dessus du trou béant sous le parquet avait été retrouvé à l'autre bout de la pièce. Un technicien de la scientifique en avait placé sous scellés un échantillon carbonisé et déformé. Lorsqu'elle prit le sachet en plastique dans ses mains, elle se concentra pour ne pas trembler sous les yeux des autres enquêteurs et de Rook qui la regardaient. Deux mots étaient écrits au marqueur noir sur la bande : *Adieu Heat.*

Pour Nikki, il s'agissait juste d'une sinistre confirmation de ce qu'elle savait déjà. Sans l'orgueil démesuré de Wallace Irons, cela aurait néanmoins pu être sa dernière vision avant de mourir. Heat fit passer l'échantillon à la ronde, et personne ne pipa mot. Jusqu'à ce que Rook rompe le lourd silence.

— Il a oublié la virgule.

Le ruban adhésif partit à la scientifique pour le relevé d'empreintes. Personne ne mit en doute les futurs résultats.

— Ce que j'aimerais savoir, dit Ochoa, c'est si ce Zarek Braun savait que vous veniez ou si c'était juste un pari.

— Sacrée explosion pour un simple « peut-être », observa l'inspecteur Feller. Je penche plutôt pour un piège.

Évidemment, Heat avait déjà fait le rapprochement entre l'adresse que Hays lui avait fournie et la détonation. Était-ce lui qui avait amorcé la mèche ? Ou Zarek Braun avait-il voulu déjouer l'inéluctable parce qu'il la savait sur le point de le retrouver ?

Le commandant McMains vint à sa rencontre à sa sortie.

— Personne ne vous en tiendra rigueur, si vous décidez de vous désister. Vous venez de passer une nuit éprouvante, Heat.

Au lieu de répondre, elle plongea son regard dans le sien. Il comprit.

— Je vois que non. Il est évident que cette affaire reste la vôtre, mais permettez-moi de vous dire que nous intensifions les recherches. Tous les effectifs disponibles seront sur ce Zarek Braun.

— Merci, commandant.

Néanmoins, à la vitesse à laquelle il fut rappelé à regagner le convoi pour la salle de crise du Bureau de gestion d'urgence, elle savait qu'on ne rechercherait Braun que d'un œil. Le mot-clé était « disponible ». Avec l'arrivée d'un ouragan de catégorie 1 prévue dans les vingt-quatre heures, Heat savait que ce serait à elle de mener la bataille.

Ce qui ne voulait pas dire qu'elle la mènerait seule. Tous leurs récents différends oubliés, les Gars se présentèrent à elle les premiers. Ils proposèrent de se relayer pour lui assurer une protection vingt-quatre heures sur vingt-quatre. Peu après, Rhymer et Feller en firent de même. La solidarité était tout pour elle, leur assura-t-elle.

— Mais je veux que vous concentriez vos efforts sur lui, pas sur moi.

Heat chargea les Gars et Rhymer d'aller frapper aux portes du quartier avec les photos de Zarek Braun, de Fabian Beauvais et, juste pour ne rien laisser de côté, celle de Lawrence Hays, qu'elle avait téléchargée sur un site Internet antimilitariste et qu'elle leur transmit par texto.

— Parlez aux riverains, aux commerçants. Cherchez à savoir quand Zarek Braun était là pour la dernière fois, s'il était accompagné, s'il avait des copines ou des copains, quel véhicule il conduisait, la totale.

Elle demanda à l'inspecteur Feller de le chercher dans le fichier central.

— Voyez s'il y a eu des appels pour tapage ou des plaintes de voisins dans cette rue. Un type comme Braun serait bien du genre à s'engueuler avec quelqu'un pour rien ou juste pour l'effrayer. Ne laissez rien passer, même pas la moindre dispute avec une contractuelle pour un PV de stationnement.

Rook, qui tenait absolument à aider, partit jouer les bernacles avec Raley et Ochoa. Lorsqu'elle quitta la maison à son tour, Lauren Parry conseilla à son amie de rentrer faire un somme parce qu'il allait être long et laborieux, malgré les renforts, de rassembler les restes du capitaine Irons.

— Merci, maman, rétorqua Heat avant d'ajouter qu'elle allait quand même rester là à attendre.

Nikki se sentait à deux doigts de s'effondrer, mais elle avait peur que cela n'arrive justement si elle s'arrêtait de travailler.

Le sergent de la brigade de déminage lui fit son rapport préliminaire sur la bombe. Comme chacun s'y attendait, une plaque sensible à la pression avait été découpée dans le plancher, et on avait posé un tapis de bain par-dessus pour la camoufler. L'explosif était du C-4, d'origine militaire, qu'on amorçait par le fait d'appuyer sur la plaque et qui se déclenchait au relâchement de la pression.

Elle essaya de ne pas s'imaginer poser le pied sur ce tapis pour lire le message, mais c'était difficile. Aurait-elle voulu courir se mettre à l'abri comme le capitaine ou aurait-elle tenu bon ? Heureusement, elle n'avait pas eu besoin de le savoir.

Lorsque Zach Hamner téléphona, à sa grande surprise, Heat constata qu'il appelait de son bureau au One Police Plaza, et non de son mobile.

— Vous travaillez le dimanche ? s'enquit-elle.

— Pas de week-end pour les braves, Heat, à cause de la tempête.

Comme s'il prenait des congés, de toute façon. Heat imaginait que Zach Hamner se rendait probablement à la plage en costume-cravate.

Il avait presque, mais pas tout à fait, l'air de compatir lorsqu'il prit de ses nouvelles après cette épreuve.

— Ça va, mais ce n'est pas sur moi que l'institut médico-légal travaille en ce moment.

Il lui demanda comment Irons avait réussi à ce mettre dans ce pétrin.

— Nom d'un chien ! marmonna-t-il avant de renifler. Blaireau jusqu'au bout, ajouta-t-il.

— Écoutez, espèce de crétin.

Les effets du choc commençaient à se faire sentir, et le Hamster apportait la goutte d'eau qui fait déborder le vase.

— Wally Irons était peut-être bien des choses, mais vous savez ce qu'il est maintenant ? Un flic mort en service.

Zach voulut se rétracter, mais elle enfonça le clou :

— Alors, je vous préviens, sale petit con de mes deux. Si je vous prends encore à dire du mal d'un collègue qui s'est sacrifié, je viendrai personnellement vous faire avaler votre saleté de BlackBerry, juste après vous avoir enfoncé les couilles au fond de la gorge.

À cet instant, elle aperçut Lawrence Hays qui rôdait près de sa voiture et elle raccrocha.

— Je suis venu pour vous épargner le dérangement, inspecteur.

— Comment avez-vous fait pour pénétrer sur ma scène de crime ?

Hays ignora sa question, comme s'il était normal pour un homme tel que lui d'avoir accès à une zone interdite. Il s'assit là, les bras croisés, sur le coffre de la Taurus.

— Quand j'ai appris la nouvelle, je me suis dit qu'à votre place, je serais allée trouver le type qui m'avait donné cette adresse. Me voici.

Il retira ses Ray-Ban afin qu'elle puisse voir ses yeux. Ce qui la soulagea ne fut pas ce qu'elle y lut, car ce type était si rompu à la manipulation psychologique qu'il pouvait adopter n'importe quelle attitude et paraître crédible.

Le fait était qu'il n'était pas logique que le piège vienne de lui. À moins qu'il ne travaille avec Zarek Braun. Le regard de Nikki se porta sur la cicatrice dont on devinait la naissance dans l'échancrure en « V » de son polo.

— Je crois que ça ira, dit-elle. Pour l'instant.

— C'est intelligent de votre part.

Il chaussa de nouveau ses lunettes de soleil.

— Maintenant, voulez-vous de l'aide ?

— C'est-à-dire ?

— Allons, vous connaissez très bien la nature de mes activités.

— Monsieur Hays, si vous m'offrez vos services professionnels, je décline. Ceci est une affaire de police, et la police de New York est parfaitement capable de s'en charger. Par ailleurs, je crois que le zèle d'un seul mercenaire est suffisant dans cette ville.

Il prit le temps d'observer le mince rideau de fumée qui s'élevait encore de la maison.

— Espérons-le.

La brigade se rassembla deux heures plus tard après avoir interrogé les habitants du quartier.

— Vous aviez vu juste, dit Feller. Il y avait quelque chose dans le fichier. Il y a deux semaines, un gars qui habite dans l'une des maisons mitoyennes s'est plaint d'un étranger qui adressait des gestes et des bruits obscènes à sa fille adolescente. La quarante-huitième a envoyé un agent, mais le citoyen a déclaré qu'il avait dû y avoir une erreur.

— On a même frappé chez le plaignant, enchaîna Ochoa. La famille était nerveuse. Faut dire qu'on venait juste de les laisser rentrer chez eux après l'alerte. Mais ils ont reconnu Braun sur la photo.

— Encore mieux, poursuivit Raley en renouant parfaitement avec le numéro d'enchaînement des Gars. L'étranger leur a fait tellement peur, d'où le mensonge à l'agent, qu'ils l'ont gardé à l'œil.

— Je peux ? demanda Rook. Il m'arrive si rarement d'être pris pour un inspecteur.

Il ouvrit une page de son calepin.

— La dernière fois qu'ils ont vu ton Culotté, c'était jeudi. Il est passé avec un grand sac en toile et des outils électriques. Il s'est servi d'une scie circulaire pendant une heure environ, puis d'un marteau, puis il est reparti avec ses outils, mais sans le sac.

Le journaliste referma son calepin.

— M'avait tout l'air de fabriquer son engin explosif.

— Jeudi. Vous avez conscience que c'était avant qu'on ne voie Hays ? observa Feller.

Heat les mit au courant de la visite du sous-traitant de la CIA et leur indiqua qu'à son avis, Lawrence Hays n'y était probablement pour rien. Tout le monde fut d'accord pour continuer.

Tandis que l'inspecteur Rhymer s'écartait pour prendre l'appel qu'il venait de recevoir sur son mobile, Raley s'enquit de ce qui allait se passer maintenant au poste.

— Navré de revenir à des choses pratiques, mais vous a-t-on dit qui va remplacer..., vous savez ?

— Je ne crois pas que ce soit encore d'actualité, Sean. À mon avis, tout le monde au One Police Plaza est pour l'instant concentré sur la tempête et rien d'autre. Je serais surprise qu'on nous annonce quoi que ce soit avant le passage de Sandy.

— Eh ? fit Opossum, avec son accent si marqué. Devinez qui c'était.

— Non, sérieux ? fit Heat qui lisait le triomphe sur le visage de l'enquêteur.

Rhymer glissa son mobile dans sa poche.

— Alicia Delamater sera ravie de m'exposer de vive voix les grandes lignes de son concept pour relancer les soirées blanches de Puff Daddy.

À 14 heures, pas une goutte de pluie n'était encore tombée sur Manhattan. Sandy tourbillonnait toujours au large de la Géorgie et de la Caroline, poursuivant sa course au nord-est, mais la menace était désormais suffisante pour que le maire ordonne l'évacuation des zones inondables de la ville.

Un sentiment mêlé d'urgence et de fatalisme emplissait les rues, car certains New-Yorkais se hâtaient de faire des provisions, de s'abriter ou de partir avant la fermeture des lignes de métro et de train à 19 heures. Les autres prenaient les choses comme elles venaient et continuaient leur vie normalement, soit par volonté d'ignorer la réalité, soit parce qu'ils comptaient simplement profiter du spectacle de la nature le lendemain.

Il n'était pas question, pour beaucoup, de laisser un cyclone tropical les priver de leur brunch dominical aux Daughters of Beulah. La terrasse du très branché bistro de Columbus Avenue avait été fermée en raison de l'arrivée de vents à 65 km/h, mais toutes les tables à l'intérieur étaient prises, et les cocktails coulaient à flots dans une atmosphère de déni total.

Tandis qu'il se tenait sur le trottoir devant, l'inspecteur Rhymer sentit une puissante bourrasque soulever un pan de sa veste de sport. D'un geste vif, il arracha sa plaque de sa ceinture, car rares étaient les directeurs du marketing à porter un badge de la police. Il venait juste de le ranger dans sa poche lorsqu'un taxi s'arrêta et une femme, dans une tenue destinée à faire impression, en descendit. Après un échange de poignées de main et les présentations faites, il tira sur l'une des poignées savamment ouvragées de la porte pour la laisser passer, et ils s'engouffrèrent à l'intérieur, poussés par un courant d'air qui secoua les palmiers en pots du hall d'accueil.

— Nous sommes au complet, maintenant, annonça-t-il à l'hôtesse.

Lorsque Nikki se retourna vers eux, Alicia Delamater cligna véritablement deux fois des yeux à la manière d'une comédienne de vaudeville.

— J'ai la table qu'il vous faut, déclara Heat. Au poste de police. C'est beaucoup plus tranquille. On y sera mieux pour parler.

Alicia Delamater ne partageait pas l'envie de l'inspecteur Heat de bavarder gentiment. Assise les mains croisées sur la table, elle faisait comme la plupart des gens placés en salle d'interrogatoire : après avoir tenté d'éviter de regarder dans le miroir sans tain, elle avait peu à peu cédé à des coups d'œil furtifs, qui s'étaient ensuite prolongés pour se transformer enfin en véritables autoévaluations. Aux yeux de Nikki, c'était la magie du miroir : la vue démoralisante de soi à l'un des pires moments de sa vie.

Pourtant, cette femme résistait. La relation qu'elle entretenait avec Keith Gilbert représentait la meilleure chance de l'enquêtrice de découvrir de l'intérieur ce qui se passait avec cet homme, avec Fabian Beauvais, avec Conscience Point et plus encore. La situation était délicate, car Alicia n'était pas une suspecte ni même accusée d'un délit. Néanmoins, elle était impliquée d'une manière ou d'une autre, sinon elle n'aurait pas disparu de la circulation. Pour l'instant, Nikki voulait simplement quelque chose à se mettre sous la dent. De quoi lui redonner de l'élan. Elle avait invité Rook à assister à l'interrogatoire, car le jour où ils lui avaient rendu visite chez elle à Beckett's Neck, Alicia Delamater avait semblé attirée par lui. Cette attirance ne s'était, malheureusement, avérée d'aucune utilité. Aussi étaient-ils assis tous les trois à ne rien dire.

Puis Rook prit la parole et joua la carte du tout premier interrogatoire qu'ils avaient mené ensemble.

— Alors, on fait quoi, inspecteur ? On l'enferme dans la cage aux fauves ?

Aussitôt, les deux femmes tournèrent la tête vers lui, Alicia, inquiète, Nikki, éblouie d'admiration. Sans même qu'il eût besoin de lui adresser un clin d'œil, Nikki embraya dans la foulée :

— Eh bien, je ne voulais pas en venir jusque-là, mais peut-être en est-il temps.

— C'est quoi, la cage aux fauves ?

Si elle se voyait dans le miroir maintenant, songea Nikki, elle s'effondrerait.

Rook fit mine de se lever de sa chaise.

— Vous voulez que j'appelle pour annoncer qu'on a une petite nouvelle pour la cage ?

— De quoi parlez-vous ?

Alicia avait la bouche sèche.

— Quelle cage ?

— En fait, c'est là qu'on fourre toute la faune colorée en attendant qu'on s'occupe de leur cas, expliqua Rook.

— Colorée ?...

— On ne l'appelle pas la cage aux fauves pour rien, appuya-t-il de façon inquiétante.

La perspective effraya la jeune femme. Évidemment, elle ne pouvait pas savoir qu'une telle chose n'existait pas et qu'il s'agissait d'un bluff que Heat avait mis au point des années auparavant, afin de délier les langues des novices qui n'avaient pas encore été confrontés au système judiciaire.

— Vous ne pouvez pas faire ça, non ? Et si je veux mon avocat ?

— Bien sûr, reprit Nikki. Vous pouvez l'attendre ici.

— Dans la cage aux fauves, dit Rook. Mais on est dimanche. Il pourrait mettre des heures... Peut-être qu'il a été évacué.

— Sinon, on peut juste parler, dit Heat.

Alicia n'eut pas besoin de réfléchir trop longtemps.

— D'accord.

Rook se rassit. Heat ramassa son stylo.

— Commençons par la raison pour laquelle vous m'avez menti.

— Je ne vous ai pas menti. À propos de quoi ?

— Vous avez dit que Fabian Beauvais s'était blessé avec le taille-haie.

— C'est ce qu'il m'a dit.

— On lui avait tiré dessus.

— Alors, c'est lui qui a menti.

Alicia Delamater restait un peu trop sur la défensive au goût de Nikki. Mentait-elle de nouveau ou était-elle simplement effrayée par la cage aux fauves ? Heat aborda la chose par un autre angle.

— Avez-vous déjà vu Keith Gilbert avec une arme ?

— Non.

— Et la nuit où s'est présenté l'intrus ? D'après la police de Southampton, vous étiez là, et Gilbert tenait l'arme.

— Ah ! attendez. Ça, oui. Mais Keith n'est pas un amateur d'armes. Je croyais que c'était de ça que vous vouliez parler. Il essayait uniquement de me protéger.

— D'un auteur de romans policiers ivre ? fit Rook sur un ton plus affirmatif qu'interrogatif.

— On ignorait que c'était lui.

— Qu'est-ce qu'il aurait bien pu vous faire ? insista Rook. Vous tenir en haleine avec un suspens torride ?

Heat posa la main entre eux sur la table.

— Rook, je m'en occupe.

À dire vrai, elle était ravie de la digression. Cela lui permettait en effet de revenir tout à trac à l'Haïtien, comme elle le souhaitait, dans l'espoir de la déstabiliser.

— Pendant qu'il travaillait chez vous, entreteniez-vous de bonnes relations avec Fabian Beauvais ?

— Bien sûr. On s'entendait bien.

Puis elle réfléchit.

— « Relation » ? Vous voulez dire « coucher ensemble » ?

Ce fut au tour de Heat de ne pas répondre. La femme continua.

— Non, jamais. Ce n'était pas ça. Nous étions amis. En quelque sorte.

— Vous a-t-il jamais parlé de documents qu'il détenait ?

— Des papiers d'immigration, vous voulez dire ?

— Alicia, je ne suis pas là pour vous arrêter parce que vous couchiez avec le jardinier ou faisiez travailler un clandestin. Je veux savoir si monsieur Beauvais a parlé de documents.

— Non, pourquoi m'aurait-il parlé de ça ?

Encore cette attitude défensive.

— Donc, il ne vous a jamais parlé d'aucun document en sa possession ni remis un paquet ou un dossier à conserver ?

Alicia Delamater fit non de la tête.

— Je n'ai rien entendu.

— Non.

— L'avez-vous vu avec quelque chose sous le bras ? Un fichier peut-être, un petit sac ou une épaisse enveloppe ?

— Désolée, non.

Néanmoins, cette fois, son regard se perdit, non pas vers le miroir, mais vers le plafond. Flairant quelque chose, Heat insista :

— Cela vous a peut-être échappé. Ça arrive. Réfléchissez.

— Inutile. Non.

— OK, bon, bon.

Nikki sourit, ce qui aida Alicia à se détendre. C'était justement ce que voulait l'enquêtrice avant de revenir à la charge.

— Qu'est-ce qui a mis un terme à votre idylle avec Keith Gilbert ?

Le visage de la jeune femme se creusa, et des taches lui apparurent sur le cou.

— Allez, Alicia, je suis au courant pour la mesure d'éloignement. Que s'est-il passé ?

— C'est..., c'est très personnel.

— Et c'est pourquoi je vous pose la question. Ce n'est pas sans raison qu'il vous a chassée de sa vie. Il vous a surprise au lit avec Fabian ?

— Certainement pas !

— Qu'est-ce qui a mal tourné, alors ?

— Vous avez besoin de savoir ça ?

— Sa femme a découvert que vous faisiez plus qu'emprunter du sucre quand vous traversiez Beckett's Neck ?

— Non. Enfin, elle n'a jamais su.

— Vous lui avez posé un ultimatum ? Elle ou moi ?

— Je n'ai rien demandé du tout. C'est lui. Il m'a joué un tour de cochon.

Heat avait touché une zone sensible.

— C'était très excitant, notre petite liaison, quand je travaillais avec lui. Le danger, la nouveauté... C'était chaud, comme relation. Mais, après, ça a fait trop avec le boulot. C'est devenu trop dur à gérer, en fait. Il fallait que ça reste une distraction.

Sans se tourner, Nikki perçut le lent mouvement de Rook qui pivotait vers elle.

— Continuez, dit-elle.

— Alors, voilà qu'il lui prend l'idée que je quitte Gilbert Maritime pour habiter près de chez lui dans les Hamptons. À côté, mais ni vu ni connu, au cas où sa femme déciderait de se pointer. C'est comme ça qu'il m'a acheté cette maison, et m'a aidée à me lancer dans les affaires. Tout allait pour le mieux, on s'amusait bien... jusqu'à ce que ce salaud me jette. Sale crétin.

Après une longue mise en route, rien ne semblait plus vouloir l'arrêter. Elle piaffait de rage.

— Vous voulez savoir ce qu'il m'a dit ? Que j'étais un

handicap politique. Vous voyez ? Rien à voir avec sa femme. C'est avec sa putain de carrière qu'il était marié. Et je n'étais pas de taille. Comment voulez-vous rivaliser avec ça ? Vous pouvez me le dire, hein ?

L'éclat se termina en sanglots convulsifs qu'Alicia tenta de contenir en se couvrant le visage des deux mains. Peut-être Nikki baissait-elle la garde à son tour à cause de sa nuit blanche passée dans le Bronx. En tout cas, ce témoignage trouva écho en elle aussi, sous les yeux de Rook qu'elle sentait toujours épier ses réactions sans rien dire. Elle espérait seulement qu'il aurait la grâce de garder le silence.

Ils pouvaient retenir Alicia Delamater pour fausse déclaration ou autre charge, mais son avocat n'aurait aucun mal à la faire libérer, et pour quoi faire ? Faute de mieux, Heat déclara toujours envisager de la poursuivre pour entrave à une enquête et lui demanda de prolonger son séjour à l'hôtel où elle se cachait depuis tout ce temps.

— Qu'en penses-tu ? demanda Rook lorsqu'elle fut partie.

— D'instinct, je répondrais « faux-semblants et esquives ». Ce n'est pas parce qu'elle ne couche plus avec Gilbert qu'elle n'a pas joué un rôle dans tout ça. Je veux en savoir plus.

— Tu crois vraiment qu'elle se confiera plus tard ?

Nikki fit non de la tête.

— Elle n'en aura eu que davantage de temps pour inventer de nouveaux mensonges. Et venir avec son avocat. Non, je veux pouvoir me passer de l'aide d'Alicia Delamater. Il me faut des mandats de perquisition.

— Pour quels motifs ?

Le scepticisme latent de Rook l'agaçait, mais elle se maîtrisa. Compte tenu de la fatigue et du tourbillon d'émotions qu'ils venaient de subir, ce n'était pas le moment de se chercher des noises ou de se vexer.

— Accès à des preuves matérielles, mensonges, le fait d'admettre nous avoir caché des choses, répondit-elle donc simplement.

Il tiqua.

— Après le retrait du procureur sur ton arrestation, ils ne vont pas t'accorder de mandat de perquisition sur cette base.

— Non, mais je crois que je connais quelqu'un qui le fera : ton vieux pote de poker.

— Le juge Simpson ? Tu ne lui dois pas de l'argent depuis notre dernière partie ?

— Parfait. Il prendra donc mon appel.

Une fois sa conversation terminée avec Horace Simpson, qui accepta de lui signer un mandat pour perquisitionner le domicile d'Alicia Delamater à Manhattan, Heat passa un autre coup de fil. À Inez Aguinaldo, à Southampton, qui commença par lui présenter ses condoléances ainsi qu'à l'ensemble du poste pour la mort du capitaine. Nikki remercia sa collègue.

— Vous allez sans doute trouver que j'abuse...

— Je vous écoute.

— Et je suis sûre que vous avez du pain sur la planche avec Sandy…

— Dites-moi ce qu'il vous faut, inspecteur Heat. La tempête attendra.

Nikki demanda donc à Inez Aguinaldo de perquisitionner chez Alicia Delamater à Beckett's Neck.

— Il me faudra sans doute un mandat, non ? fit remarquer l'enquêtrice de Southampton lorsqu'elle eut appris quoi chercher.

— Ah oui, c'était l'autre service que je voulais vous demander, ajouta Heat.

Sa collègue éclata de rire et lui confirma qu'elle avait frappé à la bonne porte.

— C'est l'avantage des communautés soudées.

Après cet échange, Nikki se sentit chanceuse d'avoir croisé la route d'Inez Aguinaldo, qui, à chaque étape, lui avait fait oublier les clichés liés à la police des petites villes. Elle raccrocha le téléphone et fit pivoter sa chaise afin de faire le point sur le tableau blanc à l'autre bout de la salle de la brigade. Le dernier ajout était une simple ligne pourpre avec une flèche reliant Zarek Braun à un nouveau nom ; elle avait du mal à reconnaître l'écriture, alors qu'elle avait inscrit de sa propre main : *Capt Wally Irons*.

La tête inclinée, elle jeta un œil au bureau de son ancien patron. Dans la pénombre de la pièce, éclairée par la seule lumière jaune des réverbères de la rue, Nikki distingua une forme familière : le reflet, dans son plastique du pressing, de sa chemise d'uniforme officielle prête pour affronter les médias. Dans la lumière diffuse, elle vit lentement apparaître la forme d'un fantôme sans tête ; mais ce n'était pas une apparition. Juste une image floue due à la fatigue. L'aura s'effaça peu à peu et, avant qu'elle ait eu le temps de réaliser, une main lui secouait gentiment l'épaule tandis qu'une voix lui parvenait d'un profond tunnel.

Heat ouvrit brusquement les yeux et s'étira sur sa chaise. Les Gars se tenaient devant elle.

— Désolé de vous réveiller, dit Ochoa. Mon contact au BCI vient d'appeler. Ils ont coincé Earl Sliney et Mayshon Franklin.

Le brouillard se dissipa, et elle se dressa sur ses pieds.

— Et lui ? demanda Raley alors qu'elle prenait son manteau.

De l'autre côté de la salle, Rook travaillait tête baissée à un bureau.

— Rook ! lança-t-elle.

Il releva la tête.

— On y va.

Dans un bâillement digne d'un éléphant de mer, il demanda à monter devant.

QUINZE

Ils gagnèrent Brooklyn par le pont Williamsburg, en convoi, les gyrophares allumés, mais sans sirènes. Heat, Rook et Feller devant Raley, Ochoa et Rhymer dans la voiture des Gars. Derrière eux, la silhouette des tours de Manhattan se détachait sur le plafond bas des nuages enflammés comme par des effets spéciaux en images de synthèse. Les voitures se faisaient secouer par de puissants coups de vent annonçant l'arrivée imminente de l'ouragan. Les yeux rivés à son iPad, Rook s'exclamait de temps à autre pour faire part à ses compagnons de route de petites infos sur la tempête.

— Ouah ! c'est dingue : compte tenu de la convergence de divers facteurs météorologiques et de la pleine lune demain soir, il paraît qu'il pourrait y avoir des vagues de plus de trois mètres. Vous imaginez un peu ? Ça veut dire qu'on va pouvoir dîner à Times Square avec vue sur la mer.

— Si je dois rester assis à l'arrière, j'aimerais bien avoir au moins un peu de tranquillité, fit remarquer l'inspecteur Feller.

Le silence ne dura pas plus de dix secondes avant que, d'un glissement de doigt, Rook ne consulte une nouvelle page Internet.

— Vous voulez connaître l'ironie de l'histoire ? gloussa-t-il. L'Opéra annonce que les représentations de *La Tempête* sont annulées, pour cause de…, tenez-vous bien…, tempête. J'adore.

Comme une nouvelle bourrasque déportait la Taurus, il se mit à déclamer à la fenêtre.

— *Soufflez, vents, à crever vos joues ! Faites rage ! Soufflez !*

— Euh, Rook ? fit Heat.

— Ouais ?

— D'abord, ce n'est pas *La Tempête*, c'est *Le Roi Lear*. Ensuite, tu veux bien la mettre en veilleuse ?

— Ce n'est pas ce que tu m'as demandé quand j'ai eu Alicia Delamater avec cette bonne vieille ruse de la cage aux fauves.

— Non, ça, c'était... à propos.

À la sortie du pont, Heat s'engagea sur Broadway et vira en épingle pour revenir vers l'East River en passant devant le grill Peter Luger.

— J'aurais cru que tu trouverais ça « inspiré ». Tu vois où on en arrive avec le temps ?

Il se tourna vers Feller, sur la banquette arrière, et lui expliqua le bluff dont il avait eu l'idée grâce à ce que lui avait appris Nikki.

L'inspecteur Feller leva les pouces en signe d'approbation.

— Je fais pareil pour flanquer la trouille aux amateurs, sauf que je les menace de les envoyer jouer du violon avec les têtes à poux.

— Beurk ! s'exclama Rook. Ça me ferait avouer n'importe quoi.

Cela les fit rire tous les trois, au moins jusqu'à ce qu'ils aperçoivent les lumières clignotantes signalant le barrage routier dans Kent Street.

Au point de rassemblement aménagé à côté de l'ancienne usine à sucre Domino Sugar dans South Third, l'inspecteur Ochoa échangea une poignée de main avec Dellroy Arthur, le chef du BCI.

— Ravi de vous rencontrer en chair et en os, dit l'enquêteur principal.

Aussitôt, Heat remarqua que l'insigne du policier en civil portait la marque du deuil, comme le sien. Il leur présenta à tous ses condoléances, qui n'étaient jamais de vains mots entre collègues des forces de l'ordre. Heat le remercia de ce témoignage de solidarité, puis, en bons policiers, ils se mirent au travail.

— Voilà comment ça s'est passé, commença l'enquêteur. La police a reçu un appel signalant qu'on avait percé la clôture du parcours de BMX qu'ils sont en train d'aménager là-bas.

Tous se tournèrent vers le Havemeyer Park, un terrain vague en travaux destiné à accueillir toutes sortes d'installations, y compris des bosses et des murs.

— La patrouille venue sur place a constaté la présence de deux hommes qui parcouraient la piste en buvant des bières. Ils ont pris la fuite sur leurs vélos, mais les agents les ont poursuivis et vus entrer sur ce chantier.

Heat et ses hommes se tournèrent vers le haut de Kent Street, où le squelette en béton d'un immeuble de dix étages se dressait dans la nuit venteuse.

— Qu'ont-ils fait pour attirer votre attention ? s'enquit Heat.

— En deux mots : des coups de feu. C'est ce qui a fait venir la brigade de la 90e Rue sur les lieux. Elle a interrogé la patrouille, qui a reconnu Earl Sliney grâce à l'avis de recherche émis sur lui. Le type avec lui correspond à la description générale de son complice habituel : Mayshon Franklin.

D'un geste vif, l'inspecteur dégaina son iPad, et ils se rassemblèrent tous autour de lui. À l'aide de son stylet, il les guida sur le plan de la rue en leur indiquant les barrages routiers et les issues surveillées.

— Ils sont cernés. Malheureusement, par ce vent, on ne peut pas demander d'appui aérien.

— Comment savez-vous s'ils sont encore là ?

— Il y a eu d'autres coups de feu. Ils sont quelque part dans les étages, aux derniers tirs que j'ai pu entendre.

Arthur leur exposa alors son plan, qui consistait à envoyer à l'assaut deux équipes de SWAT afin de les prendre en tenaille en procédant étage par étage, du rez-de-chaussée vers le toit. Comme l'entreprise de bâtiment lui avait envoyé par e-mail les plans d'architecte en PDF, il spécifia chaque étape ainsi que le timing suivis par chacune des équipes afin d'éviter les tirs croisés.

— Des questions ? demanda-t-il lorsqu'il eut terminé.

— Juste une, fit Heat. Peut-on les prendre vivants ?

— J'imagine que ça va dépendre d'eux.

Sans son gilet pare-balles customisé, qui clamait REPORTER au lieu de POLICE, Rook aurait peut-être pu être de la partie. Mais l'enquêteur du BCI « n'était pas là pour jouer », comme il disait, et le journaliste avait reçu l'ordre d'attendre au point de rassemblement.

— C'est ma faute. Je me suis fait avoir par mon côté bling-bling, confia-t-il à Heat en indiquant les deux médailles du prix Pulitzer brodées sur son gilet.

— Sans compter que tu n'as ni insigne, ni arme, ni formation.

— C'est ça, remue bien le couteau dans la plaie avec tes soi-disant qualifications supérieures.

Heat et Feller se joignirent à la première équipe du SWAT, Raley et Ochoa, à la seconde. Dellroy Arthur avait fait le nécessaire, la communication radio fonctionnait, et il ne restait plus qu'à donner l'assaut. Rien de cela ne minimisait le danger que représentait le fait de pénétrer de nuit dans une tour en construction non éclairée alors qu'un vent sinistre masquait les bruits et projetait des objets en tous sens, et que des suspects armés – dont un meurtrier qui s'attaquait aux vieilles dames – attendaient Dieu sait où. Méthodiquement, à intervalles de trente minutes, les escaliers, les ascenseurs, les puits d'aération et les toilettes portatives de chacun des dix étages furent vérifiés. Il ne restait donc plus que le toit. Un appui aérien aurait grandement facilité les choses. Ou un immeuble plus haut à proximité, au dernier étage duquel on aurait pu poster des observateurs. Les équipes attendaient à l'entrée des deux escaliers opposés afin de surgir sur le toit en même temps. Dès qu'ils eurent confirmé qu'ils étaient prêts, ils reçurent le feu vert.

Ils firent irruption sur le toit et trouvèrent rapidement à se mettre à l'abri derrière les énormes climatiseurs d'un côté et des tas de poutres métalliques de l'autre. Ce qu'ils n'avaient pas prévu, c'est qu'au lieu de se rendre, Sliney et Franklin pédaleraient comme des fous sur leur vélo jusqu'au bord de l'immeuble. Tandis que chacune des équipes leur courait derrière en leur criant de s'arrêter, Heat tenta de se remémorer le plan sur l'iPad afin de calculer la distance à laquelle se trouvait l'immeuble le plus proche. En longueur et en hauteur. Qu'ils aient signé un pacte de mort à la Thelma et Louise ou vu Matt Damon parvenir à atterrir à l'intérieur d'une fenêtre en sautant de n'importe quelle hauteur, Sliney et Franklin accélérèrent sans l'ombre d'une hésitation. Ni le moindre cri. De joie, de rébellion ou de peur. Ils pédalèrent simplement comme des dératés jusqu'à ce que le toit s'efface sous leurs roues. Ni l'un ni l'autre ne toucha le sol.

Une fois qu'ils eurent décollé du bord, il parut évident qu'ils n'atteindraient pas l'autre côté. Sliney dut s'en rendre compte rapidement, car il effectua dans les airs une figure digne des X Games pour, dans un acte désespéré, lâcher son vélo et se rattraper des deux mains au câble de la grue dressée à côté de l'immeuble. Dans le faisceau croisé de leurs lampes de poche, ils le virent s'agripper, mais il ne portait pas de gants. Compte tenu de son élan, de la force de gravité et de la friction sur la chaîne d'acier, son horrible glissade lui arracha la peau des mains et un hurlement de terreur.

Stoppé par le crochet de levage à l'extrémité, il se retrouva la pointe fichée sous la mâchoire et le cou déchiré en deux. Son corps resta là à se balancer sans vie, la tête basculée en arrière, secouée par des rafales à plus de 80 km/h.

Un cri interrompu et l'impact du métal sur le métal détournèrent les faisceaux lumineux vers le septième étage. Mayshon Franklin était resté sur son BMX, mais un coup de vent l'avait projeté contre la façade de l'immeuble, et il s'était écrasé sur le toit du monte-charge du chantier. D'après ce que

Nikki distinguait malgré le manque d'éclairage, le vélo s'était apparemment encastré autour de l'élévateur et de ses rouages. Son conducteur s'était empalé par-dessus, sur le guidon qui lui sortait par le bas du dos.

— Il est vivant ! cria Heat en l'entendant gémir, puis elle fonça vers l'escalier.

Puisque Mayshon Franklin était vivant, mais que son état nécessiterait une longue opération chirurgicale sous anesthésie générale, Heat décida de quitter Williamsburg dès l'arrivée du fourgon de l'institut médicolégal chargé de transporter le corps d'Earl Sliney à la morgue de Brooklyn, à East Flatbush. Comme il était 1 h 30 du matin, elle insista pour que les membres de sa brigade prennent un peu de repos et s'assurent que tout était bouclé chez eux en vue de l'ouragan, un monstre de catégorie 2, qui n'était plus qu'à cinq cents kilomètres à peine. Son appartement étant situé au troisième étage dans un quartier abrité, Nikki avait toutes les raisons de penser qu'il n'arriverait rien chez elle.

Par acquit de conscience, elle avait toutefois appelé plus tôt Jerzy, le concierge de son immeuble, qui avait volontiers accepté de veiller au grain pour elle. Aussi, au lieu de rentrer, décida-t-elle de retourner dormir au poste. Rook avait profité de sa longue attente au point de rassemblement pour vérifier si tout était également en ordre dans son loft.

Puis il avait appelé sa mère pour s'assurer qu'elle allait bien. Après s'être entendu jurer par une Margaret Rook, plus que bourrue, qu'une star de Broadway qui enchaînait les tournées d'été et avait son portrait chez Sardi n'allait tout de même pas se laisser intimider par une insignifiante tempête, il accompagna Heat au poste de la vingtième circonscription.

Il s'assoupit contre la portière du passager. Heat avait très sommeil, elle aussi, mais le seul fait de devoir tenir la route malgré le vent qui balayait l'East River la maintenait largement en alerte. Les rafales semblaient aussi fortes qu'à l'aller, mais quelque chose était venu s'ajouter au ballottement de la voiture et aux tourbillons de nuages noirs qui enveloppaient les gratte-ciel : la senteur humide des tropiques. Cela fit de nouveau réfléchir Nikki à la notion d'inéluctabilité. Et au fait qu'on peut nommer la bête, et même savoir qu'elle arrive, sans qu'on puisse faire grand-chose pour l'arrêter.

Tôt le lendemain matin, après quatre heures de sommeil, la bouche ouverte, sur le canapé de la salle de pause, puis un changement de vêtements grâce à la tenue de rechange qu'elle conservait dans son tiroir à dossiers suspendus, Nikki tartina un peu de beurre de cacahuètes sur des quartiers de pomme qu'elle avait découpés en guise de petit-déjeuner. Rook arriva la mine bien trop reposée pour un homme ayant dormi dans une cellule vide. Il brandissait deux grands gobelets enchanteurs en provenance directe du Starbucks.

— Hum, un petit-déjeuner maison !

Elle lui tendit une tranche de pomme.

— Je t'offre une Pink Lady ? s'enquit-elle, sachant pertinemment qu'elle le piégeait.

— Sans hésiter, dans un contexte plus intime. Mais retiens l'idée du beurre de cacahuètes.

Il s'empara du fruit, et ils s'installèrent dans le salon pour suivre la progression de la *Superstorm* sur Channel 7.

— Je préférais quand ils l'appelaient *Frankenstorm*, observa-t-il. *Monsterstorm, Halloween*... Qu'est-ce que ça peut faire, un nom flippant ? Moi, je dis que, si on doit se taper un ouragan deux ans d'affilée, on a le droit d'en rire pour se soulager.

Keith Gilbert apparut à l'écran, en direct du Bureau de gestion d'urgence de l'Autorité portuaire.

— Allez, je me tais, annonça Rook avant de se saisir de la télécommande pour augmenter le son.

« L'arrivée de la tempête est prévue d'ici plus ou moins douze heures, déclarait le directeur. Selon les meilleures estimations, elle devrait toucher la côte un peu au sud de New York, ce qui place la ville et le port dans le champ du quart supérieur droit du cyclone. L'Autorité portuaire fermera donc l'aéroport de LaGuardia à 19 h 30. JFK, Newark Liberty, Teterboro et Stewart International resteront ouverts, mais tous les vols sont annulés. Les installations maritimes sont fermées... »

Nikki observa son suspect principal se présenter sous son meilleur jour face à la crise imminente.

— Tu sais que toutes ces mesures de macho ne font que renforcer ses chances aux élections, fit remarquer Rook comme s'il lisait dans ses pensées. Bon sang, c'est presque dommage qu'il ne puisse se présenter que dans un seul État. Je parie qu'il se ferait aussi élire dans le New Jersey. Simple formalité.

— Tout n'est pas inéluctable, Rook.

Sur ce, elle ramassa son gobelet et regagna la salle de briefing pour se mettre au travail.

À son arrivée, la brigade s'était déjà réunie. Elle invita ses hommes à se munir de leur café pour venir la rejoindre au tableau blanc. Tandis qu'ils se hâtaient d'aller se soulager la vessie avant de refaire le plein de caféine, le téléphone sonna sur son bureau.

— Gage de paix, furent les premiers mots que prononça Zach Hamner. Alors, ne raccrochez pas, je vous en prie.

— Allez-y.

— Je viens juste de voir passer un ordre pour vous relever de vos fonctions.

Nikki s'assit sur le bord de son bureau.

— Je suis bouchée ou quoi ? En quoi diable est-ce un gage de paix ?

— Parce que je dois le remettre à votre commandant de brigade.

— Je n'en ai plus. Il est mort.

— C'est justement là où je veux en venir. Vous en aurez un demain. Un col blanc qu'ils vont prélever d'un bureau quelconque pour assurer l'intérim. Cet ordre de congé administratif pour vous émane du directeur adjoint du personnel. Mais vous savez comment ça marche au Puzzle Palace. Quelqu'un a dû prendre un autre maillon de la chaîne par les couilles et, brusquement, vous voilà sur la touche.

— Quelle touche ?

— Précisément, vous êtes mutée au guichet à Staten Island, jusqu'à nouvel ordre. Alors, voici mon gage de paix : vous êtes avisée vingt-quatre heures à l'avance.

Nikki en retourna les implications dans sa tête. Gilbert ou ses avocats avaient joint quelqu'un au bureau du maire ou au QG de la police, et voilà le bâton qu'on lui mettait dans les roues.

— Heat, vous êtes toujours là ?

— Euh, oui, je réfléchissais juste à ce que je pouvais faire.

Et à la rapidité dont elle devait faire preuve. Elle consulta la pendule sur le mur.

— C'est toujours bon à savoir, convint-elle, le souffle court.

— C'est ce que j'ai pensé.

Il marqua une pause, puis reprit, l'air contrit :

— Et désolé pour ce que j'ai dit. Vous savez…, au sujet d'Irons. C'était vraiment crétin de ma part. Toutes mes excuses.

C'est drôle, quand même, songea-t-elle, comme les balourds peuvent devenir des héros, et les crétins, avoir du cœur, finalement.

— Merci, Zachary.

— Messieurs, nous n'avons pas une minute à perdre, commença l'inspecteur Heat lorsque tout le monde fut rassemblé en demi-cercle.

À l'évocation de l'appel du Hamster, tous firent la grimace, et les insultes fusèrent. Nikki y mit le holà. Je suis totalement d'accord avec vous, si ce n'est plus, mais il ne sert à rien de s'énerver.

— Ce n'est pas pour ça qu'on va clore l'affaire, dit Feller.

— Ils pensent sérieusement qu'on va laisser tomber juste parce que vous partez à Staten Island ? s'indigna Ochoa.

— Évidemment que vous êtes capables de continuer, assura Heat. Vous êtes la brigade la plus performante de la maison. Mais il ne faut pas se faire d'illusions.

— Ce n'est que le premier round, commenta Rook.

— Exactement. C'est l'ouverture des hostilités pour une offensive juridique orchestrée par le pouvoir. L'idée consiste à nous ralentir étape par étape pour finalement faire disparaître le problème comme par enchantement.

Elle prit le temps d'échanger un regard avec chacun.

— On ne peut pas laisser faire ça. Cette affaire est difficile depuis le début. Pleine de contradictions. Génératrice de conflits, même parmi nous. Bon, c'est normal avec des flics qui ont la passion. C'est ce que j'attends de vous. Mais, maintenant, on entre dans une nouvelle phase.

Elle s'avança près du tableau pour pointer du doigt le nom du capitaine Irons qui figurait parmi les victimes.

— Il faut qu'on épluche tout.

Nikki se tourna de nouveau vers le nom sans rompre le silence. Puis elle choisit un marqueur rouge dans la boîte en carton.

— La brigade a vingt-quatre heures pour faire des étincelles. Vingt-quatre heures pour se montrer à la hauteur de sa réputation.

Heat déboucha le marqueur et entoura la traduction du tatouage de Fabian Beauvais : L'UNION FAIT LA FORCE. Puis, de la même couleur, Nikki divisa le tableau en quatre parties égales, à côté desquelles elle inscrivit un nom dans le sens des aiguilles d'une montre : Raley, Ochoa, Feller et Rhymer. Une fois le marqueur rebouché, elle fit face à ses enquêteurs.

— Votre mission aujourd'hui consistera à examiner chaque détail de l'affaire figurant dans la partie qui vous a été attribuée. Si vous n'êtes pas celui qui a levé la piste, familiarisez-vous avec et creusez. Si c'est vous qui en êtes à l'origine, reprenez tout d'un œil critique. « Qu'est-ce qui a pu m'échapper ? » « Quelle question n'ai-je pas posée ? » « À qui n'ai-je pas parlé ? » « Que sais-je maintenant que je ne savais pas et qui ouvre de nouvelles perspectives ? » Discutez entre vous.

Si vous avez une compétence ou une intuition particulières, n'hésitez pas à voler une info à vos collègues pour l'exploiter.

Elle avait toute leur attention et elle en profita :

— Quatre victimes : Fabian Beauvais, tombé du ciel ; Jeanne Capois, torturée ; Shelton David, victime d'une effraction ; le capitaine Irons, mort en service. C'est un dossier difficile à traiter et le pire jour pour le faire, mais nous savons tous que le perdreau ne nous tombera pas tout cuit dans le bec. Les solutions s'obtiennent par un travail de fourmis.

Elle tapota le tableau blanc.

— Quelque chose sur ce tableau pourrait déjà nous permettre de régler ça. Soyez appliqués. Soyez réfléchis. Soyez des flics.

La brigade s'empressa de se mettre au travail ; chacun repartit vers son bureau, sauf Rhymer, qui resta pour recopier fidèlement sur son calepin la liste figurant dans son carré de tableau. Raley, le roi de tous les médias, revint avec son iPhone pour prendre son propre secteur en photo. Rapidement, la salle de briefing s'anima tandis que les enquêteurs s'affairaient au téléphone pour rappeler les témoins, s'entretenir avec d'autres brigades et postes de police et s'échanger leurs pistes et indices. Heat assurait la liaison, reliait les idées et chassait de la main les pertes de temps évidentes. S'autogérant, Rook pêchait des informations sur le tableau et, par libres associations, effectuait des recherches sur Internet.

Peu avant 14 heures, Heat se présenta à son bureau.

— Mayshon Franklin est sorti de chirurgie ; il est en salle de réveil. Ça t'ennuie de venir prendre un peu la pluie avec moi ?

La première chose que vit le prisonnier en ouvrant les yeux fut l'insigne de Heat. Il ne pouvait que le voir, car Nikki le lui brandissait si près du nez qu'il le touchait presque. Il lui avait fallu plus longtemps pour sortir des vapes qu'ils ne s'y attendaient, et ils avaient passé une bonne heure à patienter à son chevet en écoutant la pluie battre contre la fenêtre. Ce n'était pas du temps perdu puisque l'inspecteur Heat était ainsi assurée d'être là lorsque l'effet des antalgiques émousse-rait chez Franklin l'instinct de se taire, de mentir ou de récla-mer un avocat. Comme Earl Sliney n'était plus de ce monde, Dellroy Arthur, du BCI, avait levé le camp, ravi d'abandonner le complice du fugitif à la police de New York.

— Mayshon Franklin, vous êtes en état d'arrestation, an-nonça l'inspecteur Heat avant de ranger sa plaque, certaine qu'il avait percuté.

De ses yeux vitreux, il cherchait à comprendre où il était. Il tira légèrement sur les menottes qui le retenaient au lit. Puis il se lécha les lèvres.

— Earl ? s'enquit-il, la bouche sèche.

— Earl Sliney est mort, Mayshon.

Il ferma les yeux, hocha la tête comme pour se dire que, bien sûr, puis les rouvrit.

— Comment ?

Alors que Heat tentait de décider comment lui présenter la chose, Rook s'approcha derrière elle.

— Transformé en distributeur de bonbons Pez, décla-ra-t-il.

Franklin n'en eut que l'esprit plus embrouillé ; or Heat voulait avant tout éviter qu'il se renferme sur lui-même. En outre, comme elle ne disposait que de peu de temps avant que la fatigue ne reprenne le dessus, elle alla droit au but.

— Regardez-moi, Mayshon.

Nikki brandit la photo tirée de la vidéosurveillance du DAB sur laquelle on le voyait avec son acolyte tirer sur Beauvais.

— Vous le reconnaissez, n'est-ce pas ? Mayshon, regar-dez-moi. Bien. Vous le connaissez ?

Franklin acquiesça faiblement de la tête.

— Nous avons une vidéo montrant votre ami Earl en train de tirer sur lui il y a plusieurs semaines. Vous étiez là.

Il opina de nouveau du chef, ce qu'elle trouva encoura-geant, car elle voulait des réponses spontanées.

— L'a-t-il touché ?

— Non, il a juste tiré sur lui.

— D'accord. Nous savons qu'il a tiré sur lui. Une des balles d'Earl l'a-t-elle touché ?

Mayshon haussa les épaules et cligna de l'œil sous l'effort.

— Pouvez-vous me répondre par oui ou par non ?

— Je ne sais pas. Peut-être, peut-être pas. J'en sais rien.

Il reprit son souffle avec peine, et ses paupières s'affaissèrent.

— Restez avec moi, Mayshon. Vous vous en sortez très bien. On a presque terminé.

Comme il papillotait, Nikki insista, consciente du peu de temps dont elle disposait avant qu'il ne regarde dans le vide.

— Vous et Earl, vous le pourchassiez, et il avait un paquet. Qu'est-ce que c'était ?

— Il avait volé.

— Quoi ?

— Au patron.

Il eut un sourire rêveur.

— Vous autres, faut pas voler au patron.

— Comment s'appelle le patron, vous pouvez me le dire ?

Il fit la grimace, comme un enfant pris en faute, et agita la tête sur l'oreiller. Elle y reviendrait plus tard.

— Qu'y avait-il dans le paquet ?

— Des trucs, j'en sais rien. Des trucs pour le réseau.

Comme il clamait ne pas en savoir plus, elle ne voulut pas perdre de temps.

— Parlez-moi du réseau.

Un œil fermé, l'autre révulsé, on aurait dit un camé dans un vidéoclip.

— Mayshon. Où est le réseau ?

— Vous ne savez pas ? C'est vous la police.

— Dites-le-moi, aidez-moi à comprendre, Mayshon.

— Flatbush. M'enfin, vous savez bien.

Il commençait à savonner.

— Où, à Flatbush ?

— Flatbush, voilà, vous voyez.

Il ferma les yeux.

— Mar-co, marmonna-t-il en chantonnant.

Puis il gloussa et se répondit à la même cadence.

— Po-lo...

— Mayshon, ne jouez pas avec moi. Dites-moi juste où.

De nouveau, il se mit à chanter.

— Po-lo…

Puis il se tut, et elle crut l'avoir perdu. Mais il gloussa de nouveau.

— Interracial.

— Il s'endormit.

Tout en consultant son iPad dans le couloir au lino ciré, après que l'infirmière d'étage les eut priés de quitter les lieux, Rook pivota sur ses talons.

— Haha ! je le savais. Mayshon Franklin ne se payait pas ta tête. Regarde.

Il tendit la tablette à Nikki pour qu'elle lise ce qu'il venait de trouver.

— Marco Polo International – et non « interracial » – distributeur et grossiste d'épices à Flatbush, New York.

Il vit une lueur d'espoir éclairer le visage de Nikki et la sentit prête à démarrer sur les chapeaux de roue.

— Il vaudrait mieux ne pas appeler pour prévenir.

— Non, dit-elle en rejoignant l'ascenseur. On va leur réserver la surprise.

À leur sortie du garage du Woodhull Medical Center, à Brooklyn, Heat et Rook furent surpris de constater qu'il ne tombait pas des cordes. Le vent, en revanche, soufflait toujours fort. Tandis qu'ils se dirigeaient vers Flatbush par le Marcus Garvey Boulevard, ils virent voler des sacs en plastique, des branches, des morceaux d'affiches et même des panneaux de prix arrachés aux enseignes de stations-service, ce qui souffla à Rook une remarque au sujet de la chute du prix de l'essence que Nikki ne comprit qu'à moitié. Elle s'efforçait d'influencer le commandant de brigade de la soixante-septième circonscription pour qu'il leur envoie des renforts chez Marco

Polo International. L'inspecteur Heat comprenait qu'il ait des réticences à se délester d'effectifs alors que la ville était en état d'urgence, ce qui ne l'arrêta pas, prête qu'elle était à invoquer le nom de Zach Hamner, s'il le fallait. Son interlocuteur lui proposa un rendez-vous avec deux patrouilles un quart d'heure plus tard, à l'extrémité ouest de Preston Court.

Sa Taurus étant bloquée au poste de la vingtième, Heat conduisait la voiture banalisée destinée aux saisies de drogue, qu'elle avait réquisitionnée à la hâte. Deux véhicules bleu et blanc les attendaient devant le parking du loueur de camions à l'angle de Preston et de Kings Highway.

— Sans vouloir vendre la peau de l'ours avant de l'avoir tué, dit-elle à Rook, on n'est qu'à trois rues du motel de Fabian de Beauvais. Si ça s'avère être l'endroit où se trouve le réseau et qu'il les a arnaqués, ce sera une promenade de santé.

— Ou un sprint.

Les agents de patrouille se révélèrent plus utiles que de simples renforts, car ils avaient une bonne connaissance des lieux. Preston Court était une zone industrielle dévastée et sale, composée d'une route à double sens, en partie non goudronnée, bordée de vieux entrepôts bas en briques ou en béton, et de terrains fermés par des chaînes et des fils barbelés sur lesquels étaient entassés matériaux et ferraille. Le distributeur d'épices était situé à cent mètres à l'est, entre un réchappeur de pneus et un réparateur de chaudières.

Le sergent responsable des patrouilles indiqua que toutes les entreprises du coin effectuaient leurs chargements par-devant, ce qui expliquait pourquoi il n'y avait qu'un étroit passage derrière les bâtiments, facile à bloquer en plaçant une voiture à chaque extrémité. Heat, qui apprécia son plan, le chargea de surveiller l'arrière avec l'autre équipe, tandis qu'elle prenait un agent avec elle et Rook pour frapper à l'entrée.

Sur le trajet, ils passèrent devant une casse automobile, où un tas d'épaves attendaient d'être broyées. À côté, devant un immense bâtiment vide, dont un panneau rouge et blanc annonçait que les trois mille mètres carrés étaient à louer, un groupe de jeunes Latinos fumaient accroupis, les mains en coupe autour de leur cigarette, à peine dérangés par l'ouragan. À la vue de la voiture de police banalisée, ils détalèrent en tous sens. Lorsqu'ils s'arrêtèrent devant MARCO POLO INTERNATIONAL – DISTRIBUTEUR D'ÉPICES, Rook s'esclaffa en voyant l'enseigne.

— Si ce n'est pas qu'une vitrine, je veux bien avaler une cuillère à soupe de piment de Cayenne.

En effet, la triste façade n'avait absolument rien d'international. Il s'agissait d'un cube de parpaings nus de deux étages avec un toit en tôle ondulée rouillée. Comme la porte d'entrée n'était pas fermée à clé, soit par négligence, soit grâce aux fumeurs, les trois visiteurs entrèrent comme dans un moulin. Personne ne les accueillit à la réception. Il était évident qu'aucun client ne passait à l'improviste. Des photos jaunies d'aromates séchant à flanc de colline dans quelque pays étranger ornaient les cloisons en panneaux d'Isorel dignes d'un abri antiatomique de l'ère Khrouchtchev. À l'intérieur des vitrines poussiéreuses, les toiles d'araignée s'étiraient entre les bols d'épices éventées. À leur couleur et leur texture défraîchies, elles devaient dater de Marco Polo en personne. La porte à côté du comptoir s'ouvrit sur un imposant gaillard musclé qui s'empressa de refermer derrière lui.

— Je peux vous aider ? s'enquit-il d'une voix d'une octave plus haute que ne le laissait penser sa morphologie gonflée aux stéroïdes.

— On serait intéressés par quelques épices, dit Rook. Je suis dingue de safran[1].

Le policier et le gorille le regardèrent bizarrement. Heat se concentra sur leur interlocuteur et le vit fourrer quelque chose dans sa poche arrière, qu'il recouvrit de son bas de chemise.

— J'aimerais parler au gérant. C'est vous ?

— Nous sommes fermés.

— La porte était ouverte.

Elle souleva un pan de son manteau pour montrer son insigne et son Sig Sauer.

---

1. Référence au premier vers de la chanson *Mellow Yellow* de Donovan : *I'm just mad about Saffron* ; le prénom *Saffron* signifie « safran ».

— Vous êtes le gérant ?

— Non.

— C'est qui ?

— Vous avez un mandat ?

À peine eut-il posé cette question que la porte derrière lui s'ouvrit sur un grand et mince Asiatique tenant une cigarette non allumée et un briquet jetable. Derrière lui, ils aperçurent un vaste hangar sous lequel une douzaine d'étrangers, hommes, femmes et enfants, déchargeaient des sacs-poubelle d'un camion. Le gorille fit signe au type à la cigarette de retourner à l'intérieur, puis il referma la porte.

— Le mandat ne sera pas nécessaire. Je viens juste de constater une activité clandestine. Cette fillette, que je viens de voir, travaille en violation de la loi sur le travail des enfants, déclara l'enquêtrice en s'approchant de lui. Et je vous arrête pour port d'arme illégale.

De sa poche arrière, elle sortit une matraque télescopique.

— Je crois qu'une visite guidée s'impose, dit-elle pendant que l'agent de patrouille fouillait le type, puis le menottait.

Une heure plus tard, toujours menotté, mais assis dans un fauteuil de direction taché au milieu de l'entrepôt, le gorille, Mitch Dougherty, se faisait insulter dans diverses langues par ses quarante-six employés clandestins qui passaient devant lui en file indienne pour être récupérés par les services sociaux. Ce personnel, qui avait bravé le mauvais temps, était arrivé avec deux bus pour rapatrier ces étrangers maltraités et sous-alimentés vers des refuges d'urgence en vue d'un bilan de santé. Pour reprendre le terme que Heat avait entendu dans la bouche de FiFi Figueroa, Mitch n'était que l'un des gros bras, un homme de main. Mais, comme il était à l'intérieur, il devait savoir qui dirigeait cette affaire. Et de quel genre d'affaire il s'agissait. Ana, une jeune femme du Honduras qui parlait un excellent anglais, s'approcha de Nikki au nom des autres ouvriers, qui mouraient tous d'envie de raconter leur malheureuse histoire.

— Comme la plupart de ces femmes, j'ai été enlevée dans ma ville natale et amenée ici contre mon gré.

Ana avait été kidnappée un soir à La Ceiba par un gang qui l'avait d'abord violée, puis fait passer illégalement aux États-Unis pour l'y prostituer.

— Hélas, il est arrivé la même chose à certains des garçons, dit-elle, mais bien des hommes et des femmes n'ont pas été enlevés. On les a trompés pour qu'ils viennent ici. Qui refuserait de venir faire des études en Amérique, *si* ? C'est ce qu'ils promettent à certains, mais, quand ils arrivent, ils n'ont ni papiers d'identité ni université, et ils sont obligés de travailler pour quelques pièces dans cet enfer et de loger dans les chambres sordides où ils nous enferment.

Heat balaya du regard la file de ces pauvres diables au regard perdu dans le vague. Évidemment, elle était au courant de l'existence du trafic d'êtres humains, cette industrie souterraine d'asservissement qui faisait perdurer en des temps modernes l'outrage moral que représente l'esclavage.

Mais là se tenaient devant elle quarante-six personnes en chair et os. Des hommes, des femmes et, comme le lui apprirent les services sociaux, des enfants de neuf ans à peine, enlevés, maltraités et réduits en esclavage dans le seul but d'enrichir leurs ravisseurs et tous ceux qui soutenaient ce système. Ce qui lui faisait froid dans le dos, c'était la certitude qu'ils n'étaient que le proverbial grain de sable sur la plage.

Dans l'enthousiasme de se voir sauvée, Ana fit faire le tour de l'entrepôt à Heat et Rook en leur décrivant l'organisation du travail et les tâches remplies par chacun.

— Voilà comment ils nous répartissaient, par spécialité. Et en fonction de notre niveau de lettrisme. Vous allez comprendre.

Le vaste hangar de plus six mille mètres carrés était divisé selon les tâches. D'un côté, les sacs-poubelle en plastique s'empilaient jusqu'au plafond ; le reste du sol en béton était fractionné par des planches de bois qui délimitaient les zones de tri. Tout était fait à la main. Une équipe triait les sacs dont le contenu était porté à chaque section correspondante : cartes bancaires et reçus de cartes bancaires, mails privés, classés ensuite par types : relevés bancaires, relevés de crédit, commandes et factures par Internet payées par carte bancaire, bulletins d'organismes et de clubs professionnels, cartes d'anniversaire pour récupération des dates de naissance, cartons d'expédition avec noms et adresses, biens matériels, autrement dit, tout ce qui portait noms et numéros de téléphone, des vieux vêtements aux étiquettes de bagage, sans oublier l'électronique, surtout les disques durs d'ordinateur et les vieux téléphones.

— On triait tout à quatre pattes, toute la journée et jusque tard dans la nuit. Ensuite, les camions arrivaient pour en apporter d'autres, et encore et encore.

— Que se passait-il ensuite pour ce que vous trouviez ? s'enquit Rook.

— Tout ce qui portait un nom et des informations utiles pour créer de faux papiers d'identité ou servir à la fraude était placé dans ces bennes en plastique et transporté ailleurs, remis aux personnes chargées de créer de faux comptes ou de fausses cartes bancaires, etc.

— Ça doit représenter des millions, fit-il observer à Heat.

Mais elle regardait ailleurs, de l'autre côté de l'immense pièce.

— Ana, c'est quoi, ça, là-bas ?

— La pile de confettis. Venez, je vais vous montrer.

Elle les mena dans le coin, où ils virent les bandelettes de papier dont FiFi avait parlé. Des documents déchiquetés, sortis des sacs en plastique, étalés par terre et laborieusement – de manière presque impossible – assemblés comme des puzzles pour reformer des prêts automobile, des demandes d'emprunt immobilier, des CV, bref tout ce qui avait été passé à la déchiqueteuse par sécurité, pour éviter les usurpations d'identité.

— C'est là qu'ils me faisaient travailler, expliqua-t-elle. Parce que j'étais patiente et futée, à ce qu'ils disaient.

Ana ravala une larme, puis donna un coup de pied dans l'un des documents pratiquement complets – un relevé d'emprunt pour un appartement. Il s'éleva en tourbillon avant de retomber par terre comme la neige d'un globe de verre. Cela lui plut tellement qu'elle recommença encore et encore, jusqu'à s'écrouler. Nikki la prit dans ses bras pour la consoler et appela d'un signe de la main un membre des services sociaux. Mais, aussi vite qu'elle s'était effondrée, Ana se redressa, essuya ses larmes et assura qu'elle allait bien.

— Ana, ça peut attendre que vous vous sentiez mieux, mais j'aimerais vous demander de regarder quelques photos, déclara Heat.

— Je peux le faire maintenant. Sincèrement... Tout va bien. Je suis libre.

Elle sourit. Nikki sortit son mobile et lui montra une photo de Fabian Beauvais.

— Oh ! c'est bien Fabby !

Dans son enthousiasme, Ana tenta de s'emparer du téléphone.

— Il a travaillé ici aussi, vous savez.

Puis son visage s'assombrit.

— Ils lui ont fait miroiter une vie meilleure pour le faire venir d'Haïti après le tremblement de terre. Voilà ce qu'était sa vie.

Elle se tourna vers la pièce que les derniers ouvriers enrôlés de force quittaient pour le refuge.

— Mais Fabian, il a réussi à partir. Il s'est échappé. Et il a aidé sa fiancée à fuir, aussi.

Heat rangea son téléphone. Il lui était trop pénible de poursuivre cette conversation.

— Voici ce qui va se passer, Mitch, annonça-t-elle en tirant une chaise pour s'asseoir à côté du gorille. Je vais vous donner une chance de me dire maintenant qui dirige cette petite... entreprise.

Elle échangea un regard avec Rook et vit qu'il avait saisi la référence à FiFi. Son air détendu n'était qu'un masque. Nikki savait que ce n'était plus qu'une question de temps avant que le patron de cet atelier clandestin ne soit mis au courant de la situation, et elle voulait son nom immédiatement avant qu'il ne puisse décamper. Mais, comme il ne fallait pas le montrer, elle jouait avec son calepin, telle une secrétaire tout droit sortie du pool de sténos de *Mad Men*.

— Nom, prénom, s'il vous plaît.

— Impossible.

— Vous refusez ?

— Un peu que je refuse. Vous voulez savoir ce qu'ils me feront si je parle ?

— Qu'est-ce que Fabian Beauvais vous a pris ?

— J'ai dit que je ne parlerai pas.

— Dommage. Parce que j'allais vous offrir un marché. Spécial ouragan. Parce que, vous voyez, Mitch, on va trouver. À votre avis, que va-t-on apprendre en vérifiant vos relevés de téléphone mobile ?

Il leva les yeux vers Rook, qui enchaîna :

— Eh oui. On va vérifier tous les appels que vous avez reçus ou émis.

— Mitch, vous croyez qu'on ne pas va découvrir pour qui vous travaillez ?

Heat le laissa mariner un instant, puis claqua des doigts.

— Attendez, il me vient une idée. Vous passez vos propres papiers à la déchiqueteuse, Mitch ? Parce que je vais demander à nos experts de fouiller vos poubelles. Ici dans votre petit bureau et à votre domicile. Que trouverons-nous, Mitch ? Des bulletins de paie ? Un e-mail imprimé par imprudence ?

— Une chance que vous soyez amateur de gonflette, Mitch, renchérit Rook. Les prisons de New York offrent la meilleure fonte. Un petit conseil ? Je ferais attention à ne pas trop me faire repérer. Les condamnés à perpétuité sont parfois maladroits, mais je crois aussi qu'ils aiment voir ce qui arrive quand un poids tombe sur une gorge.

Mitch se mit à se tortiller sur sa chaise. Il adressa à Heat un regard nerveux.

— Ne l'écoutez pas, dit-elle. Personne ne vous ennuiera dans la salle de sport. Avec votre corpulence, on préférera sans doute vous mettre à l'épreuve dans la cour ou au réfectoire. Mettre un coup de surin à un grand gaillard comme vous, ça doit apporter une sacrée crédibilité à n'importe quel gangster.

Elle lui tapota le genou.

— Dommage. Vous ne pourrez pas dire que vous n'avez pas eu la chance de passer un marché.

— OK, fit Mitch dès qu'elle se leva.

— Attends ! cria Rook à Heat dans le hall près des vitrines d'exposition, alors qu'ils repartaient précipitamment vers la voiture.

Elle s'arrêta et se retourna.

— Attendre ? Tu es sérieux ?

— Il faut que je fasse un truc. Je m'en voudrais sinon.

D'un doigt levé, il lui fit signe d'attendre, puis il repartit en courant vers l'entrepôt.

Nikki se posta sur le seuil de la porte et le regarda passer devant Mitch et les agents qui s'apprêtaient à l'emmener. Il contourna un tas de vieux PC et s'arrêta devant la pile de confettis. Il marqua une pause, puis se tourna et ouvrit la porte de derrière. Le vent hurla et souleva avec force les fragments de papier dans les airs, puis les aspira dehors, où ils s'éparpillèrent en serpentins tourbillonnants. Lorsqu'ils eurent disparu, emportés par la tempête, Rook referma la porte.

— Oups ! fit-il en repassant devant Heat en sortant.

La ville n'était pas censée être submergée avant encore au moins deux heures. Pourtant, lorsqu'ils empruntèrent Wall Street, juste après 19 heures, l'East River avait déjà débordé, et les roues de la voiture s'enfonçaient dans l'eau. Les fréquences radio étaient pour le moins encombrées. D'après ce qu'ils entendaient, la mer avait gagné le tunnel entre Brooklyn et Battery Park, et nombre d'habitants se retrouvaient coincés dans les ascenseurs des gratte-ciel du bas de Manhattan parce que l'électricité avait été coupée par précaution. En outre, la façade entière d'un immeuble d'habitation à Chelsea s'était détachée, de sorte que les pièces de ses quatre étages s'étaient retrouvées directement ouvertes sur la rue.

— Je ne voudrais pas être à la place du type assis aux toilettes avec le *Ledger* entre les mains, commenta Rook. Coucou, New York ! fit-il avec un petit salut désinvolte de la main.

Heat le dévisagea.

— Quel âge as-tu ?

— Ça va, tu m'envies juste ma riche imagination visuelle.

Dans Beaver Street, l'électricité fonctionnait encore lorsque Nikki se gara, mais l'éclairage public ne l'empêcha pas de heurter le pneu avant contre le trottoir disparu sous l'eau. Elle visa ses rétroviseurs, puis, d'un regard circulaire, observa le quartier dans son ensemble.

Toutes les boutiques étaient fermées, de même que Delmonico, le restaurant au coin. Il n'y avait personne dehors, et les seuls véhicules dans la rue étaient des voitures stationnées et un fourgon UPS, tous vides.

— Je ne vois pas les nôtres.

— Je parie qu'ils ont été retardés par la tempête.

L'inspecteur Ochoa confirma par téléphone que les Gars s'étaient cassé le nez sur des fermetures de route.

— La FDR et Henry Hudson sont impraticables, déclara-t-il. La montée des eaux ne devait pas avoir lieu avant 22 h ou minuit, mais, maintenant, il paraît qu'on est déjà inondé d'une trentaine de centimètres. Rhymer et Feller nous suivent, mais, compte tenu de l'état des rues, il va sans doute nous falloir une heure pour vous rejoindre.

Tout ce que Heat voyait, c'était son suspect leur fausser compagnie par une issue de secours.

— Tu te sens d'attaque ? demanda-t-elle à Rook.

— Quoi ? Tu ne me demandes pas de rester dans la voiture, pour une fois ?

— Non, dit-elle avec un large sourire. Tu vas me porter sur ton dos jusqu'à la porte pour que je n'abîme pas mes chaussures.

Non seulement il se proposa de le faire, mais il fit le tour de la voiture pour s'accroupir devant sa portière afin qu'elle puisse se glisser sur son dos.

Comme elle lui donna une tape sur les fesses, il laissa tomber l'idée. L'eau jusqu'aux chevilles, ils gagnèrent l'entrée de l'immeuble d'avant-guerre de douze étages. Heat se protégea les yeux du vent et de la pluie avant de pencher la tête en arrière. L'appartement au dernier étage était éclairé.

— Police de New York, ouvrez.

L'inspecteur Heat frappa une fois de plus à la porte et tendit l'oreille.

Comme elle entendait du bruit à l'intérieur, elle recula d'un pas et prit son élan pour donner du pied à l'endroit le plus vulnérable de la porte. Avant que son coup ne porte, le verrou tourna, et la porte s'ouvrit.

Dans son élan, elle entraîna le panneau de bois qui heurta la personne se tenant derrière et lui arracha un cri. Elle entra l'arme au poing et mit en joue l'homme à terre. Puis elle chargea Rook de le surveiller, avec le Beretta qu'elle sortit de son étui de cheville, pendant qu'elle vérifiait les autres pièces.

— Il est trempé, observa-t-il.

— Ne t'inquiète pas, il tirera quand même.

À son retour quelques instants plus tard, l'enquêtrice rengaina son arme et menotta l'avocat. Reese Cristóbal s'effondra. Assis en tailleur dans son entrée, il se mit à pleurer comme un bébé, sa lèvre fendue saignait sur le tapis beige clair. Heat tenta de relancer ses inspecteurs, mais son mobile ne captait pas le réseau, sans doute embouteillé ou interrompu pour cause d'équipements endommagés. Nikki décida de leur accorder dix minutes de plus. Elle se tourna vers son prisonnier :

— Décidément, vous êtes tombé bien bas, à vous faire passer pour un important membre de la communauté en prétendant trouver du travail à ces immigrants et leur faciliter la transition alors que tout ça n'était qu'une couverture pour votre réseau d'usurpation d'identité. Non, attendez. C'était plus qu'une couverture : votre profession vous garantissait un approvisionnement régulier en esclaves pour faire les poubelles et assembler les documents volés.

Au début, elle crut qu'il hochait la tête en signe d'acquiescement, mais l'homme se balançait d'avant en arrière avec force lamentations et jérémiades.

— Atterrissez, maître, vous êtes cuit. Vous le savez, n'est-ce pas ? Non seulement vous allez plonger pour trafic d'êtres humains et pour toutes les accusations que nous pourrons retenir contre vous en matière de droits de la personne et de mauvais traitements, sans compter l'usurpation d'identité et la fraude bancaire...

Comme ses sanglots redoublaient, elle dut élever la voix.

— ... mais je vais également m'assurer que vous soyez poursuivi pour complicité dans la tentative de meurtre perpétrée par l'un de vos gros bras contre Fabian Beauvais. Et qui sait ? Peut-être avez-vous quelque chose à voir dans sa mort, en fait.

— Non !

— Et sa fiancée. Jeanne Capois ne faisait-elle pas partie de vos esclaves, elle aussi ? Peut-être qu'on vous collera aussi son meurtre sur le dos.

Les gémissements de Cristóbal s'accordaient à la perfection avec le rugissement des vents à 130 km/h qui s'engouffraient entre les immeubles du quartier de la finance.

— Non, non, je veux passer un marché.

— Ce n'est pas à vous d'en décider.

— Je sais des choses.

Il croisa enfin son regard.

— Des choses qui vous intéressent.

Jouait-il la comédie ou était-ce la chance que Nikki espérait (si ce n'était une preuve incontestable, du moins une piste sérieuse) ?

— Parlez-moi de Beauvais, demanda-t-elle pour le tester.

— Je sais tout sur Beauvais.

— Que vous a-t-il volé de si dangereux ? Et Keith Gilbert ? poursuivit-elle comme il ne répondait pas. Quel lien a-t-il avec tout ça ?

Il se passa la langue sur les lèvres et sourit de toutes ses dents, ce qui fendit de nouveau sa lèvre, et du sang lui coula sur le menton. Avec le vent, la pluie et les éclairs, on aurait dit Dracula.

— Le marché d'abord, exigea-t-il.

Heat consulta sa montre. Près d'une heure s'était écoulée sans que les renforts arrivent. Elle jeta un œil par la fenêtre. L'eau avait gagné le châssis de son véhicule banalisé.

Si cela continuait, il serait impossible de démarrer. Cristóbal était une ordure. Heat avait besoin d'obtenir de lui une déclaration sous serment avant qu'il ait oublié sa peur et qu'il réfléchisse trop. Elle se tourna vers Rook :

— Amenons-le au poste de la première circonscription.

Des crêtes s'étaient formées dans Beaver Street lorsqu'ils traversèrent pour regagner la voiture et faire grimper l'avocat à l'arrière.

— Changement de plan, annonça Nikki à Rook, soulagée d'entendre le moteur tourner. C'est pire que je ne pensais. Avec ce temps, c'est trop loin, d'aller jusqu'à Ericsson Place. Allons au One Police Plaza : c'est plus près, à mon avis.

— C'est toi le capitaine. On largue les amarres ?

Des phares éclairèrent la voiture par-derrière. Un coup d'œil dans le rétroviseur lui révéla l'arrivée d'un véhicule noir.

— C'est peut-être notre jour de chance. On dirait qu'on a du renfort, finalement.

Néanmoins, comme le blindé qui allait se garer à côté d'eux ne portait les couleurs ni de la police de New York ni de la Garde nationale, d'instinct, Heat enclencha la marche avant et appuya sur le champignon. Ses pneus dérapèrent, mais la voiture finit par avancer dans une gerbe d'eau.

— Baissez-vous, baissez-vous ! hurla-t-elle juste au moment où le pare-brise et les vitres arrière explosaient sous les tirs d'armes automatiques.

SEIZE

Heat donna un coup de volant et tourna brusquement dans William Street. Trop occupée à conduire, elle ne pouvait pas se retourner pour vérifier, mais elle savait que Reese Cristóbal était mort. Elle tendit la main vers la radio et enclencha le micro.

— 1-Lincoln-40, code 10-13, policier en difficulté.

Elle relâcha le bouton. Après des bruits de succion, une surenchère d'appels submergea les ondes.

— Tu es touché ? s'enquit-elle. Rook ?

— Non.

La voiture fut de nouveau éclairée par le blindé qui les avait pris en chasse. Il se contorsionna sur son siège pour regarder derrière eux.

— Merde !

— 1-Lincoln-40. Code 10-13, agent poursuivi par des suspects lourdement armés dans un véhicule blindé. Roulons vers le nord dans William, au niveau de… Quel carrefour on vient de passer ? cria-t-elle à Rook par-dessus le vent.

— Wall Street… Non, Pine, Pine Street.

Une brève rafale d'arme automatique tirée du côté passager du camion d'assaut arracha le rétroviseur latéral de Heat. Elle donna un coup de volant à droite, puis à gauche, puis de nouveau à droite afin de sortir de la ligne de mire.

— Tu es touché ?

— Cesse de me poser la question. Je te le dirai.

— 1-Lincoln-40, tirs d'armes automatiques, relança-t-elle à la radio. Code 10-13, William et Pine. Vous m'entendez ?

Rien, à part des signaux brouillés. Heat avait peut-être été entendue, mais il était impossible de le savoir. Elle reposa le micro. Oh ! mince !

Un camion de livraison de linge de restaurant déboîtait devant eux sur la chaussée, clignotant en marche. Or son conducteur ne devait rien voir dans la tempête.

Nikki donna un brusque coup de volant à gauche et passa juste devant le camion en raclant la portière de Rook au passage. Derrière elle, dans le vent, elle entendit le coup de klaxon rageur du blindé resté coincé.

— Haha ! Pas de pot, ricana Rook. Par où maintenant ?

— On continue vers le One Police Plaza. Quand on arrivera à Fulton, je pourrai couper par… Laisse tomber.

Devant elle, au carrefour, un réverbère barrait la rue, car une voiture l'avait fait tomber en le heurtant.

— Tu ne peux pas tenter le trottoir ?

— Pas sûr, dit-elle en plissant les yeux pour mieux voir à travers la pluie battante. Je ne voudrais pas me retrouver coincée.

— Mais ça pourrait passer.

— Mais on pourrait aussi rester coincés.

Tous deux se retournèrent pour voir s'ils étaient suivis, mais ils ne virent aucun phare.

— Plan B.

Heat tourna à droite dans Platt Street.

— Ouah ! regarde.

Une petite voiture passa en flottant du côté de Rook.

— On ne voit pas ça tous les jours.

— Je n'aime pas ça, Rook, dit-elle gravement. Pas du tout.

L'eau avait considérablement monté et arrivait en haut des roues.

— On aurait peut-être dû courir le risque, au lieu de partir… où ? Vers le fleuve ?

— Hum, pas très utile ?

— Je ne faisais qu'une observation.

— Je ne fais que conduire.

Le moteur fut noyé et s'arrêta.

— Plus maintenant.

Tandis qu'elle tentait de redémarrer, le ciel au nord fut illuminé par un gigantesque éclair bleu suivi par un autre.

— L'orage ?

Une seconde plus tard, le pâté d'immeubles entier se retrouva plongé dans le noir. La radio crachota de multiples appels décrivant tout Manhattan privé d'électricité au sud de la gare de Grand Central suite à une explosion à la centrale électrique de la 14e Rue.

— J'ai une petite lampe de poche sur mon trousseau de clés, annonça Rook pour se rendre utile.

Il indiqua la banquette arrière.

— Je ne crois pas qu'on manquerait à monsieur Cristóbal si on continuait à pied…

Il s'arrêta net, car la voiture était de nouveau éclairée comme en plein jour.

Le blindé revenait à la charge.

— Dehors, sors, vite ! cria Nikki.

Mais le niveau de l'eau arrivait maintenant à mi-hauteur des portières et, compte tenu de la pression, il était impossible de les ouvrir.

Pan !

L'impact les projeta brusquement contre leurs ceintures de sécurité et déclencha les deux airbags. Encore consciente, Nikki essuya le filet de sang qui lui coulait de son nez et secoua la tête pour se remettre du choc. À côté d'elle, Rook, qui avait aussi eu le visage écrasé par le coussin gonflable, reprenait également ses esprits.

Derrière eux, ils entendirent ronfler les trois cents chevaux du moteur diesel Caterpillar. Le véhicule d'assaut était assez haut pour ne pas être gêné par la montée des eaux, et ses six pneus lui permettaient d'adhérer à la chaussée. Il les poussait de son pare-chocs avant renforcé.

Impuissante, Heat tira le frein à main pour tenter de résister, en vain. La machine noire leur faisait quitter la route lentement mais sûrement vers la rampe d'un parking souterrain. Dans la lumière éblouissante des phares qui les éclairaient par-derrière, ils ne tardèrent pas à découvrir le sort effrayant qui leur était réservé. Des voitures submergées flottaient dans la pente. Le parking était entièrement inondé, et l'eau continuait de monter rapidement.

Des cascades d'eau dévalaient de la rue à l'intérieur du garage, déjà suffisamment rempli pour avaler les dizaines de voitures qu'ils voyaient flotter autour d'eux.

La leur s'arrêta brusquement, écrasée contre l'enchevêtrement de celles qui bloquaient le passage. Néanmoins, le moteur du blindé grondait toujours plus fort et continuait de les pousser. La stratégie de leurs agresseurs était évidente et abominable : les piéger là pour qu'ils se noient.

Cela ne prendrait pas longtemps. Le pare-brise et les vitres arrière ayant explosé, l'eau s'engouffrait déjà par les portières, et tous les deux avaient de l'eau au-dessus des genoux.

— Tu peux bouger ? demanda-t-elle.

— Oui.

Nikki défit sa ceinture de sécurité et se mit à genoux pour évaluer la situation. À cause de la pente de la rampe, elle ne voyait du blindé que le bélier d'acier noir fixé sur le pare-chocs avant, ce qui signifiait que les passagers étaient eux-mêmes trop hauts pour qu'elle puisse les voir.

L'eau avait continué de monter, et le corps de Reese Cristóbal flottait derrière le dossier de son siège. L'arrière de sa tête avait disparu.

— Allez, il faut qu'on sorte de là, dit-elle en repoussant le corps. On va essayer de trouver une autre solution.

— Petit problème.

Il la regarda fixement.

— Ma ceinture est bloquée.

— Tes mains ? Tu es blessé ?

— Non, c'est la boucle. J'ai beau essayer, je n'arrive pas à l'ouvrir.

— Laisse-moi voir.

Heat dut mettre le menton dans l'eau pour accéder au fermoir. En effet, il était coincé, à cause de l'impact ou parce qu'il était mouillé. Bon sang ! Elle leva le visage vers lui, et ils échangèrent un regard qui en dit long sur l'état de la situation… et le peu de temps dont ils disposaient.

— Tu peux arriver à te dégager ?

Il essaya par le côté, par le haut, rien.

— Attrape la manette en bas. Tu peux reculer ton siège ?

Rook tendit le bras dans l'eau, jusqu'à se mouiller l'oreille droite.

— Merde. C'est bloqué aussi.

Il appuya les pieds contre le tableau de bord et poussa de toutes ses forces. En vain.

— Tu as un couteau ?

Elle fit non de la tête. La voiture dériva légèrement dans l'eau, et un nouveau flot pénétra à l'intérieur. Il avait de l'eau jusqu'au menton, maintenant, et Heat devait appuyer la tête au plafond pour respirer. Il ferma brièvement les yeux.

— File tant que tu peux, dit-il en les rouvrant.

— Non.

— Ne sois pas idiote. Ça sert à rien qu'on y reste tous les deux !

Il secoua la tête et fit un petit signe du menton.

— Ce serait idiot. Vas-y. Tu arriveras peut-être à les descendre et à revenir avant que…

Tous deux savaient qu'elle n'en aurait pas le temps.

— Essaie encore. Plus fort.

Il tendit le bras de son mieux.

— Ça ne bouge pas.

— Encore, dit-elle en s'efforçant de ne pas céder à la panique.

Et il essaya encore. Il tendit le cou pour garder la bouche hors de l'eau et lui saisit la main.

— Je t'aime, Nikki.

— Merde, s'écria-t-elle. Merde, Rook, tu ne vas pas mourir !

Tous les sentiments, toute la colère accumulée, toute cette rage que son psy avait tenté de lui faire admettre, tout rejaillit. Après une bonne inspiration, Nikki plongea sous l'eau.

Heat savait que ce qu'elle voulait tenter était totalement désespéré, mais la situation l'était encore plus. Certes, elle avait entendu parler de cette manœuvre à l'entraînement. Elle en avait même vu la démonstration en vidéo sur Internet ; il était prouvé que cela marchait. Fallait-il encore que cela marche *maintenant*.

De la main gauche, elle s'empara de la ceinture juste au-dessus de la boucle et tira tant qu'elle put. Lorsqu'elle l'eut suffisamment écartée du corps de Rook pour passer la main, elle dégaina son Sig Sauer et le braqua délicatement sur la ceinture en évitant de viser la cuisse, puis elle appuya le canon... et pressa la détente.

Le coup partit.

Sous l'eau et dans la pénombre, Nikki ne put voir si cela avait marché. Néanmoins, la ceinture se fit lâche dans sa main. D'un coup sec, elle la libéra de la boucle et sentit Rook flotter librement.

Ils s'extirpèrent de la voiture par le pare-brise arrière brisé et nagèrent le plus discrètement possible pour ne pas être vus du blindé dont le capot se dressait, menaçant, au-dessus d'eux, toujours moteur tournant. Nikki fit signe à Rook de la suivre, mais le courant la prit par surprise. Rook la rattrapa par le col avant qu'elle ne se retrouve dans le champ de vision de leurs agresseurs.

Heat se ressaisit, reprit son souffle et se glissa sous l'eau. En s'aidant du pare-chocs de la BMW à côté d'eux, elle se hissa de l'autre côté, une main après l'autre. Les poumons en feu, elle inspira trop vite en remontant à la surface et s'étouffa avec une gorgée d'eau saumâtre. Rook émergea quelques secondes plus tard, le souffle également coupé. Sur un signe mutuel, ils repartirent affronter le courant pour remonter la pente en se hissant aux poignées des portières des voitures. Nikki surprit alors un mouvement côté passager du blindé et se découvrit nez à nez avec Zarek Braun. Après un mot à son chauffeur, le mercenaire sortit son fusil d'assaut et le braqua par la fenêtre.

— Attention !

Laissant tomber la discrétion, Heat redoubla d'efforts pour avancer à contre-courant, Rook sur ses talons.

Ils parvinrent à gagner l'angle mort de Braun, derrière le véhicule, de sorte que la brève rafale de l'arme automatique ne toucha que le mur de briques peint derrière eux.

S'ils parvenaient jusqu'au trottoir, ils pourraient peut-être s'échapper, mais le blindé passa en marche arrière pour remonter la rampe. Le tireur ne tarderait pas à se retrouver à leur hauteur, et ils deviendraient alors des proies faciles ou le camion leur bloquerait l'issue.

Heat savait qu'il ne servait à rien de tirer. Le blindage du camion, vitres comprises, était capable de résister à tout un chargeur de Kalachnikov, ce qui donna une idée à Nikki.

— Reste près de moi ! cria-t-elle avant de changer de cap pour courir droit sur le blindé.

Les poissons-pilotes évitent les requins en nageant sur leur dos, où ils ne peuvent les attraper. Si les balles ne pouvaient transpercer le blindage de l'extérieur, cela n'était pas non plus possible de l'intérieur. Heat bondit donc sur le pare-chocs arrière et allongea le bras pour agripper les barres de toit. Ensuite, elle tendit sa main libre à Rook, qui lui saisit l'avant-bras, de sorte qu'elle put s'accrocher à son poignet. Comme il glissait à cause de ses chaussures mouillées et que le véhicule continuait d'avancer, ils faillirent tomber tous les deux. Mais elle tint bon, jusqu'à ce qu'il eût posé le pied sur le véhicule.

Ils n'en demeuraient pas moins exposés par les vitres latérales et le pare-brise arrière. Elle voyait d'ailleurs Zarek Braun arriver vers eux par l'une d'elles.

— En haut, vite.

Rook s'empara de l'échelle métallique et la gravit quatre à quatre. Heat le rejoignit sur le toit, juste au moment où le camion émergeait dans la rue.

Il s'arrêta, moteur tournant.

Essoufflés, mais toujours vivants, Heat et Rook s'entendaient à peine respirer dans la tempête. Des sirènes dans la nuit leur apportèrent un peu d'espoir, mais elles s'éloignèrent rapidement.

Sous eux, ils entendirent alors l'ouverture d'un loquet. Nikki dégaina son Sig et promena son regard en vigie à trois cent soixante degrés, à l'affût du moindre mouvement.

— Là, fit Rook.

Un Glock surgit côté conducteur. Il fit feu au jugé au-dessus de leurs têtes, puis disparut. Heat patienta. Pas question de tomber dans le piège. En revanche, dès que Zarek Braun passa la tête par la vitre côté passager avec son fusil d'assaut, elle tira. Ses deux coups de feu devaient avoir fait chou blanc ; néanmoins, ils poussèrent le tireur à rentrer la tête pour s'abriter. Elle vérifia son mobile. Il avait pris l'eau. Il était mort.

— Pareil pour le mien, annonça Rook.

Ils sentirent le blindé s'ébranler lorsque le conducteur passa la marche avant.

— Accroche-toi, fit Heat.

— Oh ! combien de fois ai-je entendu ça ? répliqua-t-il.

Le conducteur appuya à fond sur l'accélérateur, ce qui les projeta en arrière, mais, quelques mètres plus loin, il écrasa la pédale de frein et les renvoya à l'opposé. Tous deux faillirent passer à travers le pare-brise. Ensuite, le blindé repassa en marche arrière, à toute allure. Le chauffeur exécuta alors un brusque demi-tour, qui envoya les pneus arrière heurter le trottoir. Heat et Rook effectuèrent plusieurs bonds, mais parvinrent à rester accrochés pour l'accélération suivante, dans le sens de la marche, jusqu'à la première rue suivante, dans laquelle le camion tourna à angle droit. Sous l'effet de la force centripète, les jambes de Nikki partirent sur le côté. Rook lâcha une main pour la rattraper par la veste, tandis qu'elle passait un genou par-dessus la barre afin de se hisser ; elle revint rouler près de lui, à plat sur le blindage.

Le véhicule soulevait de hautes gerbes d'eau dans son sillage. Selon les estimations de Heat, ils remontaient Pearl Street à près de 110 km/h. Au niveau de l'une des nombreuses ruelles du quartier, une certaine Coenties Slip, le conducteur freina à fond et vira si subitement à gauche qu'on eût dit que le camion allait se renverser.

Cette fois, ce fut au tour de Rook de glisser sur le côté. Une seule de ses jambes se retrouva cependant dans le vide, de sorte qu'il se rétablit rapidement, juste avant que le blindé ne fonce à travers les bancs et les tables d'échecs en ciment du square de Water Street, ce qui faillit les faire tous les deux tomber du toit. Le camion s'arrêta là. Toujours moteur tournant.

Tel un ours en colère.

Heat frissonna. Il ne faisait pas froid, dans les 15 ou 16 °C, mais elle était trempée. Ses doigts commençaient à s'engourdir. Oubliant tout cela, elle tendit l'oreille pour se préparer à ce qui allait suivre. Soudain, Rook croisa son regard : tous deux avaient perçu un mouvement en contrebas.

Tout se passa très vite. Un autre loquet s'ouvrit. Ils se tinrent sur le qui-vive. Puis ils crurent que la foudre était tombée à côté d'eux. Une lumière éblouissante et une détonation assourdissante fendirent l'air, les laissant aveuglés et désorientés. Par réflexe, ils se couvrirent les yeux et les oreilles pour se défendre, car Zarek Braun venait de leur lancer une grenade.

Étant donné les mauvaises conditions – un lancer de côté –, l'engin ne prit pas assez de hauteur pour exploser sur le toit. Il atterrit à plusieurs mètres, dans le petit square. Quoi qu'il en soit, même à cette distance, il déclencha l'effet désiré. Trois secondes après le feu d'artifice, le conducteur accéléra, puis freina. N'y voyant plus clair et incapables de se tenir, Heat et Rook valdinguèrent du toit dans l'eau.

Avec des si, on mettrait Paris en bouteille. Si Braun avait mieux réussi son lancer, tous deux auraient été paralysés de douleur. Si elle avait regardé à droite au moment de l'éclair, elle aurait pu devenir totalement aveugle.

Si ce square n'avait pas été recouvert d'eau jusqu'à hauteur de taille, elle se serait cassé quelque chose. Les si étaient du côté de Heat, et elle comptait bien en profiter.

Tout en clignant des yeux pour chasser l'éblouissement, elle aida Rook à se remettre sur ses pieds et le tira à l'abri de Zarek Braun sur le côté du fourgon. Leur adversaire se préparait forcément à terminer le travail. Il fallait écouter, gagner du temps pour s'éclaircir les yeux et les oreilles, tenter de rester calme, garder son sang-froid.

Au diable !

La rage reprit le dessus. Son Sig Sauer dans une main et son Beretta Jetfire dans l'autre, Nikki surgit de l'arrière du camion les deux armes au poing. La portière passager s'entrouvrit, et elle distingua la silhouette de Zarek Braun patauger dans l'eau jusqu'à un mur végétal, derrière lequel il se mit à couvert. Accroupie, elle se retourna vers la portière ouverte et cria « Ne bougez plus » juste au moment où le conducteur braquait son Glock sur elle. Heat tira une seule balle, et la tête de l'homme bascula en arrière parmi les giclures de sang qui maculaient la vitre derrière lui.

Des rafales de G36 éclaboussèrent l'eau à ses pieds. Nikki se hissa à l'intérieur du blindé et ferma la portière ; une pluie de balles s'abattit dessus. À genoux, elle se pencha par-dessus le cadavre du conducteur pour ouvrir l'autre portière. Puis elle cria à Rook de monter, mais il sortait déjà le corps pour s'installer au volant.

— Tu vois clair ?

— Suffisamment, dit-il avant de foncer pleins gaz sur Zarek Braun.

Mais l'avant du blindé heurta le mur végétal et s'arrêta après une embardée.

— Peut-être pas tant que ça, finalement.

Heat pointa du doigt.

— Il est parti par là. Vas-y, fonce.

Rook trouva la marche arrière, se dégagea et repassa en marche avant. Mais, comme sa vision était encore floue, il heurta de nouveau le mur. Le temps de remettre le véhicule sur sa route, ils crurent avoir perdu le meurtrier.

Soudain, au bout de Water Street, ils aperçurent des lueurs de coups de feu. Rook accéléra et arriva juste au moment où Braun faisait basculer de son embarcation un agent de police qui patrouillait à bord d'un Boston Whaler. Le Culotté décampa à pleine vitesse.

— Rook. Arrête-toi.

— Je peux l'avoir.

— Attends.

D'un bond, elle sauta du camion et courut vers le blessé à terre. Entre sauver la vie d'un collègue et capturer un meurtrier, elle préférait s'occuper du tueur plus tard.

— Officier, je suis de la maison. Vous êtes sauf. Où êtes-vous touché ?

Elle se baissa pour faire rouler l'homme sur le ventre. Il avait été victime d'un tir précis à la tempe. Même si elle le savait mort, elle chercha son pouls. Rook l'aida à le porter jusqu'au camion, et ils reprirent la poursuite.

— Il ne doit pas avoir plus d'une rue d'avance sur nous, estima Heat. Deux peut-être.

— Inspecteur ?

— Oui ?

— C'était la seule chose à faire.

Elle garda le regard tourné vers la vitre à la recherche du moindre signe.

— Un jour, ça pourrait me coûter cher... Mais pas aujourd'hui, ajouta-t-elle.

— Je le vois !

— Où ?

— Tu vois les vaguelettes de son sillage qui tapent contre les murs de cette pharmacie ?

Rook s'arrêta et revint en arrière. Heat braqua le projecteur latéral sur le fond de la ruelle. Au loin se dessinait une forme impossible à distinguer.

— Je ne suis pas sûre.

Nikki se mit à réfléchir très vite, à retourner toutes sortes de plans dans sa tête.

— Ça donne sur le quai 11. Il tente peut-être de prendre par le fleuve. Allons-y, fonce.

Rook prit en chasse le hors-bord, dont ils apercevaient le pâle sillage dans leurs phares. La crue était à son maximum. Plus ils s'approchaient de l'East River, plus le niveau de l'eau était profond. Le camion, qui s'en sortait comme un champion jusque-là, commençait à peiner.

— Allez, petit, allez, dit Rook.

— On est encore loin ?

— On arrive à South Street. On y est presque.

Mais la machine perdit alors la bataille face à la nature. Le moteur se noya. Heat ouvrit sa portière et se dressa sur le marchepied, puis, se protégeant les yeux de la tempête, essaya de suivre le faisceau lumineux qui perçait les tourbillons de vent dans la nuit.

Le hors-bord avait atteint le quai 11 et ralentissait pour s'arrêter. Ce salaud était à moins de cent mètres.

— Sers-toi de sa radio pour lancer un autre code 10-13, demanda-t-elle à Rook en indiquant l'agent mort.

Puis elle ramassa quelque chose par terre et descendit du camion.

DIX-SEPT

Le visage battu par les embruns, Nikki avait un goût saumâtre dans la bouche. Les hurlements de colère de Sandy et la pluie fine qui lui cinglait les oreilles l'isolaient de tous les autres bruits. Malgré ses efforts pour courir le plus vite possible, l'eau lui arrivait maintenant à mi-cuisse.

Bien que son niveau fût moins haut que dans les quartiers situés plus au sud, la lutte contre le violent ressac en provenance de l'East River donnait l'impression à la policière d'être la candidate à la traîne de *Total Wipeout : Made in USA*. Pendant les cinq secondes de répit que lui apporta le passage sous la voie rapide de la FDR, elle rajusta la bretelle de son sac à dos tout en continuant de patauger.

Le Boston Whaler n'était pas conçu pour les super tempêtes. Devant elle, sur le quai 11, Heat vit une rafale soulever la proue de la minuscule embarcation à faible tirant d'eau et transformer son fond plat en aile. Le bateau pointa vers le ciel avant de se retourner complètement et de foncer droit sur elle en tournant comme une toupie. Elle plongea derrière le boîtier métallique du générateur situé en tête du quai, juste à temps pour voir l'engin voler au-dessus de sa tête, puis s'écraser sur un des piliers en béton du pont autoroutier derrière elle.

Lorsqu'elle quitta son abri, Nikki repéra Zarek Braun qui se remettait de sa chute dans l'eau. Il l'aperçut aussi tandis qu'il se hissait sur le quai submergé. Juste au moment où Heat crut l'avoir coincé, il se détourna et déclencha à son tour une vague en détalant sur sa gauche. Était-il assez fou pour tenter de s'enfuir à la nage ?

Non. Il visait la passerelle de la cale A, l'un des quais réservés aux taxis fluviaux. Aucun taxi en vue ce soir. En revanche, elle repéra un bateau secoué par la houle à son poste d'amarrage : un Zodiac militaire de sept mètres.

À son bord, un homme démarra les deux moteurs hors-bord lorsqu'il aperçut Zarek Braun lui faire signe du bras pour attirer son attention.

Le ponton fut soulevé par une vague qui fit tomber Braun dès qu'il voulut quitter la passerelle pour la plate-forme cahotante. Arrivée au début de la passerelle, Nikki prit appui sur la rambarde métallique et lui intima de s'arrêter, mais son ordre se perdit dans les bourrasques. Zarek Braun se releva et pivota, son fusil d'assaut braqué sur elle.

Elle tira une première fois, mais rata son coup, car le tangage avait fait bouger sa cible. Appuyé sur un genou, le mercenaire répliqua par une rafale de G36 qui fit plonger Heat derrière un distributeur de boissons gazeuses. Lui aussi rata son tir. Toutes ses cartouches partirent trop haut.

Heat risqua un coup d'œil rapide de son abri, juste au moment où une autre vague déséquilibrait son adversaire. Cette fois, Braun lâcha son arme. Le fusil d'assaut lui glissa des mains et atterrit contre le rail de sécurité à l'extrémité du ponton. Nikki en profita pour bondir sur ses pieds, mais, alors qu'elle voulait dévaler la passerelle vers lui, la houle lui fit perdre l'équilibre à son tour. Elle atterrit sur les genoux, s'agrippa à la rampe de la main gauche et serra son Sig Sauer dans la droite.

Lorsqu'elle se fut redressée, Heat constata, perplexe, que le Culotté méritait son surnom. Au lieu de revenir chercher sa carabine, il lui tourna le dos pour se diriger tranquillement vers le bateau qui l'attendait, sans même un regard pour elle. Il savait comme elle qu'il était impossible d'effectuer un tir précis compte tenu des remous du fleuve dans cet ouragan. Néanmoins, au bas de la passerelle, Heat prit position et tira.

Zarek se tourna à moitié tout en poursuivant sa route. Une nouvelle embardée du ponton, poussé contre les piliers, ramena le HK vers elle. Elle le ramassa, visa et appuya sur la détente.

Il était vide.

Le mercenaire lui adressa un hochement de tête suffisant et sauta à bord du Zodiac noir en riant. Nikki reprit sa course en zigzag vers lui, le Sig au poing.

Du doigt, Braun indiqua quelque chose à l'intérieur du bateau, et son complice, qu'elle reconnut comme l'homme qu'elle avait blessé avec le pistolet à clous à Chelsea, attrapa un G36 tout neuf de sa main non bandée.

Prouvant qu'elle aussi pouvait être cool, Nikki s'arrêta et rengaina son arme. Zarek Braun, auquel son équipier tendait le HK, en fut troublé. Alors qu'il hésitait, car il se demandait bien ce qui se passait, Heat se saisit de la grenade qu'elle avait apportée dans son sac à dos et la lança dans le Zodiac.

De retour au poste de la vingtième circonscription, juste avant l'aube, Heat se tenait derrière la vitre de la salle d'observation et observait son prisonnier dans la pâle lumière.

Le frisson qui la parcourut n'était pas dû à ses cheveux encore humides, qu'elle sentait sur sa nuque, mais à la vue de ce tueur à gages qui affichait une telle tranquillité, sous le halo blafard des néons, qu'il ressemblait à un sosie de lui-même destiné au musée de cire.

Elle aurait aisément pu le tuer quelques heures plus tôt, sur le quai. Malgré la houle et le tangage, Nikki avait l'avantage sur lui et, à cette distance, il lui restait de quoi lui loger une balle dans la tête ; ainsi qu'au cow-boy du bateau, s'il avait pris l'envie à ce dernier de tenter quelque chose. Qui sait ? On lui aurait peut-être décerné une médaille pour avoir fait payer ses deux meurtres de flics à ce tueur.

Mais Heat le voulait vivant.

Et elle l'avait eu : un éclair, une détonation, et pan ! Restait maintenant le plus difficile, et elle le savait : essayer de faire avouer le nom de son commanditaire à un mercenaire rompu à la manipulation psychologique. Heat le jaugea de nouveau, puis se calma en se concentrant sur sa respiration. La pièce sentait encore l'époque où il était permis de fumer, et ses vêtements – la tenue de rechange qu'elle avait sortie de son tiroir à dossiers suspendus l'autre jour – n'étaient pas des plus frais non plus. Du moins étaient-ils secs.

Après avoir touché la côte dans les environs d'Atlantic City, Sandy avait poursuivi sa route dans la nuit. L'ouragan occupait maintenant le ciel de Pennsylvanie, mais la ville était encore sous le choc et, par la porte derrière elle, Nikki entendait l'animation du poste qui continuait de répondre aux appels au petit matin.

Elle avait du pain sur la planche. Il était temps de s'y mettre.

Jamais Zarek Braun ne cessa de fixer le point qu'il s'était choisi sous le miroir. Pas même lorsqu'il entendit, à l'arrivée de l'enquêtrice, le bruit de succion du sas à air comprimé qui séparait la salle d'observation de la salle d'interrogatoire.

— Vous semblez différent ce matin, monsieur Braun.

Elle baissa le front vers lui et plissa les yeux de manière espiègle.

— Que se passe-t-il ? C'est la combinaison orange ? Pas aussi flatteuse que la fausse tenue de SWAT, n'est-ce pas ? Non, c'est autre chose... Oh ! je sais. Les menottes. Vous êtes incarcéré.

Elle posa ses dossiers sur la table et prit place.

— Et vous allez le demeurer pour le restant de votre vie... qui pourrait se révéler plus courte que vous n'aviez prévu.

La remarque lui fit détacher les yeux du mur. Elle lui adressa un clin d'œil.

— C'est un sujet que nous aborderons plus tard. D'abord, j'ai quelques questions à vous poser. La première relève de la sécurité publique. Y a-t-il d'autres membres de votre escadron noir là-dehors ? Parce que j'aimerais bien en nettoyer les rues.

De nouveau, il détourna le regard.

— Très bien, parce que votre skipper se montre plutôt coopératif dans l'autre salle. Je voulais juste vous offrir une chance de prendre un peu d'avance, si vous devez vous battre tous les deux pour un peu de clémence.

Elle aurait pu confronter Braun et le capitaine de son Zodiac, Seth Victor, dans la même salle d'interrogatoire. Toutefois, elle avait décidé que le Culotté aurait sans doute intimé le silence à son subalterne par intimidation.

Alors, elle avait choisi de diviser pour mieux régner. Peut-être Victor n'en savait-il pas autant que Braun, mais sa peur d'être vendu pourrait lui délier la langue. Ce n'était toutefois pas gagné ; elle le savait avant d'entrer.

— Écoutez, soyons réalistes. Nous savons tous les deux que vous essayez de résister. Et, contrairement à vous, nous ne torturons pas nos prisonniers, bien que l'idée m'ait traversé l'esprit, Zarek.

Le fait qu'elle s'adresse à lui par son prénom suscita chez lui une très légère contraction de la bouche. Ce n'était pas tant une idée qu'un rêve, d'ailleurs. Heat leva une main pour compter sur ses doigts.

— Voyons, vous avez tué mon capitaine, un agent de patrouille, Reese Cristóbal. Vous avez tué Fabian Beauvais aussi, n'est-ce pas ?

Elle attendit. Le Culotté ne réagit pas.

— Et vous avez aussi tué Jeanne Capois. Ainsi que le vieux chez qui elle faisait le ménage. Regardez : je n'ai même pas assez de doigts. Ai-je oublié quelqu'un ?

Il semblait amusé par une plaisanterie que lui seul pouvait comprendre.

— Vous avez de beaux yeux, déclara-t-il enfin. Un regard langoureux.

Il parlait doucement avec un accent polonais que Heat, en d'autres circonstances, aurait pu trouver sexy.

— Et vous savez ce qu'ils voient en ce qui vous concerne ? Laissez-moi vous expliquer. New York ne pratique pas la peine de mort… Je suis sûre que vous y avez réfléchi. Mais vous savez ce qu'on a fait ? On a demandé à nos copains de la Sécurité intérieure de faire quelques petites recherches sur vous. On aime bien coopérer, nous. Pas juste entre nous, mais aussi avec nos alliés à l'étranger. Or un petit oiseau m'a parlé de l'opération Attrape-rêve. Vous vous êtes très mal comporté dans le désert. Très, très mal. Laissez-moi vous poser une question. Si nos amis en Afghanistan réclament votre extradition afin de vous rendre la pareille en usant de tous les ingénieux moyens qu'ils puissent imaginer, que croyez-vous que je leur répondrai ?

Ses narines se dilatèrent presque imperceptiblement. Une contraction du cuir chevelu lui fit bouger les oreilles. Ces petits signes révélateurs trahissaient un léger malaise et lui indiquèrent qu'elle avait fait mouche. Alors, Nikki enfonça le clou :

— J'aimerais que vous me parliez de Keith Gilbert. Je veux tout savoir. Vous allez me dire pourquoi Keith Gilbert voulait Fabian Beauvais mort. Vous allez me dire comment vous avez tué Fabian Beauvais pour Keith Gilbert.

Elle lui laissa la possibilité de réagir, mais il ne saisit pas la perche.

— Vous remarquez le thème récurrent ? Keith Gilbert. Les riches n'ont aucune difficulté à engager des hommes tels que vous pour faire leur sale boulot. Keith Gilbert vous a même demandé de me tuer, n'est-ce pas ? Et vous avez essayé. Par deux fois. Et qu'est-ce que ça vous a apporté, Zarek ?

Heat s'assit face à lui et attendit. Et encore. Puis elle se leva.

— Bon. Vous n'avez qu'à continuer à vous taire, à prendre les choses à la cool. Profitez de votre tenue orange, de vos menottes et de vos chaînes. Vous savez ce que je vais faire ? Je vais aller sur Google consulter le temps qu'il fait à Kaboul.

À sa sortie d'interrogatoire, deux heures et demie plus tard, elle trouva Rook qui l'attendait dans la salle d'observation.

— Ces types sont des coriaces, fit-il remarquer.

À travers le miroir sans tain, ils observèrent Seth Victor tripoter son poignet bandé. Il avait encore le visage enflé à cause du nez que Heat lui avait cassé à Chelsea. Il en paraissait encore plus stoïque que son chef interrogé dans la salle d'à côté.

— Tu sais, dans mes précédentes hypothèses un peu folles sur ces bandes d'affreux mercenaires en noir qui arpentaient les rues pour rendre la justice, je m'étais toujours figuré qu'il serait assez gratifiant de les rencontrer. Qu'ils auraient du panache, de l'élégance.

— Comme certaines figurines articulées, tu veux dire ?

— Exactement.

Puis il se rendit compte de ce qu'elle venait de dire et se tourna vers elle.

— Ça, c'est un coup bas !

— Si la barbe lui va…

— En tout cas, ces types-là ne sont que des voyous habillés en surplus de l'armée. Dangereux, je te l'accorde, mais sans panache ni élégance.

Dans la salle, Victor se tourna vers Rook. Même s'ils savaient tous les deux que ce n'était pas le cas, on aurait dit qu'il réagissait.

— Je crois qu'on devrait aller discuter ailleurs.

Une fois dans le couloir, Rook reprit :

— J'ai réussi à aller jusqu'à Gramercy Park. Ton appartement n'a rien.

— Comment ça se passe là-bas ?

— Pas bien. La tempête est finie, mais maintenant on paye les pots cassés. Le courant est toujours coupé jusqu'à la 39ᵉ Rue, le métro, les tunnels et certains ponts sont fermés ; il y a toujours des maisons en feu à Breezy Point... Oh ! et quelqu'un a balancé des montagnes russes dans l'océan au large du New Jersey.

Il la guida jusqu'à la salle de pause, où il indiqua le portemanteau.

— Je t'ai pris des vêtements chez toi.

— Oh ! super. Merci.

— C'était la moindre des choses puisque tu m'as sauvé la vie.

Elle décrocha le cintre.

— Ça, oui, parce qu'avec cette tenue, on est quittes.

— Si je puis me permettre, inspecteur Heat, je crois plutôt que nous voilà enfin quittes pour la balle que j'ai prise à votre place.

— Ce n'est pas comme ça que je vois les choses. Dans ce cas, il faudrait que tu en prennes une autre.

Sur ce, elle pénétra dans les toilettes pour se changer.

La voix de Keith Gilbert résonnait dans le couloir lorsque Nikki revint, changée, dans la salle de briefing. Elle le découvrit devant une forêt de micros, à la télévision, et remarqua sur ses traits bien plus qu'une lassitude provoquée par la gestion de l'urgence pendant la nuit. Y lisait-elle du stress ? Une pointe de peur ?

Rook arriva derrière elle et exprima ses pensées à voix haute.

— À ton avis, notre ami le directeur sait-il que la fortune a mal tourné pour son infortuné soldat de fortune ?

— Ah ! parce que tu es avec moi maintenant sur Gilbert ?

— Quand ai-je jamais douté de toi ?

Les nouvelles apportées par la conférence de presse n'étaient pas réjouissantes. Plus de quatre-vingt-dix morts dans un rayon de cent kilomètres, dont quarante-trois rien que pour New York, la plupart dans le Queens et sur Staten Island. L'île en avait pris un coup.

Les aéroports Kennedy, de LaGuardia et Newark étaient fermés. Les sept tunnels de métro franchissant l'East River étaient inondés. Il en allait de même pour les tunnels automobiles de Midtown, Holland et Battery Park.

— Il y a du nouveau, annonça Ochoa en brandissant son

téléphone vers le plafond. Un appel de Feller et Rhymer, du Bronx.

Nikki coupa le son de la conférence de presse de Gilbert.

— Mettez-les sur haut-parleur qu'on puisse tous suivre en même temps.

Heat, Raley et Rook formèrent un cercle autour du bureau d'Ochoa.

— Qu'avez-vous trouvé, inspecteurs ?

— Où créchait Zarek Braun, déclara Feller.

Nikki en eut la chair de poule, de plaisir cette fois.

— Comment avez-vous fait ? Aucun de ces types n'avait de papier d'identité sur lui, pas même un portefeuille.

— Ce qui s'appelle se trimballer à poil, ajouta Raley.

— C'est juste, mais tous ceux d'entre nous qui ont enduré de longues heures de planque savent qu'il faut bien se trouver de quoi passer le temps.

— Avant que vous ne vous lanciez dans les plaisanteries douteuses, intervint l'inspecteur Rhymer, en passant au peigne fin ce Fort Knox sur roues qu'ils conduisaient, on a trouvé un *Sports Illustrated* accompagné d'un catalogue de maillots de bain pour femmes dans le vide-poche côté conducteur.

Il marqua une pause.

— Eh ! Toujours pas de plaisanteries douteuses ? Qu'est-ce qui vous arrive ? Bref, comme feu monsieur Bill Santinelli, le chauffeur de blindé, était abonné à cette revue de sport, notre savoir-faire et notre flair d'enquêteurs professionnels nous ont conduits à l'adresse indiquée sur l'étiquette. C'est situé près de Bathgate, au passage. Le même quartier où vivait le reste de la bande.

Tout le monde eut la même pensée : Wally Irons piégé par l'engin explosif.

— Mieux vaudrait que vous attendiez, tous les deux, dit Heat.

— Ne vous inquiétez pas. Les démineurs sont passés il y a une demi-heure, pendant que vous étiez avec Zarek Braun.

Randall Feller se racla la gorge :

— Au fait, s'il est toujours dans les parages, je vous l'attendrirais bien un peu, celui-là.

Tous partageaient ce sentiment. Heat les éloigna de ce trou noir.

— Vous êtes sûrs que Braun vivait là, aussi ?

— Affirmatif. On a trouvé des photos d'identité correspondant à divers noms d'emprunt. Des permis de conduire, des faux passeports, même une carte d'adhésion à une salle de sport privée.

Ils entendirent une porte grincer et l'acoustique changer, car Feller était sorti dehors.

— Je me dirige vers le garage, un bâtiment distinct que les experts n'ont pas encore fini d'examiner. On ne peut pas encore entrer pour l'instant, mais, d'ici, je vois toutes sortes d'équipements militaires, des munitions, du gaz lacrymogène, des grenades.

— Des menottes jetables ? demanda Ochoa.

— Pas là, tout de suite, mais je parie que oui. La fameuse Impala est aussi garée là, sous une bâche. Et il y a un grand espace vide avec des marques de pneus larges qui appartiennent certainement à un blindé.

— Juste avant votre appel, on a retrouvé la trace du fameux blindé, déclara Heat. Son vol avait été signalé par la police mexicaine l'an dernier.

— Ça explique comment Braun se l'est procuré, intervint Rook. Ces trucs-là ne s'achètent pas sur eBay. J'ai essayé.

— Attendez un instant.

Le téléphone de Feller émit un bruit de frottement, et ils entendirent des bribes de conversation étouffées à l'autre bout du fil. Puis l'enquêteur revint en ligne.

— Les démineurs ont trouvé un portefeuille sur l'établi. Pas de photo d'identité, mais une fiche de paie de l'abattoir de poulets. Au nom de Fabian Beauvais.

Feller et Rhymer raccrochèrent pour poursuivre la fouille de la planque de Braun dans le Bronx. Avant que Heat ne se plonge dans autre chose, les Gars la conduisirent au tableau blanc. Comme les autres inspecteurs, ils avaient pris leur mission à cœur et vérifié chaque aspect de l'affaire selon les directives de leur supérieure. Comme tous deux avaient développé un intérêt particulier pour Jeanne Capois, ils avaient commencé par chercher à établir ce qui la reliait à Opal Onishi.

— J'ai lu les notes de votre interrogatoire, commença Ochoa.

Il retira son stylo de sa bouche pour tapoter sur le nom de la femme qui figurait sur son quart du tableau blanc. Une petite cachottière, cette Onishi.

— Vous croyez ? fit Nikki. Si on la passait au détecteur de mensonge, il nous faudrait probablement refaire provision d'encre.

— Ouais, ça m'a fait dresser les antennes. Alors, je me suis demandé ce que je pouvais revérifier dans cet interrogatoire. Donc, j'ai repris contact avec Happy Hazels. Vous vous souvenez, c'est l'agence par laquelle Opal a dit avoir engagé Jeanne Capois.

— C'est un peu moi qui le lui ai soufflé, mais, oui.

— Mais non. Il leur a fallu un certain temps pour me rappeler, à cause de toute cette folie liée à la tempête, mais ils m'ont déclaré il y a une dizaine de minutes que Jeanne Capois n'avait jamais été recommandée à personne d'autre qu'à son patron, le vieux de l'effraction.

— Shelton David, précisa son équipier. Et elle n'a jamais entendu parler d'Opal Onishi. Ce n'est pas tant une piste, j'en conviens, qu'une confirmation du fait qu'elle a menti.

— Au point où on en est, tout est bon, Miguel. Vous avez donc lu mes notes ? s'enquit-elle.

— Oh ! je me suis juste remué le popotin.

Rook approcha sa chaise.

— Ensuite, la question est de savoir pourquoi ? Pourquoi mentir ?

— Et, acquiesça Heat, pourquoi déménager comme un voleur au milieu de la nuit ? Avait-elle des dettes ?

— Non, bondit Raley. J'ai vérifié sa situation financière parce que je me demandais la même chose. C'est peut-être le plus logique pour expliquer qu'elle se soit taillée comme ça en pleine nuit, mais Opal paye toujours rubis sur l'ongle, même si elle n'est pas riche. Et elle a un emploi régulier.

— Retour à la case départ, conclut Heat. Je me demande quel est le lien entre elle et Jeanne Capois.

— Voilà à quoi sert de se remuer le popotin, dit Raley.

À son air, Nikki voyait bien qu'il ne disait pas tout.

— Et moi, je l'ai fait avec ma couronne sur la tête, ajouta-t-il.

— Comme un bon roi de tous les médias de surveillance ?

— Plutôt un homme du commun, car je n'ai pas épluché les vidéos de surveillance ; j'ai juste consulté Internet. J'ai fait une recherche sur Opal Onishi dans Google. On trouve des tas de choses en ligne sur les gens.

— Mais il ne faut pas non plus croire tout ce qu'on lit, objecta Rook.

Sentant peser sur lui leurs regards, il les balaya d'un geste.

— J'en ai déjà trop dit. Poursuivez.

— Ce qui m'a mis la puce à l'oreille dans votre interrogatoire – que j'ai lu aussi, merci –, reprit Raley, c'est qu'Onishi a dit qu'elle couchait avec une actrice actuellement en tournage. Or elle s'occupe de vieux films, et on sait qu'elle a fait des études de cinéma à l'Université de New York. Bref, je me suis dit : accessoiriste pour *Iron Chef* ? Employée dans une boîte de location de matériel de cinéma ? Ce n'est pas ce qui s'appelle faire carrière, pour une diplômée. Ce sont des boulots alimentaires qu'on fait pour pouvoir financer sa passion : le cinéma.

Certes, il avait capté leur attention, mais ils ne suivaient pas complètement son raisonnement.

— Il vaudrait peut-être mieux que je vous montre.

Ils le suivirent à son bureau, où il cliqua sur un marque-page pour afficher la page trouvée par le moteur de recherche.

— Regardez, elle a son propre site.

Lorsqu'il en ouvrit la page d'accueil, Opal Onishi s'afficha en plein écran, posant devant le portail de la réserve Cherokee, le bras posé sur une caméra, avec un regard de défi. Nikki se rapprocha du moniteur.

— Qu'est-ce que ça veut dire ?

— C'est la double vie d'Opal. En fait, c'est une documentariste indépendante.

— Et sérieuse, qui plus est, renchérit Rook. Regardez les films et les sujets qu'elle a tournés.

Raley fit défiler les titres de ses œuvres au fur et à mesure que le journaliste en donnait lecture :

— *Le Village des opprimés* – violences contre la communauté homosexuelle new-yorkaise à Greenwich Village, *Le Cœur du tyran* – répercussions des violences conjugales, *Tribus et Châtiments* – corruption et abus dans les réserves indiennes. C'est certainement là qu'a été prise la photo de la page d'accueil.

Raley tourna sa chaise vers sa supérieure :

— Il semblerait bien que notre jeune amie ne fasse pas qu'apporter le café et trimballer des projecteurs. C'est en fait une Michael Moore en devenir.

Heat fit le lien en un clin d'œil.

— On se demande bien quel a pu être son dernier projet sur l'injustice. Mais je crois avoir ma petite idée, dit-elle en se rendant à son bureau pour ramasser ses clés. Si on me demande, je suis partie rendre visite à une cinéaste indépendante de l'East Village.

DIX-HUIT

— C'est une manie chez vous, de réveiller les gens, fit remarquer Opal Onishi en ouvrant la porte à Heat et Rook. Vous savez que la moindre des politesses est d'appeler avant ? Y a peut-être plus d'électricité, mais mon mobile fonctionne.

Afin qu'ils le constatent par eux-mêmes, elle vérifia l'état du réseau d'un glissement du pouce sur l'écran de son téléphone et leur tendit l'appareil.

Sans y accorder la moindre attention, Heat s'intéressa au salon. Les meubles non indispensables étaient toujours entassés dans un coin, mais les cartons, défaits, révélaient leur contenu : ustensiles de cuisine dans l'un, parafoudres et télécommandes de télévision dépareillées dans l'autre. Certains cartons étaient vides, et leur contenu, éparpillé dans la pièce, dont il occupait la moindre surface.

— Je vois que vous avez eu le temps d'emménager depuis ma dernière visite.

— Ouais, ben, désolée pour le désordre. Je ne m'attendais pas à avoir de la compagnie et je travaillais sur un projet. Au moins, jusqu'à ce qu'on n'ait plus du tout de lumière.

— C'est quoi, ce projet ? *La Syllogomanie aux États-Unis* ? s'enquit Rook.

— Vous n'êtes pas flic, vous, non ?

— Non, je vous présente Jameson Rook. Il m'accompagne parfois.

— Le reporter. Cool.

Opal regroupa quelques-unes des hautes piles de documents qui occupaient le canapé d'un bout à l'autre.

— Allez-y, asseyez-vous.

— Vous essayez donc de terminer votre prochain documentaire, évoqua Nikki, une fois installée.

La réponse fut méfiante.

— Ouais... Comment vous le savez ?

— Inspecteur.

D'un signe de tête, Heat indiqua les piles de documents – des brouillons de scénarios – et quatre casiers en plastique remplis de DVD, rangés à même la caisse ou dans des boîtes à bijoux. Sur la table basse, devant un Apple Cinema Display, étaient étalés plusieurs paquets de feuilles agrafées intitulés MONTAGE en caractères gras. Il s'agissait de grilles remplies de listes de *time codes*, de plans et de notes surlignées.

— Qu'est-ce qui m'a trahie ? gloussa Onishi avant de s'allumer une cigarette avec une allumette.

Elle ne s'assit pas, car fumer debout, une main posée sur la hanche, semblait la détendre.

— En fait, pour dire la vérité, nous avons fait des recherches sur vous sur Internet.

— Si on voulait dire la vérité, nuança Rook avec un degré calculé d'insinuation. Les critiques à votre sujet sont assez impressionnantes. J'ai vu qu'on parlait de vous sur les sites *Cultureunplugged* et *Documentarystorm*. Et votre film sur la communauté gay vous a valu un prix au festival South by Southwest.

— C'est de l'histoire ancienne. C'était mon projet de fin d'études à l'école de cinéma.

Malgré son air de ne pas vouloir y toucher, elle semblait flattée par la remarque de Rook.

— Le documentaire indépendant n'attire pas trop l'attention du grand public, ce qui est cool, en fait. C'est une passion. Vous qui êtes journaliste d'investigation, vous devriez le regarder. Je l'ai en DVD quelque part par là.

— Ce qui m'intéresse surtout, c'est le projet sur lequel vous travaillez en ce moment, la coupa Nikki.

— *Tribus et Châtiments* ?

— Arrêtez de me mentir, Opal. Vous savez très bien de quoi je veux parler. Celui pour lequel Jeanne Capois vous aidait.

— La bonne ? M'aider pour un film ?

— Arrêtez… les… mensonges.

— On dirait même que ça s'appelle *Trafic d'âmes*, affirma Rook qui brandissait l'une des pages de notes de montage.

— Eh ! c'est privé, ça.

Elle lui arracha le document des mains et le jeta dans l'un des cartons vides, geste futile puisque le titre apparaissait en caractères gras sur chacune des autres feuilles visibles.

— Opal, on a vérifié, dit Heat. L'agence Happy Hazels ne vous a pas recommandé Jeanne Capois. Et nous savons maintenant qu'elle était victime d'un trafic d'êtres humains. Il me semble donc légitime de présumer qu'elle avait quelque chose à voir avec un de vos films. Alors, j'aimerais que vous cessiez de me raconter n'importe quoi et que vous m'expliquiez de quoi il retourne.

— OK. C'est vrai.

Onishi écrasa son mégot, s'assit sur l'un des cartons et s'alluma une nouvelle cigarette.

— Jeanne est venue me voir à plusieurs reprises. Elle m'a aidée pour certains éléments de contexte, pour que ce soit plus réaliste, quoi. C'est tout.

L'inspecteur Heat avait conduit suffisamment d'interrogatoires dans sa carrière pour reconnaître une esquive. La plus courante, à laquelle Opal avait eu recours la dernière fois, était le mensonge pur et simple.

Maintenant, Nikki avait droit au mensonge enrobé de vérité. Suspects et témoins en usaient lorsqu'ils voulaient vous donner un os à ronger, dans l'espoir de vous voir passer à autre chose. Nikki n'en avait aucune intention.

— J'ai consulté vos relevés ; pourtant, je n'ai vu aucun appel de la part de Jeanne Capois, lui fit-elle remarquer.

Alors que son interlocutrice commençait à se détendre, Nikki lui savonna la planche.

— Toutefois, en revérifiant avant de venir, j'en ai reconnu plusieurs émanant de chez son employeur, Shelton David. Y compris un le soir de son assassinat. Le soir où vous avez déménagé de Chelsea comme s'il y avait le feu.

Le carton céda un peu sous le poids d'Opal, qui en fut surprise. Nikki n'en tint pas compte.

— Vous a-t-elle dit quelque chose qui vous ait effrayée ?

— Je n'ai pas peur.

Heat attendit que son regard de défi disparaisse derrière les volutes de fumée. Après quelques secondes, elle reprit calmement tout en étalant, un à un, des clichés de Jeanne Capois pris sur les lieux du crime.

— Voici l'endroit où ils l'ont tuée. Derrière les poubelles d'une école.

Elle en posa une autre.

— Ça, c'est un gros plan de ce qu'ils lui ont fait aux mains et aux doigts pour qu'elle parle. Puis une autre. Cette décoloration sur son cou indique qu'elle a été étranglée. Et encore une autre. Voici ce qu'ils lui ont fait aux yeux. Brûlés à coups d'antigel. Vous voyez la décoloration ?

— Stop ! Arrêtez, s'il vous plaît !

Elle balaya les photos de la table basse et se détourna en se couvrant le visage des mains.

Nikki n'aurait su dire ce qui l'écœurait le plus : revoir les photos ou exploiter la vulnérabilité d'Opal pour obtenir ce qu'elle voulait. Peu importait. L'enquêtrice faisait son boulot.

— Jeanne Capois est morte à cause de ce qu'elle vous a dit pour que vous puissiez faire votre film. Et vous le savez. Vous pouvez arranger les choses. Allez-vous m'aider à arrêter ces types ?

Opal Onishi ne répondit ni oui ni non. Elle se contenta de

raconter, d'une voix très distante, comme si elle commentait un de ses documentaires :

— Jeanne Capois était quelqu'un de spécial ; elle n'était pas comme les autres. Cette fille avait grandi dans la misère, mais on lui avait enseigné l'espoir. Comme beaucoup d'Haïtiens que j'ai interrogés depuis un an. Chez eux, l'espoir n'est pas qu'une aspiration, il prend la forme de la ténacité. C'est le moyen de survivre, de tenir bon malgré les continuels assauts de la vie. La corruption politique, la violence, la faim, la maladie, le dénuement…, même un séisme ne les empêche pas de chercher une meilleure condition.

La cendre de sa cigarette tomba et, distraitement, elle l'écrasa de sa pantoufle sur le tapis, puis elle se tourna vers eux.

— Jeanne m'a expliqué qu'elle et son fiancé avaient entendu dire qu'une grande chaîne hôtelière des États-Unis cherchait du personnel pour effectuer le travail dont les Américains ne voulaient plus. Ils avaient été abordés, à Pétionville, par un homme qui leur avait payé des gâteaux à la banane dans un salon de thé ; il leur avait dit que la société offrait une assurance maladie, des formations pour gravir les échelons et un salaire hebdomadaire qui dépassait de loin ce qu'ils parvenaient à grappiller en une année à Haïti. Le voyage à New York serait également payé. Comme Jeanne et Fabian avaient tous les deux perdu leur famille dans le séisme de 2010, ils ont décidé de tenter leur chance. Tout a changé une fois à bord du bateau : on leur a confisqué toutes leurs affaires avant de les enfermer dans les soutes. Le trajet a duré des semaines parce qu'ils s'arrêtaient dans tous les ports. D'après Jeanne, chaque fois, des nouveaux venaient les rejoindre à fond de cale. Des Dominicains, des Vénézuéliens, des Colombiens, des Jamaïcains, des Honduriens, des Mexicains. Il y avait même un groupe de prostituées que le commandant avait gagné aux cartes aux îles Caïmans.

— C'était un bateau de croisière ? demanda Rook.

— Un cargo.

— Je parie que je sais à qui il appartient, dit Nikki.

— Si c'est à Keith Gilbert que vous pensez, vous avez gagné, corrobora Opal.

Nikki réfléchit à la réaction viscérale de la jeune femme lorsqu'elle lui avait soumis, parmi d'autres, la photo du directeur, lors de sa précédente visite.

— D'après ce que m'ont raconté d'autres victimes de ce réseau d'esclavage…, car c'est bien de ça qu'il s'agit…, tous ont été transportés sur des bateaux appartenant à Gilbert Maritime.

— Je veux voir ces interviews, dit Heat. À commencer par celui de Jeanne. Et remettez-moi les transcriptions, si vous les avez. Sinon, on pourra les transcrire nous-mêmes.

— Avez-vous aussi interviewé Beauvais ? s'enquit Rook.

— Non.

Opal leva alors les mains pour calmer le jeu.

— Oh ! attendez, là. Je coopère, non ? Vous voyez que je ne vous raconte plus de conneries, OK ?

— Et ?

— Cette documentation m'appartient. C'est ce dont j'avais peur quand vous êtes venue, l'autre jour. Ça fait un an que je prépare ce film. J'ai encore d'autres interrogatoires à faire, sans compter le travail d'écriture et les heures de montage. Si je laisse circuler ce matériau brut avant que je ne sois prête, je peux dire adieu à mon financement et à ma distribution.

Sous pression, Heat calcula qu'il lui restait une demi-journée, voire moins, avant l'arrivée du commandant de brigade par intérim qui la déchargerait de l'affaire.

— J'imagine que j'avais tort, insista-t-elle en s'efforçant de ne pas laisser transparaître l'urgence dans laquelle elle se trouvait. D'après votre CV, j'imaginais que vous voudriez contribuer à lutter contre l'oppression et l'injustice sociale.

C'était un valeureux effort, mais Opal sortit une nouvelle cigarette et réfléchit en jouant avec sans l'allumer.

— Si le film sort comme prévu, c'est exactement ce qu'il fera. En plus, je ne crois pas que vous puissiez m'y forcer.

Elle se tourna vers Rook pour obtenir son soutien.

— N'ai-je donc pas droit à une protection en tant que journaliste ?

Il haussa les épaules.

— Ce n'est pas sûr que votre projet bénéficie de la protection du Premier Amendement. En revanche, je peux vous faire part d'un point de vue ?

— Oui ?

— Avez-vous déjà entendu parler de Mary Ellen Mark ?

Opal fit non de la tête.

— C'était il y a trente ou trente-cinq ans. Mary Ellen Mark était, et demeure, une respectable photojournaliste qui a réussi à approcher Mère Teresa à l'époque où elle œuvrait dans les bidonvilles de Calcutta. Tandis qu'elle et ses bénévoles s'échinaient à soigner les lépreux, à nettoyer derrière les malades, à réconforter les enfants à l'agonie, à ramasser – littéralement – les mal nourris, hommes et femmes, dans le caniveau ou les égouts, Mary Ellen faisait son boulot : elle prenait des photos. Elle a d'ailleurs réalisé de très beaux clichés. Vous voulez savoir ce que Mère Teresa lui a dit ? Très posément, elle lui a dit : « Vous devriez poser votre appareil et nous aider un peu. »

Tandis qu'Opal méditait là-dessus, Rook lui tapota l'épaule.

— Et si ça ne suffit pas, imaginez le battage dans les médias et le bouche-à-oreille pour *Trafic d'âmes*, si votre film permet d'arrêter un homme haut placé corrompu et un réseau de trafic d'êtres humains, ajouta-t-il.

Opal Onishi haussa un sourcil et sourit.

Jeanne Capois était vivante. Du moins en film. Et, sous cette forme numérique, la jeune immigrante haïtienne de vingt et quelques années avait atteint une sorte d'immortalité. Elle respirait la gentillesse et remplissait l'écran d'une douce grâce, sous le charme de laquelle tomba le royaume entier de l'inspecteur Raley. Son mélodieux accent créole résonna encore longtemps après son intervention. La chaleur de ce parfum français offrait un vif contraste avec le bouleversant témoignage qu'elle livrait.

Sur fond de bibliothèque, après un zoom très lent sur son visage fixe, on découvrait les traits de la jeune femme en gros plan, le regard décalé de quelques degrés de l'objectif, car elle répondait aux questions que lui posait Opal Onishi, hors champ. Elle ne souriait pas ; ce qu'elle avait à dire était beaucoup trop terrible pour cela. Néanmoins, on sentait qu'elle arborait d'ordinaire un sourire communicatif.

Personne ne pipait mot dans la petite pièce. Ni Raley, ni Rook, ni l'inspecteur Heat, qui prenait note des *time codes* défilant dans un coin du moniteur afin de permettre ensuite à Raley d'effectuer un montage des pires extraits.

Une fois l'interview terminée, lorsque l'écran redevint noir, tous trois demeurèrent assis en silence, à écouter simplement les ventilateurs de refroidissement des appareils. Rook lâcha un « Putain ! » Nikki essuya une larme avant que les lumières ne se rallument, puis elle déchira les feuilles annotées de son carnet pour les remettre à Raley. Se sentant à deux doigts de faire éclater la vérité, elle se leva.

— Allons boucler ce type.

Lorsque Heat et Rook revinrent du visionnage, les inspecteurs Rhymer et Feller étaient repartis dans la salle de briefing. Ils étaient particulièrement agités, et il fallut quelques efforts à Nikki pour s'adapter à leurs jacasseries après ce qu'elle venait d'entendre.

— J'ai du nouveau ou pas ? demanda Feller.

— Bien sûr que oui, dit Rhymer. Les deux, en fait. J'y étais, mais c'est surtout lui.

— Peut-être que l'un de vous pourrait avoir la gentillesse de me faire un rapport avant qu'on ne m'enlève cette affaire, ce qui ne saurait tarder.

— Je m'en charge, proposa Feller, une paume sur la poitrine. Mon quart de tableau comprenait l'interrogatoire de

Fidel « FiFi » Figueroa. Malgré le tri qu'il a fallu faire dans ses dires et aussi répugnant soit-il, ce type nous a fourni de bonnes infos.

— C'est ce que tu appelles aller droit au but ? l'interpella Ochoa de son bureau.

— Rappelez-vous le terme qu'il employait pour décrire Fabian Beauvais, inspecteur Heat.

— *Astucia*, dit-elle.

— Dix points pour vous. Je me disais qu'il était gonflé d'entrer comme ça dans un immeuble de bureaux sous prétexte de vendre des sandwichs et de voler des documents sans déclencher quelques alarmes.

— C'est plutôt risqué, corrobora Rhymer.

— Justement, c'est pour ça que je considère deux éléments.

Randall leva une main.

— D'un côté, on a Fabian Beauvais et son *astucia*.

Puis il leva l'autre main...

— De l'autre, les problèmes avec Keith Gilbert.

Enfin, il joignit les mains les doigts croisés.

— J'ai donc passé un coup de bigo au central pour qu'on regarde dans le fichier les plaintes et incidents signalés chez Gilbert Maritime, dans Madison. Ça lui a pris un moment à cause de l'ouragan et tout, mais l'inspecteur de service m'a rappelé, juste après qu'on en a eu terminé à la planque du commando, dans le Bronx. Il y a eu une plainte pour intrusion, il y a plusieurs semaines. Pas d'arrestation, mais, comme des agents ont répondu à l'appel, c'était dans le fichier.

— Voilà qui m'intéresse, déclara Nikki.

— Attendez, c'est pas tout. On s'est rendus sur place. L'immeuble était fermé, comme tout le reste aujourd'hui, mais les gars de la sécurité travaillaient. Alors, je leur ai soumis la photo de Fabian Beauvais. Devinez ce que leur chef a dit.

— « Le livreur de sandwichs », glissa Rook.

Feller se tourna lentement vers lui :

— C'était ma chute. Je raconte toute l'histoire, et vous, vous me volez la chute.

Rook haussa les épaules pour se faire pardonner.

— Désolé... J'ai pensé tout haut.

Toujours sérieux, Rhymer sauta sur l'occasion :

— Ne perdons pas de vue les faits. Nous avons donc établi que Beauvais s'est bien rendu au QG de Gilbert avec sa glacière pour voler des documents.

— C'est un élément important. Beau travail, à tous les deux.

Après l'interview qu'elle venait de regarder, Heat savait exactement pourquoi Beauvais visait Gilbert. Ce qu'elle ignorait encore, c'était quel genre d'information sur lui le jeune Haïtien avait trouvé. Du moins, pour le moment.

Rook se présenta à son bureau.

— Que se passe-t-il ?

— J'aimerais que tu fasses quelque chose pour moi..., si tu n'es pas trop occupé.

— Ouh ! je n'aime pas du tout ces insinuations. Tu ne crois pas qu'un petit mot de remerciement serait de mise pour avoir obtenu d'Opal Onishi qu'elle nous remette sa vidéo sans invoquer le Premier Amendement ?

Rook la scruta du regard, mais elle ne cilla pas.

— Apparemment, ça devra attendre. Qu'attends-tu de moi ?

— Tu sais, ton ex qui bosse à la CIA ?

Il savoura cet instant.

— Hum. Il va falloir être plus précise. Laquelle ?

— Rook...

— Yardley Bell, oui.

— Vois si tu peux la joindre. J'ai une faveur à lui demander.

— Qui est ?

— Celle que je lui demanderai quand tu l'auras au bout du fil pour moi.

— Bien.

Alors qu'il s'éloignait pour téléphoner, Sean Raley apporta une clé USB à sa supérieure.

— Voici le montage que vous m'avez demandé pour la vidéo sur Capois. Pas question de parler des « meilleurs moments » de son témoignage, parce qu'il est plutôt représentatif de la bassesse humaine.

— Et on ne peut guère faire pire. Vous êtes sur quelque chose ? lui lança-t-elle, car à peine lui eut-il remis la clé qu'il se hâtait de repartir vers son royaume.

Il tourna la tête et revint en marchant en arrière afin de ne pas perdre de temps.

— C'est un truc sur mon quart de tableau qui m'a fait penser à une autre vidéo.

— On dirait que vous pensez avoir trouvé une piste, mais que vous ne voulez pas en parler. Vous avez quelque chose ?

— Ça pourrait être utile, mais c'est peut-être rien du tout. Il faut que j'épluche les images pour voir.

— Allez, mon roi.

Mais l'inspecteur Raley était déjà loin.

Inez Aguinaldo avait appelé pour prévenir Heat qu'elle arrivait avec une preuve découverte lors de la perquisition au domicile d'Alicia Delamater à Beckett's Neck. Lorsque sa collègue arriva des Hamptons, un peu après midi, Nikki ne put détacher les yeux des scellés qu'elle tenait.

Cependant, par courtoisie et par respect des efforts consentis par le sergent de la police de Southampton Village, elle eut la délicatesse de ne pas se comporter comme une gamine et se retint de les lui arracher des mains comme s'il s'agissait d'un cadeau d'anniversaire pour ses trois ans.

Lorsqu'elle eut salué son copain Rook, l'« homme qui murmurait à l'oreille des balles », et après les présentations d'usage à la brigade, Heat remercia la policière de province d'avoir fait le déplacement.

— C'était surréaliste, si vous voulez mon avis. Ce trajet de quatre-vingt-dix minutes m'a pris cinq heures. Heureusement que j'étais en 4 x 4. J'ai dû montrer ma plaque tout le long du chemin de Throgs Neck Bridge jusqu'ici. Mais, comme je sais que c'est la course contre la montre, on se racontera nos histoires sur cette horreur de Sandy plus tard. Venons-en à nos moutons.

— Si vous insistez, dit Nikki, qui suscita les rires en tendant la main vers le sac en papier kraft contenant les preuves.

L'inspecteur Aguinaldo l'ouvrit sous les yeux de la brigade réunie autour d'elle tandis qu'elle en sortait d'une main gantée un Sturm Ruger .38 Spl +P dans un sachet en plastique à zip.

— Vous avez trouvé ça chez Alicia Delamater ?

Elle acquiesça de la tête.

— Hier soir. Une demi-heure avant la panne de courant et la montée des eaux.

— Dites-moi que c'est celui de Keith Gilbert, supplia Nikki.

— Le modèle et le numéro de série correspondent à l'arme qu'il a déclarée au shérif du comté de Suffolk. On n'a pas encore relevé les empreintes. J'ai pensé que vous souhaiteriez confier la tâche à vos experts afin d'éviter tout risque de contamination et de faire la part belle à ses avocats. Même chose pour la balistique. En plus, vos techniciens iront probablement plus vite que nous.

— Parce que vous les envoyez en Corée, vous ? fit Rook.

— On pourrait tout aussi bien, gloussa Aguinaldo. C'est surtout que la question du temps est cruciale, me semble-t-il ; je voulais donc vous le remettre au plus vite.

Tandis que Nikki signait le reçu pour la remise de preuve, Feller indiqua le Ruger d'un signe de tête.

— J'imagine que ce n'est donc plus une preuve virtuelle.

— Ne nous précipitons pas pour autant, le mit en garde Heat. Ce n'est qu'un élément parmi tant d'autres. Et il n'est pas encore passé au labo.

Comme l'inspecteur Aguinaldo devait repartir au plus vite à Southampton, Nikki la remercia chaleureusement pour l'aide précieuse qu'elle lui avait apportée tout au long de l'enquête.

— Juste par curiosité, où l'avez-vous trouvé ? demanda-t-elle en lui remettant un double du reçu pour le revolver.

— Dans sa poubelle de bureau. Caché sous le sac en plastique.

— Bande d'amateurs, constata Ochoa.

Les autres inspecteurs acquiescèrent.

— On ne sait jamais ce qu'on va trouver dans une poubelle, déclara Nikki en repensant à la semaine précédente.

— Mais, quand même, elle avait tout l'océan devant elle, dit Feller. Pourquoi le conserver ?

— Sans blague, intervint Rook. Personne n'a vu *Le Parrain* ? « Laisse l'arme, prends les cannoli. »

La messagerie électronique de Heat émit un signal sonore. Elle s'approcha de son bureau, lut à l'écran et hocha la tête.

— C'est quoi ? demanda Ochoa.

— Zach Hamner, du One Police Plaza, m'annonce l'arrivée du commandant de brigade par intérim. Mon ordre de congé administratif sera là dans moins d'une heure.

Elle saisit une courte réponse et cliqua sur Envoi.

— Je ferais donc mieux de ne plus y être.

DIX-NEUF

C'était la bousculade au poste de la vingtième circonscription. Il n'y a pas d'autre terme pour décrire l'ambiance électrique qui régnait dans la salle. Nikki répondait au téléphone tout en lançant ses instructions ou répondait aux questions à la cantonade sans quitter des yeux la pendule. Elle venait d'avoir Yardley Bell à la CIA, et toutes deux avaient prétendument convenu de se voir un de ces jours.

— Il paraît que vous devez faire partie de la nouvelle unité opérationnelle, avait dit l'ex de Rook, de sorte que Nikki s'était demandé si elle était au courant par lui ou si l'agent Bell avait assez de relations pour en être informée.

— C'est une possibilité à laquelle je songe en effet, avait répondu Nikki.

Puis elle l'avait remerciée de lui accorder le service demandé, sachant qu'elle lui serait désormais redevable.

— Fais ce que tu as à faire, maugréa-t-elle toute seule après avoir raccroché.

Voyant qu'elle avait terminé, Rook arriva d'un pas nonchalant.

— Tu veux bien me dire ce qu'est ce service, maintenant ?

— Ce n'est rien. Le triolisme n'est pas son truc.

Puis elle tendit le cou pour fouiller la pièce du regard. Quelqu'un a vu Raley ?

Aussitôt, Ochoa disparut dans le couloir à sa recherche.

— D'abord, permets-moi de ne pas être de ton avis au sujet de Yardley. Ensuite, je pense que tu as moins de dix minutes devant toi, dit Rook.

— Inutile de me le rappeler, je pédale aussi vite que je peux.

Nikki passa une dernière fois mentalement en revue tout ce qu'elle avait à faire. Elle avait envoyé l'inspecteur Rhymer et deux policières en mission quarante-cinq minutes avant. Sur le cellulaire du poste emprunté pour remplacer son iPhone 4s qui avait pris l'eau, elle reçut un texto de son enquêteur confirmant que la mission était accomplie. Feller et une équipe d'agents étaient en place devant chez Zarek Braun et Seth Victor, prêts à intervenir. Maintenant qu'elle s'était assuré l'aide de Yardley Bell, il ne lui restait plus qu'un appel à passer, mais cela attendrait qu'elle soit dans le cortège.

— Je crois qu'on peut y aller. Une fois qu'on aura les Gars au complet, ajouta Heat d'une voix forte.

— Que tout le monde prenne ses clés de voiture, dit Raley en emboîtant le pas à son équipier parti au trot. Pardon de vous avoir fait attendre, mais, croyez-moi, ça en valait la peine. Je vous mettrai au courant en route.

Il brandit son ordinateur portable. Les inspecteurs Raley et Ochoa quittèrent la salle de briefing pour rejoindre leur voiture. Nikki donna le feu vert à Feller par SMS tandis que Rook rassemblait les dossiers et la clé USB pour elle.

— Prête ? demanda-t-il.

Dans le calme soudain de la salle déserte, Heat marqua une pause et, toujours aussi rigoureuse, vérifia encore une fois sa liste.

— Autant que faire se peut, répondit-elle avec un regard d'adieu au tableau blanc.

Un inspecteur adjoint en chemise d'uniforme blanche amidonnée, ornée de feuilles de laurier et de chêne dorées, se tenait sur le seuil de la brigade. Il jeta un regard vers le panneau vitré du bureau du capitaine, toujours plongé dans le noir depuis l'assassinat de son occupant, puis tourna son attention vers la salle de briefing.

— Je cherche une certaine inspecteur Heat.

Nikki s'approcha de lui.

— Je lui transmettrai le message.

Puis elle allongea le pas et gagna sa voiture en compagnie de Rook.

Jamais une tempête ne fait que passer. Nikki ne savait que trop bien que chaque ouragan laissait sur son passage un sillage de destruction ; toute fureur engendrait des répercussions. En route vers son objectif, Heat, qui s'était approprié l'ancienne Crown Victoria du capitaine Irons pour mener le cortège des quatre véhicules de police qui l'accompagnait, put constater en direct les conséquences de la super tempête à New York. Au nord de Manhattan, les rues mouillées reflétaient maintenant les rayons d'un éblouissant soleil qui perçait entre les tout derniers nuages de Sandy. L'intense circulation les ralentit au niveau de la déviation de la 57ᵉ Rue Ouest, où, à cause des vents violents, le bras d'une grue s'était effondré sur le chantier d'une tour en construction de soixante-quinze étages. Ailleurs, les trottoirs fourmillaient de riverains et de touristes impatients, après avoir dû rester cloîtrés, de pouvoir refaire quelques courses et évaluer les dégâts. Des marathoniens à l'entraînement pour la course du dimanche suivant zigzaguaient entre les passants, défiant toute possibilité que la manifestation ne soit annulée.

Les dommages étaient encore plus visibles au sud, où l'électricité n'avait pas été rétablie, ce qui poussait les citadins vers le nord pour se ravitailler. Victimes de pannes de générateur, deux grands hôpitaux, le Bellevue et le NYU Langone, avaient dû organiser l'épique évacuation de leurs patients vers des établissements de soins situés en dehors de la zone du black-out. Malgré les embouteillages et les détours qui le retardèrent, le petit convoi finit par arriver à destination. Sous une averse locale, Heat descendit de voiture pour franchir le dernier obstacle dans une lumière laiteuse. Avant d'entrer, elle voulut revoir encore une fois avec sa brigade la chorégraphie mise au point.

Puis elle pencha la tête en arrière pour considérer le bureau de l'Autorité portuaire, tout en haut de la tour, et apprécia le contact de la pluie sur son visage. Pour tous les autres, c'était le signe que la super tempête rendait l'âme. Pour l'inspecteur Heat, ce n'était que le signe avant-coureur des éléments qu'elle s'apprêtait à déchaîner au sommet de cet immeuble.

Pénétrer à l'intérieur du Bureau de gestion d'urgence de l'Autorité portuaire n'était pas trop difficile… à condition de s'organiser à l'avance. Ce que Heat avait pris soin de faire. Elle avait trop d'expérience pour venir jusque-là et se faire débouter. Aussi avait-elle téléphoné à Cooper McMains, le commandant de l'unité antiterroriste de la police de New York, afin qu'il fasse discrètement en sorte qu'elle puisse entrer avec toute son équipe. Le lien de confiance qui s'était formé entre le commandant et l'enquêtrice était suffisamment fort pour qu'il ne lui demande pas la raison de cette visite, et elle n'avait rien dit non plus. Elle tenait McMains pour l'un des policiers les plus sérieux qu'elle ait rencontrés, mais aussi l'un des plus intelligents. Au fond, Heat était persuadée qu'ayant compris ce qu'elle cherchait, il avait eu le tact de ne pas porter la conversation vers de potentielles zones d'inconfort.

Grâce à ce travail préparatoire, Nikki eut la satisfaction de lire le choc sur le visage de Keith Gilbert lorsqu'elle surgit avec Jameson Rook au beau milieu d'une conférence de presse qu'il tenait dans sa salle de crise.

— Merci, gronda-t-il au beau milieu d'une question avant de quitter le podium, à la consternation de l'assemblée qui n'avait pas l'habitude de se voir ainsi expédiée.

Gilbert était si déconcerté que, pendant un instant, il fit du surplace sans savoir s'il lui fallait aller à la rencontre de Heat ou au contraire s'en éloigner. Nikki choisit de l'aider à se décider.

— Monsieur, dit-elle en se dirigeant droit sur lui. Inspecteur Heat, de la police de New York. J'imagine que vous vous souvenez de moi.

Le directeur afficha le fameux sourire qu'arbore tout homme politique en présence de photographes. Et Dieu sait si les circonstances s'y prêtaient ! Il tendit la main pour serrer la sienne et l'attira à lui afin de pouvoir lui parler à l'oreille.

— À quel petit jeu jouez-vous, nom d'un chien ? maugréa-t-il sans se départir de son large sourire.

La main toujours endolorie par son rodéo de la veille, Nikki ne ménagea pas non plus sa poigne.

— Je fais ce pour quoi je suis payée, monsieur. J'attrape les assassins.

Derrière elle, le responsable de campagne de Gilbert s'approcha de Rook.

— Tu n'es pas un peu loin de ton territoire, Dennis ? fit remarquer le reporter lorsque les deux hommes se furent salués.

— Comment ça ?

— Ce n'est pas exactement une manifestation politique.

— Mon ami, pour une candidature, tout est manifestation politique, gloussa l'homme de communication. J'ai amené un vidéaste pour prendre des images en vue de futurs spots publicitaires.

— Demande à ton gus de ne pas ranger sa caméra, conseilla Rook. Il se pourrait qu'il y ait d'autres candidatures inattendues.

Sur ce, il abandonna son interlocuteur à sa perplexité et rejoignit Heat.

Au même moment, Keith Gilbert venait de tourner le dos à la presse pour sa passe d'armes avec Nikki. Son visage était empourpré de colère réprimée. Néanmoins, il parla à voix basse :

— À quoi cela vous sert-il de me harceler ? Réfléchissez un peu. Regardez autour de vous. Vous débarquez en plein marasme dans ma salle de crise.

Heat balaya du regard le centre névralgique. Manifestement, le danger immédiat était passé puisque les autres dirigeants et leurs lieutenants géraient très bien la situation tout seuls.

— On dirait que les choses se sont suffisamment calmées pour que vous ayez le temps de profiter de cette belle toile de fond pour vous adresser aux médias.

— Votre équipe réalise d'ailleurs de bonnes images, ajouta Rook en faisant un signe d'approbation du pouce à Dennis et à son caméraman, à l'autre bout de la pièce.

— Comme d'habitude, vous dépassez les bornes, Heat ; or, ce n'est vraiment pas le moment.

— Vous trouvez ? Je crois au contraire que c'est le moment idéal, déclara Nikki.

— Écoutez-moi bien. Vous n'allez pas me faire un scandale ici. Surtout maintenant.

Puis, ce qu'il aperçut derrière son interlocutrice lui raidit le front, au point d'en effacer les profonds sillons burinés. À l'autre bout de la pièce, l'inspecteur Rhymer franchissait les portes en compagnie d'Alicia Delamater escortée par deux policières. La maîtresse éconduite adressa un regard si noir à son ancien amant qu'il voulut quitter au plus vite la salle comble.

— Pas ici.

— Non ? dit Rook. « Impossible de gérer une crise dans la salle de crise. » *Folamour*, je cite. Le film, pas vous et Alicia, expliqua-t-il.

Gilbert posa la main sur l'épaule d'une femme coiffée d'un casque.

— Joséphine, vous voulez me remplacer quelques instants, s'il vous plaît ?

Puis il se tourna de nouveau vers Heat.

— Nous avons un endroit plus privé.

— Je sais, dit Nikki.

Keith Gilbert se hâta vers une porte latérale, puis longea un petit couloir comme s'il pouvait, d'un pas rapide, se débarrasser à la fois de la police et de son ex. Mais, lorsqu'il ouvrit la porte de la salle de conférences, il vacilla avant de s'arrêter, car, à l'intérieur, Nikki Heat lui avait réservé un comité d'accueil. Les inspecteurs Raley et Ochoa, qui étaient entrés un peu avant pour mettre en place les moniteurs et la bande-son dans la salle de conférences high-tech, se tenaient les bras croisés. À l'extrémité de la longue table en acajou étaient assis deux mercenaires en combinaison orange, flanqués de Randall Feller et de deux agents de police, debout, leur M16 pointé vers le sol. Il n'échappa pas à Heat qu'ils gardaient l'homme responsable de la présence des rubans de deuil sur leurs insignes.

Le directeur demeura bouche bée sur le seuil tandis que l'inspecteur Rhymer, Alicia Delamater et Rook entraient en file indienne. Gilbert se tourna alors vers l'assistant qui l'avait accompagné.

— Allez chercher Lohman.

— Bonne idée, dit Heat.

Elle indiqua au directeur la place d'honneur, puis ferma la porte. Il s'assit sur le bord du fauteuil, pas tout à fait prêt à prendre la pose de domination qu'il arborait d'ordinaire sur le trône de cuir.

— À votre place, j'aimerais aussi avoir Frederic Lohman à mes côtés. Toute la *dream team*. À mon avis, ça va prendre un certain temps à vos avocats pour arriver ici. Mais j'oubliais à qui je m'adresse. Comme vous maîtrisez la situation, vous savez qu'ils sont loin.

Il changea d'expression, comme s'il venait de résoudre une énigme, et il fit mine de se lever.

— Et si vous tentez de partir, on pourra toujours continuer cette conversation dans la pièce là-bas.

— Voilà qui ferait un super spot de campagne, commenta Rook.

Le directeur se rassit. L'inspecteur Heat s'écarta de la porte.

— Alicia, je vous remercie d'être venue.

— Comme si votre inspecteur et ces deux-là m'avaient laissé le choix, à mon hôtel, ce matin.

Elle indiqua les policières qu'on voyait de dos monter la garde de l'autre côté des panneaux vitrés.

— Légalement, tu aurais pu refuser, la sermonna Gilbert, tel un père désapprobateur.

— Ah oui ? Eh bien, peut-être que je suis contente d'être là.

Parfait, songea Heat. C'était exactement ce sur quoi elle avait compté : le ressentiment, toujours vif et implacable. Depuis qu'elle savait que la maîtresse avait caché l'arme, Nikki espérait qu'Alicia aurait gardé assez de fureur en elle pour accuser son ex d'avoir tiré sur Beauvais.

Surtout en échange d'un abandon de charges contre elle pour possession d'arme illégale. Nikki posa sur la table le sac en plastique transparent renfermant le Ruger. Gilbert et Delamater pâlirent tous les deux.

— Oh non ! murmura Alicia.

— Où avez-vous trouvé ça ? demanda Gilbert après un raclement de gorge. Certainement pas chez moi.

Voilà donc jusqu'où cela allait quand les choses tournaient mal, songea Heat. S'il y avait eu des lions dans la pièce, Mlle Delamater aurait d'ores et déjà été en pièces. C'est alors que Nikki, comme tout le monde, eut une surprise. Tout le monde, sauf Keith Gilbert, en fait.

— Oh !...

La bouche d'Alicia trembla de mots qu'elle n'osait prononcer.

Gilbert tenta de la faire taire.

— Alicia. Stop. Ne dis rien.

Au plus grand désarroi de Nikki, la jeune femme perdue sembla réfléchir à ses instructions, comme par soulagement d'être dirigée. Or elle le pouvait, elle pouvait s'arrêter et réclamer un avocat. Sauf que Gilbert ne put s'empêcher d'en rajouter :

— Je suis sérieux, salope. Tu en as déjà assez fait comme ça !

Alicia sursauta, comme si une main invisible l'avait frappée. Puis elle sembla prendre une résolution et elle tourna la tête vers Heat :

— J'étais là-bas cette nuit-là.

— À Conscience Point ?

Nikki lui offrit un visage compatissant pour contrecarrer la bousculade de Gilbert.

— Tout va bien, Alicia, racontez-nous.

Rook sortit de sa poche un mouchoir qu'Alicia saisit machinalement pour se tamponner les yeux.

— Oui. J'étais là pour son rendez-vous…

— Alicia…

— Non, j'y tiens.

Sa détermination semblait inébranlable, peu lui importaient les négociations de peine ou l'inquiétude d'avoir dissimulé une arme.

— J'étais à Conscience Point pour son rendez-vous avec Fabian.

— Beauvais ? demanda officiellement Nikki.

— Voilà. Keith m'avait parlé du chantage. J'ignorais de quoi il s'agissait exactement. Je savais juste que Fabian avait découvert des trucs et qu'il voulait de l'argent pour se taire.

Heat adressa à Gilbert un regard dissuasif.

— C'est très bien, assura-t-elle, continuez. Vous l'avez suivi avec votre voiture ?

— Non.

Nikki, Rook et les autres inspecteurs échangèrent des regards interrogateurs. Ce n'était pas le scénario qu'ils avaient imaginé.

— J'étais déjà là. J'attendais.

— Alicia, je t'en supplie, tu n'es pas obligée.

— Monsieur Gilbert, laissez-la parler.

Heat revint à la jeune femme.

— Alicia, pourquoi étiez-vous là à attendre ?

— Parce que j'avais l'arme.

Cette surprise déclencha de nouveaux regards furtifs autour de la table.

— Vous apportiez l'arme à monsieur Gilbert ? demanda Heat.

— Non, il ne savait même pas que je serais là.

— Pourquoi ne pas simplement me raconter ce qui s'est passé ?

Delamater opina du chef, en larmes. Elle avait pris la décision de parler comme si elle risquait d'en avoir des regrets éternels si elle ne le faisait pas.

— Comme je savais qu'il devait retrouver Fabian, je me suis rendue sur place à l'avance. Je me suis garée sur la pelouse, derrière les bureaux de la marina, pour qu'ils ne voient pas ma voiture, et j'ai attendu dans le noir, sous l'escalier. Fabian est arrivé le premier, environ une demi-heure avant l'heure dite. Il s'est assis de l'autre côté du parking, sur les marches de la capitainerie, comme il l'avait indiqué.

Elle inclina la tête du côté de Gilbert.

— Quand Keith est arrivé avec l'argent, dix mille, je crois, et que Fabian s'est avancé..., je suis sortie et j'ai tiré.

— Oh ! Alicia, non, s'il te plaît, gémit Gilbert.

— Combien de fois ? demanda Heat.

— Deux. Il faisait sombre. J'étais nerveuse et j'ai raté mon coup. Fabian s'est enfui. Keith m'a crié après. « Putain ! qu'est-ce que t'as fait ? » l'imita-t-elle sur un ton désobligeant. Ensuite, il est parti en voiture pour essayer de le rattraper. Mais Fabian avait réussi à s'enfuir.

C'était crédible aux yeux de Heat, et cela expliquait la seconde voiture que le riverain de Conscience Point avait entendue partir en trombe. C'était Alicia Delamater. Un silence tendu planait dans la pièce. Même les prisonniers endurcis à l'autre bout de la table semblaient captivés.

Pourtant, certains éléments de cette histoire semblaient très suspects à Heat. Cela sonnait si faux qu'elle se demandait s'ils n'avaient pas tout inventé ensemble. Beauvais n'avait-il pas dit que Gilbert avait tiré sur lui ? D'un autre côté, Heat pouvait comprendre que l'obscurité et la surprise aient pu le tromper. Elle connaissait des flics expérimentés auxquels c'était arrivé dans le feu de l'action. Nikki aurait aimé avoir davantage de temps pour réfléchir, mais son inquiétude de voir Alicia Delamater perdre l'envie de se confier la contraignit à s'en remettre à son instinct.

— Il y a une chose que je ne comprends pas, reprit-elle. Pourquoi diable souhaitiez-vous quelque chose d'aussi radical ?

— Vous n'avez pas entendu ? bondit Gilbert. Le type voulait me soutirer de l'argent.

— Tuer quelqu'un… avec préméditation, ce n'est pas rien, insista Heat sans lui prêter aucune attention. Vous deviez avoir une très bonne raison.

Elle évita le mot « mobile ». Mieux valait ne pas la refroidir avec la loi.

Alicia ne répondit pas ; elle haletait comme pour reprendre son souffle avant le round suivant. En attendant, Nikki aborda un autre élément qui ne collait pas dans l'histoire :

— Pourriez-vous m'expliquer encore ceci ? Si vous êtes allée là-bas dans l'intention de tuer Fabian Beauvais, pourquoi ne pas l'avoir fait dès son arrivée ?

— Décidément, vous ne comprenez vraiment rien à rien ou quoi ? C'était pour me protéger.

— Espèce de sale fils de pute d'égoïste ! explosa Alicia. Je n'essayais pas de te protéger. Je voulais te tuer.

Certes, Heat avait compris que la jeune femme avait joué un rôle dans l'incident du parking de la marina, mais en tant que témoin, au mieux ; complice, au pire. Le fait qu'elle ait tiré, et pas simplement caché l'arme, était déjà un choc. Mais là… Même Heat n'avait rien vu venir. À voir son expression, Keith Gilbert non plus.

— Merde. Si je dois me faire arrêter pour avoir tiré sur quelqu'un, autant que ce soit pour la bonne personne, continua de pester Alicia, implorant Heat de comprendre. Keith et moi, on s'est réconciliés après la mesure d'éloignement. Du moins, c'est ce que je croyais. Mais ensuite, il a rompu le jour où il a officiellement décidé de présenter sa candidature aux sénatoriales. C'est là qu'il m'a encore qualifiée de…

Nikki pensa en silence les mots qu'Alicia Delamater prononça à voix haute :

— … handicap politique.

— Alicia, fit Gilbert d'une voix langoureuse, inutile de…

— Brusquement, me voilà débarquée.

Alicia tapa dans ses mains.

— Comme ça.

Rook se joignit à la conversation.

— Vous vouliez donc profiter du chantage pour tuer Keith et faire porter le chapeau à Beauvais ?

Il se tourna vers Nikki.

— Désolé, je me suis laissé emporter.

— C'était bien l'idée, Alicia ? demanda Heat.

Comme son interlocutrice acquiesça de la tête, elle poursuivit :

— Et vous avez blessé Fabian par accident, ou vouliez-vous le tuer, lui aussi ?

— Je n'avais pas besoin de le tuer. Qui l'aurait cru de toute façon ?

Cette déclaration était aussi abominable que ses actes.

— Alicia, bon sang, je t'ai aidée.

— Tu t'es aidé toi-même, comme d'habitude. Ce n'était pas pour me protéger. Tu n'as rien dit parce que, si ça s'était su, ça aurait causé du tort à ta foutue campagne. Alors, fais-moi plaisir, tu veux ?

Aussi surprenante fût-elle, cette version paraissait tout à fait plausible à Heat. Elle imaginait même très bien comment Alicia s'était procuré le Ruger, puisqu'elle était présente le soir où Gilbert avait sorti son arme, lorsque le sergent Aguinaldo s'était présentée à *Cosmo* pour répondre à l'appel concernant le rôdeur. Par conséquent, non seulement elle pouvait savoir où il rangeait le .38 dans son bureau, mais elle l'avait vu sortir la clé du placard. Se glisser dans la propriété quelques semaines plus tard ne lui aurait posé aucun problème. Même Topper, le chien de garde, ne l'aurait pas arrêtée puisqu'il la connaissait.

Le côté pragmatique du directeur refit surface :

— Inspecteur, je crois que me voici disculpé de toute atteinte à la vie de ce clandestin. Techniquement, je suis même la victime, non ?

Néanmoins, le fait d'avoir blessé Beauvais ne constituait qu'une pièce du puzzle ; aussi Heat poursuivit-elle :

— Sauf que vous ne pouviez pas laisser Fabian Beauvais filer comme ça.

Heat tourna son attention vers Zarek Braun et Seth Victor, impassibles.

— N'ai-je pas raison ?

— Fadaises.

Gilbert agita la main en direction des prisonniers.

— Pourquoi ces types sont-ils là, d'ailleurs ?

— Insinueriez-vous que vous ne les connaissez pas ? demanda Heat.

— Non. En effet.

— En êtes-vous certain ?

Gilbert se pencha vers eux et les regarda de travers.

— Je ne les avais encore jamais vus.

Nikki continua :

— Chaque chose en son temps. Pourquoi Fabian Beauvais voulait-il vous soutirer de l'argent ?

— Aucune idée.

— Monsieur Gilbert, nous savons qu'une plainte a été déposée au poste de Midtown North par vos services de sécurité le jour où la personne qui vous faisait chanter, Fabian Beauvais, s'est introduite sans autorisation dans l'immeuble de votre société.

— Je ne suis pas au courant de ce genre de bagatelles.

— J'imagine, en effet. Mais la raison pour laquelle il se trouvait chez vous est qu'il venait régulièrement voler des documents à des fins d'usurpation d'identité et de fraude. J'aimerais donc savoir ce qu'il détenait pour vous faire chanter et vous donner l'envie de le tuer lorsque vous n'avez pas réussi à le récupérer.

— Vous voilà revenue à votre point de départ, Heat, et vous vous raccrochez aux branches.

En voyant Keith Gilbert se relâcher dans son fauteuil de direction, l'image même de la confiance en soi et de l'assurance, il lui revint en mémoire les sages propos que lui avait tenus un jour son cher mentor, le capitaine Charles Montrose : « Nikki, ne sous-estimez jamais la capacité qu'ont les plus démoniaques d'entre nous de ne voir en eux qu'un saint. Comment se supporteraient-ils autrement ? » Heat décida qu'il était temps de tendre un miroir à ce cher directeur :

— Fabian Beauvais allait se marier. Sa fiancée s'appelait Jeanne Capois. Elle est morte aujourd'hui. Assassinée.

Nikki jeta un bref regard vers Zarek Braun. L'homme commandité pour ce meurtre n'exprimait rien.

— Cependant, avant de mourir, et c'est probablement la raison de sa mort, Jeanne a accordé plusieurs entretiens à une documentariste. Or elle avait d'intéressantes révélations à faire.

L'inspecteur Raley démarra la vidéo qu'il avait copiée sur la clé USB. Tout l'art d'Opal Onishi tenait au fait que sa technique d'interrogatoire ne requérait pas la moindre préparation. Même un montage de quatre minutes résumait l'essentiel du témoignage de Jeanne Capois, dont la beauté du visage crevait l'écran. Aussitôt, elle fut dans cette salle de conférences et raconta le voyage qui les avait menés, elle et Fabian, d'Haïti aux États-Unis à fond de cale d'un cargo sale, bondé et suffocant. Son histoire reposait sur les espoirs suscités, nourris, puis anéantis au fil de semaines qui s'étaient transformées en mois de conditions de vie sordides, d'avilissement et de cruauté de la part de leurs divers responsables, avant leur débarquement à New York, où les attendaient des jours et des nuits d'un labeur intensif en échange d'une maigre pitance et d'un matelas putride dans une pièce fermée à clé.

« Au début, je demandais toujours aux autres pourquoi ils ne s'enfuyaient pas, dit-elle, et ils répondaient tous la même chose : "Et pour aller où ?" Outre le fait qu'ils soient enfermés et soumis à la violence, ces étrangers clandestins étaient doublement captifs, car ils étaient sans le sou, dans un pays où ils ne connaissaient personne.

« Fabian disait qu'il nous libérerait et je le croyais. Mon Fabby, il avait l'intelligence et le courage. Alors, on cravachait. Et encore et encore, en attendant notre chance. J'avais peur qu'ils me prostituent comme les autres filles, mais ils me gardaient à l'entrepôt pour trier les papiers et assembler les documents déchiquetés. Je leur rapportais plus ainsi parce que je savais lire.

« On a fait ça toute l'année dernière. Et puis, comme il est malin, Fabian a réussi à se faire confier un travail à l'extérieur. Avec ceux qui étaient chargés de récupérer les papiers dans les poubelles des immeubles de bureaux. C'est comme ça qu'il a réussi à se faire embaucher en plus dans un abattoir de poulets, pour gagner de quoi nous enfuir. Parce qu'on n'a pas d'argent. Je fais le ménage chez un vieux monsieur, mais mon fiancé dit qu'il a trouvé un moyen pour gagner beaucoup d'argent et nous payer le retour à Port-au-Prince et qu'on reprenne notre vie là-bas.

« Dans la bouche de n'importe qui d'autre, je dirais que ce ne sont que des paroles en l'air. Mais Fabian est futé et il a du courage. Il dit qu'il sait qui gère le bateau qui nous a tous amenés ici et qu'il va le faire payer pour qu'il ne dise rien à la police. Il a découvert que c'est un riche puissant, qui s'appelle Keith Gilbert. J'espère que Fabian sait ce qu'il fait. Parfois, je crois qu'il est trop intelligent. »

Son petit rire fut la dernière chose qu'ils virent à l'écran avant que son image ne disparaisse.

Tous les yeux se portèrent alors sur Gilbert. Alicia, surtout, le transperça d'un regard de dégoût.

— Oh ! vous n'êtes pas sérieux ? Je nie tout, affirma-t-il.

— Ça sort de la bouche de l'une des victimes de votre trafic d'êtres humains, insista Rook.

— Si vous publiez ça, je vous colle un procès.

Il se tourna vers Heat :

— Quant à vous, essayez de porter ça devant un tribunal. On vous rira au nez. Ce ne sont que des ouï-dire. Du cinéma de téléréalité. Où sont les preuves ? Vous ne pouvez rien prouver.

— Et si c'était possible, au contraire ? demanda Alicia.

Gilbert tourna aussitôt la tête vers elle, mais elle se penchait de l'autre côté, vers Heat, la mine sérieuse.

— Ce serait important, dit Nikki.

— Parlons-en, dans ce cas. Je sais que je suis dans de sales draps, mais je n'ai tué personne. Je regrette sincèrement d'avoir blessé cet homme, mais je ne l'ai pas tué, n'est-ce pas ?

Nikki avait eu ce genre de conversation si souvent qu'elle aurait pu les doubler.

— Êtes-vous en train de me dire que vous voulez passer un accord ? commença-t-elle.

— Si je vous donne l'objet du chantage, qu'est-ce que j'en retire ?

— Vous savez de quoi il s'agissait ?

— Elle n'en sait rien. C'est du flan.

— Ça m'aiderait ? Et si je disais que je sais où sont les documents ?

— Mademoiselle Delamater, dit Heat à Alicia, si vous avez des preuves matérielles pouvant mener à une arrestation et une condamnation dans cette affaire, je vous propose un accord.

— De quel genre ?

— Je vous emmerde toutes les deux.

— Je parlerai personnellement au procureur pour qu'il vous fasse l'offre la plus généreuse possible. Je ne peux rien vous promettre, si ce n'est qu'il fera de son mieux.

Ils attendirent qu'Alicia, la maîtresse chassée pour cause de handicap politique, pèse le pour et le contre.

— Il s'agit de manifestes d'expédition.

Elle adressa un large sourire glacial à son ex, qui leva les yeux au ciel.

— Avec les noms d'hommes, de femmes et d'enfants dont

je me rends compte maintenant que c'étaient sans doute des esclaves, pour ainsi dire.

Malgré un lourd soupir de Gilbert indiquant qu'il refusait de prendre ses propos au sérieux, elle poursuivit :

— Y est également indiqué le prix payé pour chaque unité. Cela doit correspondre à ces gens.

— Pures suppositions.

Sans se démonter, Alicia continua, car elle ne se sentait plus sous la coupe de son amant.

— Ce n'est pas tout. Outre les manifestes, il y a aussi des reçus de virements bancaires, dont certains datent d'il y a neuf ans. J'ai passé tout un week-end à les lire après que tu m'as jetée, Keith.

— De quel genre de virements s'agit-il ? demanda Heat.

— Ils viennent tous du grand fonds créé par le déplacement des unités. Des « unités »... Seigneur, ça me rend malade. Mais il y avait des versements d'un million par-ci, un demi-million par-là... Des millions et des millions au fil du temps, vers des comptes aux noms curieux. Attendez voir. La plupart étaient destinés à un certain Framers Foremost.

— Alicia, fit Gilbert d'un ton sec.

— Framers Foremost ? reprit Rook. C'est un super CAP qui tire son nom des auteurs de la Constitution. Il s'agit d'un comité de dons qui finance les candidats politiques.

Il se tourna vers Gilbert.

— C'était donc ça. Sous couvert de financer votre campagne, vous blanchissiez l'argent sale du trafic d'êtres humains auquel servaient vos bateaux. Brillante idée !

Puis Rook se rendit compte de ce qu'il venait de dire.

— Enfin, machiavélique, voulais-je dire. Euh..., Heat ?

— Est-ce la raison pour laquelle vous faisiez tout cela, monsieur Gilbert ? Pour contourner la loi et financer votre campagne électorale par le biais d'argent liquide versé à des CAP ?

— Amusez-vous. Tout cela n'est que du bla-bla-bla.

— Non, j'ai les documents en ma possession, objecta Alicia. J'ai remarqué que certaines choses avaient été déplacées dans mon garage et j'ai trouvé une enveloppe cachée sous mon sac de golf quelques jours après les coups de feu... Après que tu m'as dit que tu t'occupais de tout. Je l'ai conservée, au cas où tu déciderais un jour de t'occuper de moi. C'est aussi pour ça que, contrairement à ce que je t'ai dit, j'ai gardé l'arme au lieu de la jeter à la mer.

— Tu racontes n'importe quoi, affirma Gilbert d'un air dédaigneux. Si tu avais des documents...

— Oh ! c'est le cas, assura Alicia à Heat. Dans le coffre d'un ami à Sag Harbor.

— Peu importe. Des papiers bidouillés sans vérification possible ? Obtenus de manière illégale ? En baisant avec un sale voyou de pilleur du tiers-monde ? Mes avocats n'en feront qu'une bouchée. Vous n'avez rien pour me relier à quoi que ce soit.

Nikki se laissa retomber sur sa chaise et scruta les visages de sa brigade.

— Il a raison. Ça me coûte de l'avouer, mais il a raison.

— C'est pas trop tôt !

Gilbert se leva pour partir.

— Il ne nous reste donc qu'une solution.

Sur un signe de tête de Heat, l'inspecteur Raley se pencha pour remettre en route la vidéo.

— Vous permettez ? demanda Rook.

— Fais-toi plaisir, répondit Raley.

Rook se leva.

— Faites entrer les zombies.

Le grincement d'une porte emplit la salle de conférences, mais ce n'était pas à cause du départ de Keith Gilbert. À ce bruit, le directeur retira même sa main de la poignée en aluminium brossé pour se tourner vers l'écran plat, comme tout le monde. Il faisait nuit sur la vidéo, et la caméra balayait le sable sur lequel on distinguait des formes sombres. Il s'agissait d'images amateurs tournées avec un portable : mouvements brusques et horizon mal stabilisé. Le son, en revanche, était de qualité professionnelle, surtout les hurlements de loup qui devaient provenir d'effets enregistrés. Puis un rythme familier, pour ne pas dire culte, démarra, et les silhouettes noires se relevèrent toutes en même temps, révélant des dizaines de jeunes en haillons et lourdement maquillés... en zombies. Lorsque les notes du morceau le plus connu de Michael Jackson retentirent, Heat en eut la chair de poule. Les nappes de cuivres et d'orgue de *Thriller* lui avaient toujours fait cet effet, même petite, mais encore plus en cet instant alors que, devant elle, son principal suspect tirait sur son bouc en voyant les charges revenir contre lui.

— Vous reconnaissez ceci, Keith ? cria-t-elle dans le vacarme.

Sur l'écran géant derrière elle, les étudiants rejetaient la tête en arrière, avançaient d'un pas lourd et pivotaient en chœur sur leur chorégraphie éclairée par la lune et les torches en bambou.

— Laissez-moi vous rafraîchir la mémoire. Ça se passe dans votre jardin, à *Cosmo*. Et c'est la *flashmob Thriller* que l'un de mes inspecteurs a trouvée sur YouTube.

À côté du lecteur vidéo, Raley tira une légère révérence.

— Et alors ? C'est aussi pénible maintenant que ça l'était à l'époque.

Elle se rapprocha pour ne plus avoir à crier.

— Je sais. Tellement... que vous avez appelé la police.

— Parce qu'ils venaient « terroriser le quartier », fit Rook en imitant Vincent Price.

La musique sur la vidéo s'arrêta brusquement, et les danseurs s'interrompirent à l'arrivée sur les lieux de plusieurs policiers de Southampton.

L'un des morts-vivants, dont le visage couleur de cendre était boursouflé et à moitié fondu, leur indiqua qu'ils avaient simplement organisé une petite fête sur la plage.

— Je ne vois pas le rapport, gronda Gilbert d'une voix forte pour se faire entendre par-dessus la musique.

Mais au même instant un chœur de huées s'éleva parmi les étudiants à l'image. La caméra tourna lentement vers la lisière du regroupement et zooma sur Keith Gilbert en grande discussion avec un autre policier, un sergent en uniforme.

Il était trop éloigné pour qu'on puisse suivre toute sa diatribe, néanmoins, on en percevait des bribes du genre « … mes putains d'impôts… », « … propriété privée… », propos aussi gênants que galvaudés. Nikki se demanda combien de fois les forces de l'ordre s'entendaient tenir ce genre de propos dans les quartiers riches. Puis, voyant ce qu'elle attendait, elle interrompit Raley.

— OK, Sean, c'est bon, là.

Sur l'arrêt sur image, on reconnaissait sa patiente collègue de la police de Southampton Village, le propriétaire furieux de *Cosmo* et plusieurs hommes debout derrière lui. Malgré la pénombre, on distinguait Nicholas Bjorklund, Roderick Floyd et Zarek Braun. Heat avait tué les deux premiers lorsqu'ils l'avaient agressée à Chelsea.

Le troisième était bien vivant. Nikki ne se retourna pas, mais elle l'entendit renifler à l'autre bout de la table. Gilbert ne pipait mot. Ses yeux partaient dans tous les sens à la recherche d'un nouveau mensonge.

— Et juste au cas où vous prétendriez toujours que vous n'avez jamais rencontré ce monsieur...

Sur un signe de Heat, Raley remit en marche la vidéo. La caméra se rapprocha du plaignant et de la policière en cahotant. Juste devant l'objectif, Gilbert prenait Zarek Braun par l'épaule et lui murmurait quelque chose. Le mercenaire, en tenue décontractée (une chemise de bowling Nat Nast par-dessus le pantalon), acquiesçait de la tête… pour montrer son approbation ou par obéissance. Le propriétaire s'adressa au sergent avec dédain : « Si vous ne vous en occupez pas, mes agents de sécurité s'en chargeront. »

Sur les dernières notes de *Thriller* qui ponctuaient la menace à pleins tubes, la *flashmob* déçue se dispersa et, lorsque le mot « fin » apparut, Rook applaudit.

Personne ne le suivit, mais Heat adressa un sourire à Raley : il avait su conserver son titre de roi de tous les médias de surveillance en creusant la piste de cette simple plainte figurant sur son quart de tableau blanc.

Le directeur posa une main sur la table pour ne pas perdre l'équilibre et se rassit. D'un pas nonchalant, Heat alla se placer derrière Zarek Braun à l'autre bout de la pièce.

— Zarek, je vous offre une dernière occasion de parler.

À l'extrémité de la table en acajou, Gilbert le découpait au laser du regard.

— Je n'ai rien à déclarer.

— Vous êtes certain ? Réfléchissez. C'est peut-être la plus importante décision de votre vie.

Le tueur à gages ne répondit pas. Il se contenta de se contorsionner pour la regarder avant de se détourner de nouveau avec mépris.

— C'est comme bon vous semble.

Puis Nikki se tourna vers l'inspecteur Ochoa.

— Miguel ?

L'enquêteur se dirigea vers la porte et appela de la main quelqu'un derrière la paroi vitrée. Keith Gilbert ignorait totalement qui était l'homme qui pénétra dans la pièce, mais il fut sans aucun doute alarmé par la réaction de Zarek Braun. Heat vit le mercenaire se tasser dans sa combinaison orange à la vue de son ancien employeur, Lawrence Hays, de la société Lancer Standard.

— Vous vous connaissez, tous les deux ? C'est un tout petit monde, j'imagine.

Heat se repositionna à mi-chemin de la table de conférences afin de voir et d'être vue de Braun.

— Merci d'être venu si rapidement, monsieur Hays.

— Pour rien au monde, je n'aurais voulu manquer ça.

— Zarek, je devrais peut-être vous mettre au courant, maintenant, dit Nikki. Je me suis entretenue avec les instances fédérales à votre sujet. La CIA, notamment, semble avoir un intérêt tout particulier pour vous. Donc, dans l'esprit de coopération qui règne entre nos agences, j'ai reçu le feu vert pour confier à ce monsieur, sous-traitant bien connu de notre gouvernement, la sécurité de votre transport aujourd'hui.

Le prisonnier s'exprima enfin ; il n'avait plus l'air aussi culotté.

— Où ?

— Vous ne seriez peut-être pas aussi en sécurité que ça, hein ?

Heat lui glissa un large sourire compatissant.

— Mais puisque vous m'avez clairement dit ne rien avoir pour moi, je ne vois aucune raison de m'opposer en quoi que ce soit au choix des fédéraux. Monsieur Hays, vous êtes prêt ?

— Oh oui ! Un Gulfstream 450 nous attend à Westchester. Alors, on fait moins le zèbre, hein ? fit-il à l'adresse du prisonnier.

Zarek Braun fixa du regard l'homme qu'il avait failli tuer. Il savait pertinemment ce qui l'attendait. Il visualisait déjà la cagoule noire. La capitulation. La longue et atroce torture, tant physique que psychologique, après laquelle il ne pourrait plus qu'implorer la mort, pantelant.

Il savait ces choses pour les avoir lui-même infligées de manière régulière au fil des années. Tout leur parcours commun de sauvages brutalités se déroula devant ses yeux en l'espace des quelques millisecondes durant lesquelles leurs regards se croisèrent. Il s'installa un silence de mort semblable à l'éternité qui suit le claquement métallique d'un coup de fusil dans la nuit.

Le mercenaire détourna les yeux pour les poser sur Heat sans s'arrêter à Gilbert. Nikki reconnut le regard démoralisé du soldat vaincu tel qu'on le décrivait dans les livres et les documentaires sur la guerre. Pourtant, l'enquêtrice n'éprouva aucune compassion. Surtout lorsqu'elle entendit sa déclaration.

— Quand j'ai commencé à travailler pour lui, c'était pour assurer la sécurité de ses cargos, les protéger des pirates somaliens. De temps à autre, je faisais d'autres boulots pour lui.

Pour cette mission, il m'a appelé parce qu'il avait merdé en essayant de régler lui-même cette histoire de chantage.

— Qui vous a appelé ?

Heat exigeait des détails afin qu'il comprenne que tout cela était officiel.

— Je veux vous entendre prononcer son nom.

— Lui, Keith Gilbert. Vous n'avez pas encore compris de qui je parle ? s'échauffa-t-il dans un dernier soubresaut de défi.

Nikki s'empara d'une chaise et la tourna face à lui.

— Que vous a demandé de faire Keith Gilbert ? Précisément.

— Mon métier. Le tuer.

— Je vous ai demandé de tuer Fabian Beauvais ?

— Ça, oui. *Jasna cholera* ! Il a dit de le tuer. De le tuer et de faire disparaître le problème.

— Et de tuer Jeanne Capois ?

— Ce n'était pas précisé. Mais je ne suis pas stupide. Quand un problème doit être résolu, je sais ce que ça veut dire, OK ?

— Alors, vous avez aussi tué Jeanne Capois dans le cadre du contrat passé avec Gilbert ?

— Oui.

Heat réprima un petit cri d'excitation. Le directeur de l'Autorité portuaire s'était penché pour poser ses coudes sur ses cuisses et, le menton pratiquement sur la table, il écoutait son homme de main le balancer.

Elle évita de s'emballer, car rien n'était encore joué ; certains détails, cruciaux, devaient encore être visés pour boucler l'affaire. Si elle parvenait jusque-là, elle aurait amplement le temps de savourer sa victoire ensuite.

— Comment en êtes-vous venu à tuer Fabian Beauvais ?

— Vous savez quoi ? C'est drôle, c'était un accident.

Zarek rit tout seul.

— D'accord, c'est moins drôle qu'il soit mort, mais je ne devais le tuer que plus tard.

— Monsieur Braun, reprit Heat, comment avez-vous tué Fabian Beauvais ?

— Je l'ai fait venir à ma planque.

— Dans le Bronx ?

— Là-bas, oui. Il fallait que je sache qui d'autre était au courant de ce chantage, des informations permettant ce... racket. Je l'ai bien travaillé. Mais il s'entêtait. Alors, comme je savais que monsieur Gilbert arrivait de Southampton dans son hélicoptère privé, j'ai demandé au pilote de passer me prendre une fois qu'il l'aurait déposé pour son discours. L'hélico est donc passé nous chercher dans Crotona Park, près de chez moi, et j'ai emmené ce petit con faire un tour pour lui délier la langue.

Il marqua une pause, échangea un bref regard entendu avec Hays.

— Cette technique d'interrogatoire a fait ses preuves.

Heat voyait déjà de quoi il s'agissait, mais il fallait que cela soit dit.

— Décrivez-la-moi.

— Il est terrifiant de contempler sa chute potentielle d'une grande hauteur. Ça fait parler. Toujours. Beauvais a parlé. Il s'est débattu, beaucoup. Mais il a fini par balancer sa chérie. La bonne dans West End Avenue.

Nikki sentit son cœur flancher en imaginant l'angoisse de Fabian d'avoir eu à céder à la terreur et en revoyant ensuite l'image indélébile de Jeanne Capois sur les lieux du crime.

— Après qu'il a parlé, j'ai remonté l'Haïtien dans l'appareil. L'idée, c'était de le balancer dans l'océan, au large de la péninsule de Rockaway. Mais il se débattait toujours. Il avait beau avoir les mains attachées, il donnait des coups de tête. Alors, je l'ai frappé. Un peu fort, hein ? Du coup, il est passé par-dessus bord.

Rook et les autres inspecteurs pensèrent à la même chose : chacun se repassait la vidéo tournée par le touriste devant le planétarium, sur laquelle on voyait Beauvais s'écraser à travers la vitre.

— Je croyais qu'aucun hélico n'avait été signalé ce matin-là, fit remarquer le reporter.

— Seulement ceux de la police et des appareils de l'État, ajouta Ochoa, qui s'adressa à Gilbert. Un hélico fédéral. Fils de...

Nikki relança Zarek Braun :

— Les renseignements fournis par Fabian Beauvais vous ont donc conduits à West End Avenue ? C'est aussi vous et vos gars, les auteurs de cette effraction ?

— Pour parachever la mission, chère amie.

— Même s'il fallait tuer un vieux pour ça ?

— Les aléas du métier.

— Et pourquoi torturer Jeanne ? Pourquoi ne vous êtes-vous pas contentés de la tuer ?

— Parce que son copain a dit qu'elle avait parlé à une ci-néaste. La bonne a claqué avant qu'on ait obtenu un nom ou une adresse.

— Alors, vous m'avez suivie à Chelsea, dit Nikki.

— Où vous avez tué mes deux meilleurs hommes.

— Les aléas du métier.

Nikki prit le temps de tout revoir dans sa tête, car il lui était déjà arrivé des mésaventures. Satisfaite, elle se leva et sonda son équipe du regard : Raley, Ochoa, Feller, Rhymer et, enfin, Rook. Sans un mot, tous acquiescèrent de la tête.

— Debout, s'il vous plaît, dit-elle une fois arrivée en bout de table.

Cette fois, lorsque l'inspecteur Heat eut terminé l'exposé des accusations retenues contre lui, Keith Gilbert, le direc-teur milliardaire, l'homme d'influence, le candidat aux séna-toriales qui jouait au golf avec le maire, n'eut rien à rétorquer.

À l'instar de l'ouragan Sandy, ses fanfaronnades avaient perdu toute leur force d'impact. Cette fois, il le savait, il n'échapperait pas à l'arrestation.

VINGT

Ce soir-là, comme toute la moitié sud de Manhattan était encore plongée dans le noir à cause de la panne de la centrale électrique Con Edison, Rook, qui ne voyait pas l'intérêt de s'embêter à rentrer chez eux, avait réussi, après plusieurs coups de fil, à leur louer une suite à l'Excelsior, un agréable campement de fortune au nord de la ville. Il était sous la douche lorsqu'elle arriva, exténuée par sa journée, sa semaine et tout le reste. Nikki s'annonça de la chambre, puis elle remarqua qu'il était de nouveau passé chez elle, à Gramercy Park, car une demi-douzaine de ses tenues étaient soigneusement rangées sur des cintres dans le placard. Il avait même pensé aux chaussures.

Sous la douche, Rook chantait, l'air de rien, *Reunited and It Feels so Good*[1].

— Tu sais, lança-t-elle par la porte ouverte de la salle de bain, ce serait moitié moins flippant si tu n'étais pas seul là-dedans !

À ces mots, il s'interrompit. Mais il reprit, beuglant une parodie de *After the Lovin'*[2], cette fois. Nikki en aurait ri si elle n'avait pas senti peser sur elle l'imminence de la grosse conversation qu'ils devaient avoir. En peignoir et une serviette jetée autour du cou, il vint la rejoindre dans le coin salon, où il

---

1. Chanson interprétée en 1978 par le duo Peaches & Herb (« Enfin réunis, ce que ça fait du bien »).
2. Chanson interprétée en 1976 par Engelbert Humperdinck (« Après l'amour »).

leur servit à chacun un verre de Hautes-Côtes de Nuits, dont une bouteille rafraîchissait dans le seau à glace.

— Jolie chambre, dit-elle après qu'ils eurent trinqué.

— Tu plaisantes ? Elle a tout ce qu'il faut : l'électricité, l'électricité et l'électricité. En plus, c'est à deux pas du poste à pied. Et vise un peu la vue.

Il la fit approcher de la fenêtre et en écarta les rideaux. Tous les gratte-ciel de l'Upper West Side scintillaient devant leurs yeux avec, au premier plan, le planétarium dressé juste en face.

— Hmm, c'est sûr que ça nous fait des vacances, hein ?!

— Comme tu dis.

Cela faisait à peine plus d'une semaine que Fabian Beauvais s'était écrasé sur le musée ; néanmoins, il ne subsistait aucune trace de l'événement. Le gigantesque globe bleuté brillait comme d'habitude à l'intérieur de son cube de verre et illuminait le quartier de sa douce lueur.

Nikki retourna s'installer sur le canapé avec son verre de vin.

— Merci pour les vêtements propres.

— Avec plaisir. Mais, juste pour que ce soit bien clair, il n'est pas obligatoire de rester habillé dans cette suite. D'ailleurs, tu vois ceci ?

Il agita l'extrémité de la ceinture de son peignoir et haussa un sourcil.

— Devine ce qui se passe quand on tire dessus.

Heat sourit sans enthousiasme.

— Ah ça, c'est excitant.

Elle ne lui en voulait pas de vouloir s'amuser ; elle se sentait simplement oppressée par le poids de la confrontation à venir.

D'un commun accord, ils décidèrent de ne pas allumer la télévision, car Rook avait regardé les informations toute la soirée. Il la rejoignit sur le sofa pour bavarder et lui résumer les nouvelles. Il avait essentiellement été question des dégâts provoqués par la tempête sur Staten Island et le long de la côte du New Jersey. Pratiquement aucun pillage n'avait eu lieu malgré le black-out.

— Oh ! et Opal Onishi était l'invitée de Greer Baxter au journal télévisé sur WHNY. Ils ont passé des extraits de son entretien avec Jeanne Capois.

— C'est une bonne chose..., j'imagine. Nikki éprouvait des sentiments mitigés à l'égard de cette autopromotion associée au dévoilement d'un trafic d'êtres humains, mais elle décida que ce n'était pas à elle de juger. Évidemment, la seule autre information ne concernant pas Sandy était l'annonce de la nouvelle arrestation de Keith Gilbert.

— Tu sais, cette couronne en carton que j'ai offerte à mon roi des médias ? Il faudrait que je trouve mieux que ça pour Raley maintenant qu'il a découvert cette vidéo de la *flashmob*.

— Tu vois ? Tu ne voulais pas me croire quand je te disais que les zombies étaient pour quelque chose dans cette histoire.

— Rook, tu as déjà entendu parler de la fameuse horloge arrêtée qui donne l'heure deux fois par jour ?

— Désolé, tout ce que j'entends dire, c'est que j'avais raison, rétorqua-t-il en souriant de toutes ses dents.

Elle lui donna une tape.

— Comment ça se passe à la vingtième avec le commandant par intérim ?

— Je n'en sais absolument rien. Je n'y suis pas encore retournée. On a embarqué Keith Gilbert au poste le plus proche, à la treizième. Ensuite, on m'a appelée pour que je me rende au Bureau de gestion d'urgence à Brooklyn.

— Au Bureau de gestion d'urgence ? Pour quoi faire ?

— Parce que toutes les huiles du One Police Plaza y étaient. Les commissaires, le commandant McMains, le Hamster...

Nikki baissa les yeux et d'un doigt ôta un débris de bouchon de son verre.

— J'imagine qu'ils se sont souvenus de moi aujourd'hui. Ils voulaient me voir au sujet du poste à l'unité opérationnelle.

— Alors, ils te l'ont proposé ?

Elle essuya le bouchon sur une serviette en papier et releva les yeux vers lui. Certes, ce sujet était délicat, mais, enfin, ils allaient l'aborder de front.

— Oui.

— Et que leur as-tu répondu ?

Il leva la main.

— Attends. Ne me dis rien. Enfin, pas tout de suite. J'allais oublier. Je voudrais te montrer quelque chose avant. Ne bouge pas.

Rook quitta précipitamment la pièce, le peignoir ouvert, sans dignité aucune. Elle entendit la fermeture Éclair de son sac de voyage, puis il revint la main dans le dos, dissimulant quelque chose, et la rejoignit sur le canapé. Nikki avait la bouche sèche, et le vin n'y pouvait rien.

— OK, dit-il, par où commencer ? Lors de mon dernier séjour à Paris, j'ai fait un petit détour chez l'un de mes bijoutiers préférés, dans le Marais.

— Ah oui ? fit l'ancienne étudiante en théâtre d'un air innocent.

— Pourquoi, te demandes-tu sans doute ? Voilà... Je voulais récupérer la bague de fiançailles de ma mère que je lui avais déposée au printemps dernier, afin qu'il monte un plus gros diamant.

Il sortit la main qu'il tenait dans le dos et ouvrit un sachet – celui qu'elle avait repéré dans la poubelle de sa cuisine – et en sortit un coffret qu'il ouvrit et lui tendit.

— Que penses-tu de son travail ?

Nikki n'eut plus besoin de jouer la comédie.

— Rook... Je... Ça me laisse sans voix.

— Édouard... C'est le maître bijoutier. Depuis toujours. C'est probablement lui qui a dessiné les chandeliers volés par Jean Valjean. Il a fait du beau travail, non ?

— Oh ! Si..., euh..., tout à fait.

Elle s'efforçait de garder son sang-froid, car elle se sentait ridicule et, il faut bien l'avouer, déçue.

— C'est magnifique... Très belle facture.

— *C'est très bon, n'est-ce pas ?* renchérit-il en français.

— Euh…, *oui*, s'entendit-elle répondre à son tour en français d'une voix blanche.

— Bien, parce que, sinon, tu ne voudrais peut-être pas la porter.

D'abord, Nikki crut avoir mal entendu. Épuisée par le calvaire de la semaine et le choc de la découverte du reçu du bijou, il lui semblait que Rook sous-entendait que cette bague de fiançailles lui était en fait destinée. Et elle devait avoir bien compris puisqu'il était en train de sortir le gros diamant du coffret et le tenait devant elle. Bouche bée, elle contempla le joyau qui brillait de mille feux dans la lumière.

— Rook. Tu veux dire que...

— C'est pour toi.

— La bague de fiançailles de ta mère ?

— Ne t'inquiète pas, mère en a toute une boîte. J'ai glissé une pièce dans la fente, et c'est celle-là que la pince a ramassée.

Tous les deux s'esclaffèrent.

— Très romantique, fit-elle remarquer.

— Ce n'est pas parce que j'écris des romans d'amour sous un pseudo que je dois être romantique.

— Non, c'est vraiment romantique. D'une manière un peu tordue…, à la Rook, quoi.

Elle redevint sérieuse.

— Je crois qu'il faut quand même qu'on éclaircisse certaines choses avant d'aller plus loin.

— D'accord. Tu veux parler de l'unité opérationnelle ?

— En gros, oui.

Elle se protégea les yeux de la main pour ne plus voir la bague.

— Tu peux ranger ça une seconde ? C'est très dur pour moi de me concentrer, gloussa-t-elle.

— C'était le but recherché.

Il la lui agita de nouveau sous le nez pour la taquiner, puis l'inséra dans son coffret et referma le couvercle en velours.

— Je n'ai pas vraiment trouvé la manière de t'en parler. Ça t'ennuie si je déballe tout comme ça vient ? demanda-t-elle enfin.

Comme il acquiesça de la tête, elle se lança :

— Voilà, je me suis demandé pourquoi ce poste nous posait un tel problème. Parce qu'il faut bien le dire, ça a fini par nous brouiller.

Elle marqua une pause afin de lui laisser l'occasion de parler, mais il indiqua simplement qu'il était d'accord, et elle poursuivit :

— Je me demandais pourquoi. Quand on m'en a parlé, j'ai tout de suite su que ce serait un boulot passionnant et qu'il s'agissait d'une grosse promotion. Pourtant, qu'est-ce que j'ai fait ? Je te l'ai caché. Par réflexe. Pourquoi ? Parce que je savais que ça entraînerait d'importants changements pour nous. Sur le plan logistique, pour notre style de vie et, bien entendu, notre couple. C'est pourtant ça, être en couple, non ? On se tient au courant des jobs passionnants et des grosses promotions.

Il garda le silence et la laissa poursuivre :

— Cette proposition de poste m'a obligée à redéfinir les choses. Nous redéfinir.

Nikki haussa très légèrement les épaules.

— Et savoir ce que je veux, moi. Ça ne veut pas dire sans toi. Je veux juste savoir si je suis encore assez jeune et assez indépendante pour faire mes propres choix dans la vie.

— Seule.

— Je ne résoudrai pas ma vie en dix minutes dans une chambre d'hôtel, déclara-t-elle en écho à sa consultation chez le psy. Mais, même si je n'ai pas toutes les réponses, cette semaine m'a appris certaines choses. Je sais maintenant qu'on est bien ensemble. Tu me fais rire. Tu m'aides à ne pas me prendre trop au sérieux et à ne pas rester uniquement centrée sur ma tâche. Tu es le seul que je connaisse à se mettre en rogne pour une virgule manquante, s'esclaffa-t-elle.

— Je flique la virgule.

— Tu es ma police de la ponctuation.

— Et au lit ? Je suis bon au lit ?

— Tu es génial. Tu plaisantes ? Mais, même si je sens bien qu'on est faits l'un pour l'autre, l'idée de franchir un nouveau cap m'a vraiment fichu la trouille.

— Attends. Tu veux dire que tu étais au courant pour ça ? demanda-t-il en brandissant le coffret à bijoux.

— Une femme sait ces choses, dit-elle pas encore prête à avouer sa découverte dans la poubelle.

Comme il semblait la croire, elle n'en dit pas davantage.

— Et qu'est-ce que j'ai fait ? Je me suis battue contre toi. Je t'ai accusé de mille maux.

— Tu m'as baptisé avec la meilleure tequila du marché.

— Je ne savais même pas pourquoi j'étais en colère. C'étaient tous ces trucs qui s'agitent à l'intérieur de moi, expliqua Nikki en se frappant la poitrine. Cette fois, ces théories farfelues qui te passent toujours par la tête ont pris des allures d'attaques à mes yeux ; alors, j'ai riposté.

Elle lui posa la main sur le genou.

— Quand j'ai failli te perdre dans la voiture, hier soir, j'ai paniqué. J'ai cru que tu allais rendre ton dernier souffle avant de couler. Et toi, tu m'as dit que tu m'aimais.

Un sanglot lui étrangla la gorge, mais elle lutta pour le réprimer.

— Rook, je ne me vois pas sans toi. Et, maintenant que j'y repense, je me rends compte que ce n'est pas contre toi que je me suis battue toute la semaine, mais contre la peur de perdre mon indépendance. Je sais que ça peut paraître égoïste et complaisant, que ça fait un peu groupe d'entraide, même, mais je ne dois pas me voiler la face. Tu sais, même dans une relation…, non, surtout dans une relation…, j'ai besoin d'indépendance pour que cette relation soit saine. Tu comprends ce que je veux dire ?

Il se balança d'un côté et de l'autre, le temps de choisir ses mots, comme tout auteur qui se respecte :

— Écoute, Nikki, je vais être bref et concis, d'accord ?

Il la laissa essuyer une larme, puis continua :

— Il se trouve que la femme indépendante que tu décris est celle que j'aime.

En cette fin de journée, après une sombre semaine, Nikki aurait juré voir surgir un arc-en-ciel.

— Ah oui ?

— Oui.

— Voyons si tu dis toujours ça quand tu en sauras plus sur mon nouveau poste.

À son honneur, Rook ne cilla pas.

— Je t'en prie, dit-il avant d'avaler une longue gorgée de son bourgogne blanc.

— Ça va représenter des tas d'heures supplémentaires, de responsabilités, de jours et de nuits de séparation, de projets interrompus. Ça ne sera pas toujours une partie de plaisir.

— Alors, maintenant, tu fais partie de l'unité opération-nelle. Félicitations.

— Non, j'ai refusé.

— OK, tu te fous de moi, là !

— Parce que pas toi, peut-être, avec cette bague ? s'esclaf-fa-t-elle.

Il leva son verre à sa santé.

— Touché.

— Ils me l'ont effectivement proposé. C'est pour ça qu'ils m'avaient fait venir là-bas. Je leur ai dit merci, mais, non, merci.

— Pourtant, je t'ai dit qu'on se débrouillerait, Nikki. Je suis sincère à propos de ton indépendance.

— Je n'ai pas fait ça pour toi. C'est assez indépendant ? Je l'ai fait parce qu'il y a un poste qui m'intéresse davantage. Un poste où je sais qu'on a besoin de moi. J'avais refusé la première fois, mais maintenant je suis prête.

— Tu vas diriger la vingtième.

— Bon sang, Rook, tu ne peux pas laisser les autres aller jusqu'au bout ?

— Apparemment pas. Continue.

— Ils n'étaient pas très contents, c'est certain. Mais tant pis. Quand j'ai renoncé la dernière fois, ils nous ont collé Wally Irons. Alors, quand j'ai vu cette triple buse aujourd'hui, je me suis dit que ça allait recommencer. Dans ma brigade.

— Je te suis à cent pour cent.

— Tu me diras ça quand on en sera à notre cinquième dîner annulé d'affilée.

— Parce que ce serait nouveau ?

Il réfléchit un instant.

— Ne dois-tu pas être capitaine pour commander un poste ?

— J'ai déjà le grade nécessaire, tu sais bien. Le Hamster a conservé mes galons dans son tiroir, après que je lui ai dit de se les mettre où je pense, il y a trois ans.

Rook soupesa le coffret à bijoux dans sa paume.

— C'est ce que tu vas me dire aussi ?

Heat termina son vin, posa son verre sur la table basse, puis se tourna face à lui sur le canapé.

— Je ne sais pas. Voyons.

Il se laissa glisser du sofa et fléchit un genou devant elle. À cet instant, toute la lumière du firmament, le merveilleux rayonnement du soleil, de la lune, des étoiles, des comètes et des planètes conspira pour illuminer le visage radieux de Jameson Rook.

Un frisson de jubilation traversa Nikki, lui fit venir la chair de poule sur tout le corps et l'inonda de joie. La gorge nouée, les yeux plongés dans les siens, elle saisit la main qu'il lui tendait et remarqua, Dieu merci, que ses doigts à lui aussi tremblaient. Le sourire que Rook lui adressa lui emplit le cœur d'un tel bonheur qu'il sembla vouloir exploser lorsqu'il prit enfin la parole.

— Dans ce cas, capitaine Heat...

Un gémissement lui échappa, entre rire et larmes, mais de plaisir. C'est tout ce qui comptait.

— Oui, monsieur Rook ?

— Je vous ai aimée dès le premier jour. Et, aussi incroyable que cela ait pu me paraître lorsqu'on s'est rencontrés, en ce jour et en cet instant, je vous aime plus encore que jamais.

Nikki aurait voulu lui dire « Je t'aime » à son tour et faillit le faire, mais elle n'osa pas l'interrompre. Alors, elle le lui fit comprendre par son expression. Et le message fut reçu.

— Nikki, je crois au destin. Non seulement tout ce que j'ai fait m'a conduit à toi, mais chaque fois qu'on est séparés…, que je sois à Paris, au fin fond de la jungle ou juste à l'autre bout de la ville, à Tribeca…, je mesure tout, chaque minute, chaque souffle, qui reste avant que nous soyons de nouveau réunis. Du coup, on n'est jamais vraiment séparés. Mais réunis comme ceci. Ici. Maintenant. C'est ce que je veux pour toujours. Passer le reste de ma vie avec toi. Toi et moi. Le bonheur parfait.

Il roula un peu des mécaniques, puis marqua une pause avant de reprendre :

— Je veux être ton mari. Et j'aimerais que tu sois ma femme.

Sa voix s'étrangla et les larmes lui vinrent aux yeux. Mais Rook reprit ses esprits, il tendit la bague avec un sourire…, un sourire d'ange.

— Nikki Heat, veux-tu m'épouser ?

REMERCIEMENTS

Avant toute chose, je ne suis pas Richard Castle. Il me semble plus correct que ce soit clair, bien que vous l'ayez certainement déjà compris étant donné l'absence de style de ces quelques lignes. Normalement, M. Castle les rédige lui-même, mais les circonstances, que je n'ai pas la liberté de révéler ici, ont fait qu'il n'a pu... se rendre disponible avant la mise sous presse. C'est donc à moi, simple secrétaire d'édition, qu'incombe la tâche de remercier ceux qui l'ont aidé pour ce livre, comme il en avait l'intention. Je vous en prie, soyez indulgent. En fouillant son bureau, j'ai découvert que ses notes n'étaient pas très organisées, et tous les gens que j'aurais pu consulter étaient trop ébranlés pour m'éclairer. Voici donc ce que j'ai pu glaner sur son poste de travail.

Dans son Moleskine, une page marquée d'une étoile indiquait que Kate Beckett était *sa muse, sa source d'inspiration, sa vie.* Dessous, il était écrit quelque chose comme : *... dans l'espace, ils ne t'entendent peut-être pas crier, mais pourraient-ils t'entendre dire oui ?*

De toute évidence, il comptait remercier le poste de la vingtième. À côté des noms de Javier Esposito et de Kevin Ryan, il a écrit *POTE* en majuscules. Au sujet du capitaine Victoria Gates, j'ai trouvé une question : *Comment un visage souriant pourrait-il froncer les sourcils ?* De ce gribouillis, une flèche est tracée vers le Dr Lanie Parish ; c'est sans doute que cette remarque a aussi un rapport avec elle.

Il ne fait aucun doute qu'il voulait mettre à l'honneur sa mère, Martha, et sa fille, Alexis, puisqu'il les a soulignées, au sens littéral…, enfin surlignées. Au surligneur.

Sur son bureau, sous un poids en métal provenant d'une ceinture de plongée qu'il utilise comme presse-papier, j'ai trouvé une liste de noms titrée *Les Magiciens*. Les voici : *Nathan, Stana, Seamus, Jon, Molly, Susan, Tamala et Penny*. Ensuite, une note indique : *Merci au monde enchanteur du Clinton Building*. On peut supposer qu'il ne s'agit pas d'une référence à la bibliothèque présidentielle, étant donné l'ajout de la précision suivante : *Les studios Raleigh*.

Piqués sur les rotors d'un hélicoptère miniature, imaginez un peu (!), il y avait deux morceaux de papier. Le premier mentionne Terri Edda Miller, qui le *maintient sur un nuage*. L'autre nom semble être celui de Jennifer Allen, et il est inscrit sur le dessin d'un ballon en forme de cœur.

Dans un tiroir à dossiers suspendus, quasiment caché sous une paire de lunettes avec des yeux sur ressorts, j'ai trouvé une carte des Hamptons avec des remerciements annotés pour l'agent de police de Southampton Town qui a accepté de *répondre à ses questions idiotes*, plus un dépliant du 1770 House en guise de pense-bête, afin de ne pas oublier d'en remercier la directrice pour la visite guidée de l'auberge à East Hampton. J'ai cru que c'était tout, jusqu'à ce que je remarque le placard couvert de post-it au-dessus de sa machine à expresso. En espérant les citer dans le bon ordre : *Mon fidèle agent, Sloan Harris ; mon éditrice Laura Hopper (ma chef) ; le champion de la documentation, Christopher Soloway ; Ellen Borakove, pour « tous les trucs médicolégaux » ; John Parry, pour « tous les renseignements GPS sur le comté de Dutchess » ; Clyde Phillips, pour avoir dégagé un espace d'écriture ; Ken Levine, pour ses coucous et son soutien sur le blog.*

Apparemment, l'auteur souhaite également remercier Lisa Schomas, la directrice de franchise de *Castle* sur ABC, ainsi que Melanie Braunstein de la même chaîne, qui gère si bien la promotion des livres. En effet, j'ai trouvé la note suivante dans son sous-main : *Ne pas oublier de remercier Lisa Schomas, la directrice de franchise de Castle sur ABC, ainsi que Melanie Braunstein d'ABC, qui gère si bien la promotion des livres*. Je ne suis pas auteur de romans policiers, mais je sais reconnaître un indice quand j'en vois un.

Bien que cela ne puisse être explicitement considéré comme une note, l'écran de veille sur l'ordinateur de M. Castle présente deux encriers animés qui avancent et reculent. L'un est étiqueté *Andrew* et a pour légende : *Leader, visionnaire, créateur, ami*. L'autre, *Tom*, est qualifié de *toujours à moitié plein*. Ce ne sont pas vraiment des notes, mais je les inclus, juste au cas où ces noms voudraient dire quelque chose.

On ne peut que se livrer à des suppositions et espérer que cette fouille, peut-être inopportune, du pré carré de M. Castle, pour laquelle on se reconnaît bien volontiers inexercé, a mis en lumière tout le travail éditorial requis par ces remerciements. Si, dans l'intervalle, l'auteur devait se rendre disponible, l'éditeur devra, évidemment, stopper les machines pour lui permettre de procéder aux révisions qui s'imposent. Ainsi soit-il.

Secrétaire d'édition, anonymat préservé
New York, le 12 mai 2014

Vague de chaleur

Dans la fournaise new-yorkaise, les esprits s'échauffent, les passions se déchaînent et une série de meurtres entraîne la police dans le monde opaque de l'immobilier, des paris, de l'argent douteux.

Mise à nu

La plus célèbre des chroniqueuses mondaines est retrouvée morte à son domicile. Assassinée. Nikki Heat est chargée de cette enquête qui s'annonce délicate... D'autant que Heat et Rook ne sont pas encore remis de leur rupture...

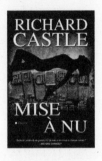

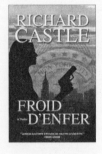

Froid d'enfer

Un prêtre est retrouvé assassiné dans un club fétichiste. Pour Nikki Heat, c'est l'affaire la plus dangereuse de sa carrière. Elle se retrouve aux prises avec un baron de la drogue, un agent véreux de la CIA, et un mystérieux escadron de la mort...

Cœur de glace

Le cadavre d'une femme battue à mort est retrouvé dans une valise, au milieu des rues de Manhattan. Pour Nikki Heat, c'est une évidence : ce meurtre a des liens avec l'assassinat de sa propre mère, dix ans plus tôt.

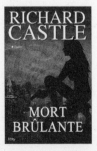

Mort brûlante

Décidée à venger le meurtre de sa mère, Nikki Heat est à la recherche de l'homme qui, autrefois, a ordonné son assassinat. Dans cette enquête, elle est bien sûr épaulée par le célèbre et toujours aussi charmeur Jameson Rook. Bientôt, ils découvrent que la mère de Nikki a été assassinée afin de dissimuler un complot terroriste.

Tempête à l'horizon, Tempête et orage, Tempête de sang

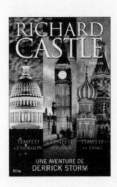

Lorsque Derrick Storm a quitté la CIA, il n'a pas simplement pris sa retraite, il a dû carrément simuler sa mort. Mais aujourd'hui, Derrick Storm est de retour à l'Agence, car son ancien patron lui demande une faveur. L'ancien agent secret doit enquêter sur l'enlèvement du fils d'un sénateur de Washington. Rapidement, la politique internationale s'en mêle…

Avis de tempête

Les plus grands banquiers de la finance internationale sont torturés avant d'être assassinés. Le tueur, surpris fugitivement par une caméra de surveillance, arbore un bandeau sur l'œil et ressemble à un parfait psychopathe. Derrick Storm ne tarde pas à réaliser que son vieil ennemi, Gregor Volkov, est de retour.

Tempête de Feu

Derrick Storm rentre de vacances quand soudain, à plus de 30 000 pieds d'altitude, son avion part en vrille. Heureusement, Storm est là pour sauver la situation et, in extremis, éviter le crash. Dans le même temps, quatre autres avions subissent le même sort et s'écrasent, faisant des dizaines de victimes.

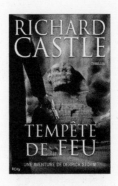

http://www.city-editions.com